C0-ARZ-380

歷史的軌跡

——二千年教會史

李林靜芝　譯・祁伯爾　著

歷史的軌跡——二千年教會史

祁伯爾　著
李林靜芝　譯

出版兼發行者	校園書房出版社 台北市羅斯福路四段 22 號 台北市郵政 13 支 144 號信箱 電話：(02) 23653665 (02) 23644001 傳眞：(02) 23680303 網址：http://www.campus.org.tw 郵政劃撥第 01105351 號
發行人	饒孝楫
本社登記證字號	行政院新聞局局版臺業字第 1061 號
承印者	傑泰印刷有限公司

中華民國 75 年(1986 年) 6 月初版
中華民國 92 年(2003 年) 8 月初版九刷

國家圖書館出版品預行編目資料

歷史的軌跡：二千年教會史 / 祁伯爾(B. K. Kuiper)著；
李林靜芝譯. - -初版. - -臺北市；校園書房
：民 75
面；　公分
譯自：The church in history
含索引

ISBN 957-587-011-5(精裝)

1. 基督教—教會—歷史

248.1　　80000109

The Church in History

by B. K. Kuiper
Title originally published in English as
The church in history by B. K. Kuiper,

P.O. Box 13-144, Taipei 106, Taiwan, R.O.C.

First Edition: June 1986
Ninth Printing: Aug., 2003

ISBN 957-587-011-5
Printed in Taiwan

目錄

第壹部　初期教會

第貳部　中世紀教會

第叁部　改教時期的教會

第肆部　改教後的教會

第伍部　新大陸的教會

地圖目錄

譯序

「教會歷史」是每個基督徒的必修科目之一，因它直接影響一個信徒對信仰的肯定並建立正確的人生觀與價值觀。

由於中文方面，缺乏爲一般信徒而寫的教會歷史書籍，外子李秀全牧師時常鼓勵我，將多年教成人主日學的教材編寫成書。然而教會事工忙碌，總是心有餘而力不足。至今，所有教會歷史資料，仍然是一頁頁的講義。數年前，無意間在麻州的 Gordon Conwell 神學院書房，購得一本 B. K. Kuiper 所寫的 "The Church in History"，如獲至寶。該書內容簡潔，文字淺白，加上約三百幀相片、地圖、及圖表，讀時引人入勝，不忍釋手，對忙碌的現代信徒而言，著實是一本容易下咽的歷史書。因此，放棄了整理講義的念頭，而著手進行這本書的翻譯。

深盼這本簡單的歷史書能爲中國教會一般信徒提供有關教會及基督教信仰兩千年來的發展史實，並藉這本「用聖徒的血所寫成的教會歷史」堅定信徒的信心，幫助信徒執着於所接受的、經得起歷史考驗的「純正信仰」！

本書在百忙中譯成，錯漏之處，自必難免，敬祈指正。

書中專有名詞的中文翻譯乃根據道聲出版社：英漢宗教字典（1972 年版），及東南亞神學院：神學用語手册（1965 年版）翻譯。　謹此致謝。

願神親自成全祂的工。

李林靜芝

1984 年八月於美國波士頓

第壹部

初期教會

新約教會的誕生

教會在風暴中

教會內部的成長

教會全面得勝

教會日形穩固

教會漸趨腐化

教會歷劫而存、繼續增長

第壹部

初期教會導論

——本書的第一部份著重基督教早期的成長。我們將看到它如何從耶路撒冷的一小撮人擴展到涵蓋當日地極的大團體。教會在人數及地域上增長之時，也同時塑造成一個組織型態；它對眞理的認識日益增進，也同時發展出一套信仰體系。

——教會誕生不久就開始受逼迫。首先是受猶太人逼迫，後來則受異教徒逼迫。我們將看到教會如何在逼迫中得到解救，基督教如何變成羅馬帝國的國教。

——我們也將讀到，在這段期間教會如何忍受北方蠻族的入侵。他們洗劫了城鎮，推翻了西羅馬帝國。在本書第壹部結尾，我們將瞭解教會如何藉着傳福音及教育工作，肩負起將蠻族基督化的使命。

——在閱讀每一章的開始，最好先記住章題上所註明的年代，因爲不同的兩章可能記述不同的歷史層面，却屬於同一個時期。若能把年代放在心中，對於閱讀本書及瞭解當時情況會有不少助益。

第一章

新約教會的誕生

1. 教會的歷史背景
2. 教會的本質
3. 有形環境的預備
4. 屬靈環境的預備
5. 教會的擴展
6. 教會的特點

1. 教會的歷史背景　舊約聖經、有關彌賽亞的應許、基督生平及使徒行傳，都是教會歷史的最佳導論。

起初神的啓示是給全人類的。但在舊約時代，神只向第一位希伯來人亞伯拉罕，啓示祂所應許的救贖；神對這位信心之父說：「萬國都必因你得福……」。當新約教會誕生時這個應許便得到應驗，因爲救贖的福音藉着教會被傳到了外邦各族（加三8）。現在，正如起初一樣，全人類都可以有份於這眞信仰的福祉。

希伯來人是舊約眞理的領受者，神又在末世差遣祂的兒子耶穌基督，向他們曉諭祂自己（來一1–2），但他們拒絕基督，不接受祂是舊約所應許的彌賽亞，因此，神將福音轉而傳給外邦人。

由於這個歷史背景，基督教和猶太教就有了密切的關係。耶穌基督是神在舊約所應許的彌賽亞君王，祂的降臨是神應許的實現。馬太特別警覺於新、舊約的關聯，因此在他寫馬太福音時，常在紀錄耶穌的事蹟之後附上一句：「這是要應驗先知的話……」。

2. **教會的本質**　耶穌基督藉着傳道、受死與復活，將舊約的「國族教會」擴大，而成新約的「普世教會」。祂清楚地說明了這個新教會屬靈的本質。祂並未讓教會成爲一個機構，却强調建造教會當依循的法則；祂並未指示門徒教會表面的架構當如何，却差遣他們出去，奉祂的名傳揚因信得救的福音；甚至當祂警告門徒將會遭到逼迫時，也不是指羅馬皇帝，却說是「地獄的門」。在即將離世之際，祂應許賜下聖靈，這聖靈將帶領祂的門徒進入眞理。並且聖靈降臨也是祂的門徒要將福音從耶路撒冷傳到地極的記號。耶穌的一切教導可以證明一個事實：這個新約的教會乃是一個屬靈的團體，是由聖靈建造，也是由聖靈親自引導的。

3. **有形環境的預備**　聖經說：「及至時候滿足，神就差遣祂的兒子……」（加四 4），這句話淸楚說明神預備了有形的環境來迎接祂兒子的降世，以完成救贖大工。神到底如何預備？新約教會的誕生，以及教會自耶路撒冷向外擴展時期的世界情勢到底如何？

當時的「世界」是在羅馬帝國統治之下（參第 13 頁地圖）。路加多次在他的福音書中提到羅馬帝國的歷史事件，顯示這些史實對耶穌臨世的重要性。例如路加福音中提到：「該撒亞古士督有旨意下來……」（路二 1）以及「該撒提比留在位第十五年……」（路三 1）。

大羅馬帝國爲傳播福音預備了最佳的有形環境。它平息了多年蠻族間的爭戰，代之以和平的氣息；它建設了偉大的橋樑與公路網，使旅行者的足跡可以踏遍當日的「世界」；它安定了海盜出沒的海域，使航海旅行及海運貿易成爲當時最通行之事；它也保護了它的臣民，使他們免於强盜及暴動的擾害。所有這一切條件都有利於福音使者的工作，使基督的使者可以沿着羅馬帝國爲「軍事目的」所建的大道，把「平安的福音」傳到全世界。

4. 屬靈環境的預備　不僅有形的世界環境給宣教士有利的條件，連屬靈與知識的環境也爲宣教工作做了週全的預備。希臘將它的文化傳遍了近東地區，也以它的文明「征服」了羅馬帝國。

希臘語言成爲當時的世界語言，以致保羅在羅馬帝國內到處傳講福音時，可以用希臘文與聽衆溝通。在傳道旅程中，保羅向猶太人提及舊約經文時，引用的是七十士譯本（Septuagint），這是舊約聖經在公元前二百年左右，由希伯來文譯成希臘文的譯本。

希臘哲學使許多人對他們所認識的神祇產生懷疑，以致逐漸將各種神秘怪異的活動視爲神話及傳說。民間的神祇早已名譽掃地，但羅馬官方仍然鼓勵這種地方性的宗教，主要是利用宗教來減少平民的造反。至於羅馬的國家宗教，則純以政治爲目的，並不能爲煩亂的心靈提供眞實的安寧。這一切帶給人類的，不過是道德的眞空，並不能造福世界。

在這種情況下，福音帶着平安的應許來到世上。它應許人罪得赦免、擔重擔的得安息、在基督裡有確據、赦宥、生命與救贖。這眞是打入人心的大好信息，而這「時候的滿足」，也使眞道的快速傳播成爲可能。

5. **教會的擴展**　促使教會從發源地耶路撒冷往外擴展的原因很多。神直接啓示彼得，向他說明神的教會應該包括外邦人；司提反的殉道，以及保羅等人的逼迫，使初期信徒不得不離開耶路撒冷，分散到各處；五旬節時，寄居異邦的猶太人從各國回到耶路撒冷，他們親睹聖靈所動的工，當他們再回到寄居地時，也把救恩的信息帶到那裡。

正式被教會差派的宣教士，如保羅等人，把福音傳給外邦的異教徒；非正式被差派的許多初期信徒，也主動、熱誠地在多處爲基督作見證。

迦百農一間會堂的遺跡

拿撒勒城鳥瞰

6. **教會的特點**　起初耶路撒冷教會有屬靈美好的名聲；信徒在愛中合而爲一，共享物質的好處，關懷各人的需要；教會誠然是「同心合意」的。

這個年輕的教會也有敗德的行爲及意見不合等污點。自私自利成爲絆脚石；使徒建立的教會面對黨派、訟案、濫用聖餐等問題。猶太信徒和外邦信徒格格不入，不易接納對方爲弟兄。

雖然有這許多因人而來的缺點，教會仍然是基督的身體。爲了這教會，神預備了世界；爲了它，基督獻上祂自己；也爲了它，使徒們受苦又受死。

如今，藉着聖靈的祝福，這塊非人手鑿出來的石頭，即將變成大山，充滿天下。（但二 35）

研討問題：

1. 教會是什麼？教會的工作是什麼？教會的頭是誰？
2. 加拉太書三 8–14 說明舊約猶太人和新約信徒的關係是什麼？

3. 加拉太書四 4 的「時候滿足」對於耶穌基督的降臨有何意義？
4. 耶穌爲建立教會做了什麼事？
5. 聖靈爲初期教會做了什麼事？
6. 爲何彼拉多用希伯來文、希臘文、拉丁文寫耶穌十架上的牌子？
7. 希臘文化對初期福音的傳播有什麼影響？
8. 爲什麼猶太人這麼難接納外邦人？他們後來是怎樣被說服的？
9. 教會是有形的，還是屬靈的？爲什麼？
10. 初期教會時代所行的神蹟有什麼功用？
11. 什麼是希臘文化？
12. 在基督福音信息臨到猶太人之前，試想，腓利會不會前往撒瑪利亞傳福音 、設教會？他可不可能去向一個埃提阿伯人傳道？

第二章

教會在風暴中（33–313）

1. 教會的英勇時代
2. 使徒教會遭受逼迫
3. 第一個逼迫基督徒的皇帝——尼祿
4. 伊格那丢、游斯丁與坡旅甲
5. 馬可奧熱流繼續逼迫
6. 風暴中的平靜
7. 摧毀教會的努力
8. 加利流宣佈停止逼迫

1. 教會的英勇時代　基督早已預先告訴祂的門徒說：「他們逼迫了我，也要逼迫你們」。

教會的第一個三百年，信徒不斷經歷火煉的逼迫，這段時期被稱爲「教會的英勇時代」。

2. 使徒教會遭受逼迫　許多教會領袖及新興教會的信徒，爲了信仰而受苦。新約聖經中可以看到早期逼迫的記載。彼得和約翰不止一次地下監受刑；司提反與雅各均遭殺害，以殉道者之身受死。

司提反被石頭打死

有一次，保羅在哥林多的同工被猶太暴民拖進羅馬方伯迦流的公堂，迦流不願審問，要猶太人自己去處理；當猶太人仍不停地控告保羅，方伯生氣地把他們攆出公堂。

基督徒最先所受的逼迫是來自猶太人，但過了不久，羅馬政府對基督徒的態度也有了改變。

3. 第一個逼迫基督徒的羅馬皇帝——尼祿

公元 64 年，當羅馬皇帝尼祿（Nero）在位時，羅馬城發生一場大火，延燒了六天六夜，全城絕大部份焚爲灰燼。謠言傳出，放火者是尼祿王本人，於是引起羅馬人對皇帝的憤慨；爲了轉移百姓的怒恨，尼祿便嫁禍於人，將焚城巨禍歸咎於基督徒。雖然這是揑造的控告，卻有無數基督徒被捉，遭到殘酷的逼迫。有些人被縫在獸皮裡，任憑猛犬撕成碎片；有的女人被綁在野牛後面，拖曳至死；入夜以後，基督徒一個個被綁在尼祿庭院的火刑柱上焚燒，凡是恨惡基督徒的羅馬人可以自由進入庭院參觀。在這同時，尼祿王本人則駕着馬車在庭院中繞行，邪惡地享受這幅殘忍的景象。

根據傳說，使徒彼得與保羅都在尼祿逼迫期間相繼於羅馬殉道。據說，彼得是倒釘十架而死，在行刑前，他要求將十架倒置，因爲他認爲自己不配與他的主以同樣方式去世。身爲羅馬公民的保羅，則被斬頭而死。

這時期對基督徒的殘殺，只局限於羅馬城，還沒有擴展成全國性的大逼迫。

4. **伊格那丢、游斯丁與坡旅甲**　接下來的一百年中（公元68－161 年），羅馬帝國尚沒有對基督徒作全國性的逼迫，只在某些地區分別處死基督徒。這期間最著名的幾位殉道者是：安提阿主教伊格那丢（Ignatius），士每拿主教坡旅甲（Polycarp），以及偉大的護教士游斯丁（Justin）。游斯丁勇敢地著書，竭力而有效地爲基督徒辯護。

尼祿王在他的「金殿」庭院中焚基督徒爲炬

依格那丟（公元 67－110 年），是在皇帝的命令下被捕，被宣判投入羅馬的野獸籠。他早已渴慕這份將生命獻給救主的榮耀，因此他說：「願野獸急切地撲向我，否則我將激動牠們。來吧，羣獸們；來吧，撕裂和踐踏，碎骨與斷肢；來吧，惡魔兇殘的折磨；唯讓我得着基督。」

坡旅甲是經使徒親自帶領的最後一位信徒。他被捕後，被帶到士每拿的競技場中，場內坐滿了觀衆。由於在基督徒的敬拜場所中，沒有神像的設置，異教徒認爲基督徒不信神的存在，控告他們是無神論者。羅馬地方官提醒坡旅甲，既然他年事已高，不如藉着與羣衆一同吶喊「除掉無神論者」以表示自己的悔悟，坡旅甲直視着眼前的羣衆，用手指着他們喊着說：「除掉無神論者！」

接着地方官對他說：「辱罵基督，我就釋放你！」

但坡旅甲回答說：「八十六年來我事奉祂，祂未嘗虧負過我，我怎能咒罵這一位曾經拯救我的人？我是基督徒，祂是我生命中的王！」

於是地方官向羣衆宣佈說：「坡旅甲承認他是基督徒了！」

羣衆喊叫說：「把他燒死！」

立時，木材堆集了起來，坡旅甲請求不必將他捆在火刑柱上，他說：「就讓我這樣吧，因爲那加給我力量的必能幫助我堅

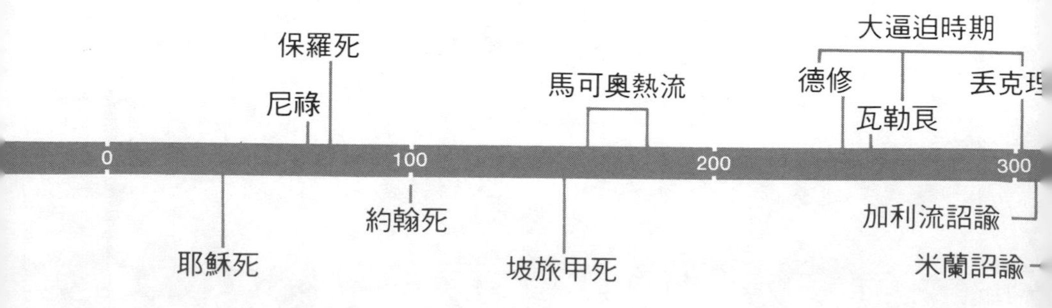

基督徒在競技場中殉道

立在柱前，無須用釘子將我釘牢。」於是柴堆被點燃起來，當火焰吞噬坡旅甲之際，他大聲禱告說：「主啊，全能的神，基督的父，我讚美祢，因祢使我配在此時此地加入祢見證人的行列，得以分嚐基督所飲的杯。」坡旅甲於公元 156 年殉道。

殉道者游斯丁（公元 100 – 166 年），是一位哲學家，他與另外六位基督徒一同在羅馬被鞭打後斬首，他以喜樂的見證面對死亡。他最後的話是：「我們不求別的，只求爲主基督耶穌受苦；因爲在基督審判台前，這將帶給我們救恩與喜樂。」

5. 馬可奧熱流繼續逼迫　羅馬皇帝馬可奧熱流（Marcus Aurelius）下召將基督徒的產業歸給告發他們的人。這個召令帶來的影響是顯而易見的，凡想得到基督徒產業的人，立刻就向政府告發，逼迫也隨之成爲全國性的行動。基督徒在各處被搜查出來，遭到嚴審及殺害，他們的財產也同時歸給了告發者。

在高盧（今日法國）南部，里昂和維也尼教會也在馬可奧熱

基督徒在塋窟中被捉

流統治下大受逼迫。政府使用各種酷刑，威逼基督徒否認信仰，但當那些逼迫者發現沒有任何刑罰可以叫基督徒否認信仰時，他們便將有羅馬公民身份的基督徒斬首，其他基督徒則拋給競技場內的猛獸。

異教徒從遠近各地湧進競技場觀賞，歡樂地看着基督徒步向死亡。最後輪到的一位是白蘭地娜姊妹（Blandina），她已經親睹許多人殉道，也不斷鼓勵其他基督徒要至死堅定；最後她自己帶着感恩和喜樂，勇敢地走進競技場，立時，一面網子將她罩住，把她展露在兇悍的野牛面前，好幾次野牛用尖角將她拋上高空，終於把她蹂躪至死。

他們將殉道者的屍首焚燒，把灰燼灑在隆河裡，並譏諷地說：「這下，且讓我們看看，他們的身體還會不會復活？」

6. **風暴中的平靜** 馬可奧勲流去世後，逼迫平息，平靜約有七十年；其間除了公元 200 年至 211 年皇帝瑟維如斯（Septimius Severus）在位時的短期逼迫外，教會大致來講，都得享安息。

這期間，在埃及的亞歷山大城曾掀起狂烈的逼迫，俄利根（ Origen ）的父親與許多殉道者一起被處死。俄利根在他父親殉道之時，仍是個年幼的孩子，他的母親費了好大的努力才攔阻他不走上殉道者之路；後來，他成爲基督教最偉大的學者。這時期，另一位殉道者是一位偉大的教父愛任紐（ Irenaeus ），他曾以精彩的文筆寫了「駁異端書」。

7. **摧毀教會的努力**　第一位有計劃地要毀滅教會，而展開全國性大逼迫的皇帝是德修（ Decius ）幸虧他僅在位兩年（公元 249－251 年）。經過七年喘息之後，教會又進入皇帝瓦勒艮（ Valerian ）的逼迫；接下來，教會再度獲得四十年平靜。公元 303 年，羅馬皇帝戴克里仙（ Diocletian ）又開始大肆逼迫，他的繼承人加利流（ Galerius ）也繼續逼迫之舉，直到公元 311 年。

這時期基督徒所遭受的折磨，極其殘忍恐怖，非筆墨所能形容。教堂被毀、聖經被焚，無論殉道人數或刑罰的殘酷，此次逼迫都遠超過其他各次，因爲這次逼迫是有計劃、全面的行動，存心要把基督教從帝國中連根剷除。傑出的教會領袖居普良（Cyprian ）就是在此次逼迫中殉道；俄利根於受苦刑後不治，也死在這個時期。

許多羅馬的基督徒在城郊的塋窟中找到避難所。這些塋窟乃是一大片深入地底的通道，由於羅馬城是建在較軟的石頭上，政府嚴禁百姓在城區內埋葬死人，因此，在羅馬城郊挖掘了許多又長又窄的隧道，彼此相連，長者可以蔓延五百哩，而且彼此跨越、轉接，形成一個垂直的迷魂陣，有些地方甚至深入地下三十呎。就在這些隧道的牆邊上，人們一排排地挖掘，安葬死人。一旦逼迫臨到，許多基督徒就躲進這些塋窟中；他們也將殉道的弟兄姊妹被剁剩的殘肢，埋葬在其中。

戴克里仙和加利流的逼迫，是所有逼迫中最厲害的一次，但也是最後一次，異教世界終於耗盡它的威力，發完它的狂暴。

8. **加利流宣佈停止逼迫** 公元 311 年，皇帝加利流突罹不治之症，痛苦萬狀，在病床上發佈了一項詔諭，准許基督徒恢復聚會，並請他們為皇帝及國會禱告。

加利流這項詔諭不能算是基督教的完全得勝，因為加利流只是給予基督徒一部份容忍而已，雖然如此，教會全面的得勝已經近在眼前了！

研討問題：

1. 逼迫對於教會的影響是什麼？
2. 解釋以下名詞：加利流、羅馬塋窟。
3. 為什麼有些基督徒渴望成為殉道者？
4. 羅馬政府為什麼要逼迫基督徒？
5. 為什麼我們對公元 70 年到 300 年間的教會情況所知不多？
6. 閱讀一些殉道者的傳記，寫下你的感想。

第三章

教會內部的成長（33–325）

1. 教會內部成長的意義
2. 教義重要嗎？
3. 使徒後時期的教會領袖
4. 護教者
5. 錯誤觀念的出現
6. 教父們
7. 信經和正典的制訂
8. 主教制的形成

1. 教會內部成長的意義　在時間上，本章和上一章均屬同一時期。所謂教會內部的成長，是指教義（或信仰內容）及教會組織的成形。由於這兩方面關係到神的眞理以及教會內部的管理制度，因此極其重要。

一些有恩賜的基督徒窮畢生之力，從聖經中發掘眞理，駁斥當日錯誤的教導。他們爲神、爲教會完成了偉大的事工，本章特別介紹這些人和他們所努力制訂的教義，以及教會組織與行政管理形成的經過。

伊格那丢

2. **教義重要嗎？** 今天有許多人對教義不感興趣，他們認爲教義的分歧往往引起爭論和辯駁，而教會的分裂也往往導因於教義的爭辯，因此，他們認爲教義是不重要的，最重要的是基督徒的生活。

這種看法造成的後果非常嚴重。許多傳道人不注重將教義教導信徒和兒童，以致許多基督徒對信仰無知。這種認爲教義不重要的看法，不但膚淺、愚昧，更是奸猾、陰險，事實上是撒但最厲害的詭計。

教義爭辯過程是教會歷史上非常重要的部份。

3. **使徒後時期的教會領袖** 繼使徒之後，負起教會領導責任的領袖，被稱爲使徒後時期的教父，因爲他們曾接受使徒直接的教導，都活在第二世紀的前半期，其中有五位知名者：羅馬的革利免（Clement）與黑馬（Herma），安提阿的依格那丢，士每拿的坡旅甲，和亞歷山大的巴拿巴（Barnabas）；此外，還有兩位姓名不詳。

讀者當還記得，耶穌的門徒有相當長的時間不明白祂的教訓；從教父們的著作中也可以發現，基督以後的一百年間，初期信徒尚不能深入明白聖經所啓示的眞理，他們對基督教的認識非常簡單，只認識基督是眞神的啓示者以及崇高道德的宣告者。使徒後時期的教父們爲了更深明白基督的眞理，他們專心致力、深

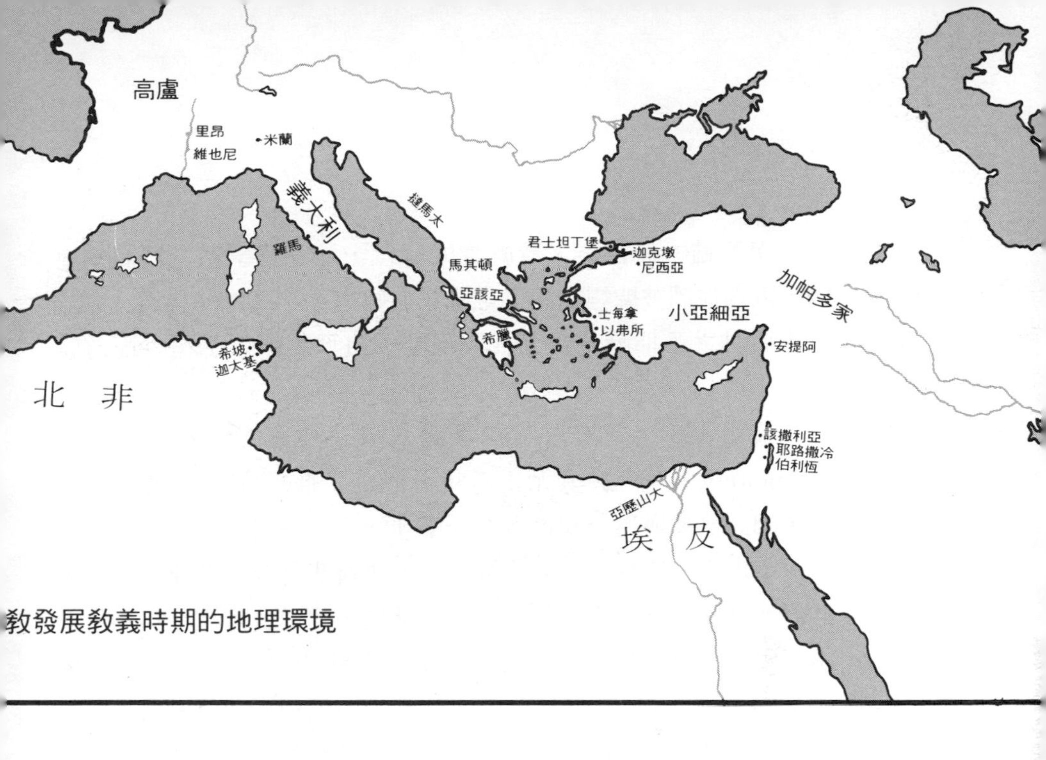

教發展教義時期的地理環境

思揣摩並提筆著述對基督的體認。

4. **護教者**　異教徒不但逼迫基督徒，也攻擊基督教信仰；他們揑造許多荒謬的故事，控訴基督徒的罪行，並誤傳基督教的教訓；爲了回應這類攻擊，有些基督徒起而著書，爲基督教辯護，而成爲當代的「護教者」（Apologists）。

護教者爲他所確信的眞理辯護，爲了向異教徒知識份子闡釋基督徒信仰，並答辯對方的攻擊，迫使他們深入研讀聖經，因此初期教會在基督教眞理的認識上也有了長進。

最出名的護教者是游斯丁，他出生在撒瑪利亞的示劍，那兒有雅各井，耶穌曾坐在該井與撒瑪利亞婦人交談。游斯丁的父母都是異教徒，游斯丁專修哲學，甚至在他成爲基督徒以後仍披着哲學家的斗蓬。當他在以弗所進修舊約先知書時，他歸向了基督。在一本書上，他這樣寫着說：「霎時，一道火焰從我心靈深處點燃，一股對先知與基督的愛流湧溢，他們所傳講的才是萬物肇始與終結的最古老、最眞實的解釋，這是哲學家們都該知道的，因爲他們被聖靈充滿，榮耀了造物眞主、萬物的神與父，並宣告眞神之子耶穌基督。我發現唯獨這種哲學才是穩妥而有益的。」

公元 153 年，游斯丁在羅馬寫成了他著名的「護教書」（Apology），約於公元 165 年，他爲了信仰在羅馬被斬首殉道，因此他被稱爲「殉道者游斯丁」。

克理索（Celsus）不是護教者，他對基督教信仰非常熟悉，然而他卻一直沒有成爲基督徒；相反地，他於公元 177 年寫了一本反基督教的書，題名爲「誠實的對話」（A True Discourse）。克里索的思想敏銳，加上豐富的學識和才智，提出許多論點至今仍被非基督徒所採用，他的著作是異教世界對基督教最具威力的批判。七十年以後才出現了對他的反駁，這本精彩的護教著作是俄利根所寫的「駁克里索」（Against Celsus），此書一出，克里索的論點終於全面潰敗。

5. 錯誤觀念的出現　第二世紀後半期，出現了兩種異端，嚴重地威脅到初期教會，它們是諾斯底主義（Gnosticism）和孟他努主義（Montanism）。諾斯底主義强調基督在地上從未有過眞正的身體；孟他努主義則認爲基督所應許賜下的聖靈並未在五旬節時應驗，聖靈的臨在乃是「此時此地」的，他們並强調世界末日即將來到。這兩種異端都在教會中擁有强大勢力，然而他們的信仰却與基督教眞理背道而馳。正確的教義固然重要，錯誤的教義更能危害教會，教會無法與錯誤的假教義共存，爲此，第二世紀後半期，教會面臨嚴重的危機。

從以下這件事蹟中，我們可以體會當時教會對異端痛切的感受：諾斯底派有一位領袖馬吉安（Marcion），他在君士坦丁堡發跡後，搬到羅馬；他大量捐錢、廣行善事，並大事宣傳諾斯底派信仰，因此，羅馬教會中有許多人跟從他。士每拿主教坡旅甲本來在東部已經認識馬吉安，有一次他赴羅馬訪問，不意在路上碰到馬吉安，他正預備不加理會地走過去，馬吉安攔住他，問道：「坡旅甲，難道你不認識我了嗎？」坡旅甲回答說：「當然認識，我知道你是誰，你就是撒但的長子。」

6. 教父們　初期教會在教義上第一次大爭論是有關基督位格的爭論。我們知道基督是神的兒子，是三位一體中的第二位，祂就是神。起先教會對這方面並不完全清楚，教會領袖們花費了許多時間精力，認眞研討、思想討論，直到對基督有了正確的認識，今天我們能對基督有正確的認識，不能不歸功於這些教父長期而精深的努力。這期間出名的教父，在帝國西部有愛任紐和特土良（Tertullian），東部有革利免和俄利根。

愛任紐出生年代約在公元 115 至 142 年間。他在士每拿長大，親眼見過坡旅甲，也聽過他講道。以後愛任紐搬到高盧（今日法國）的里昂城，成爲當地的主教，後於公元 200 年爲主殉道。愛任紐極認眞研究聖經中對基督的教導，在他的名著：「駁異端書」中，他立下了「基督論」教義的典範。

特土良約在公元 150 至 155 年間出生於北非的迦太基，後來赴羅馬進修法律並執業律師；信主後回到迦太基，成爲當地教會的長老。他對哲學與歷史甚有研究，法學更是精湛。雖然他對基督的認識並未超越游斯丁和愛任紐，但他的用詞表達極有恩賜，以致比前人更能把基督的教義用最淸晰、最準確的字彙加以說明。

亞歷山大的革利免（切勿與一百年前羅馬的革利免混淆）則是一位在亞歷山大能幹的神學教授。

俄利根是革利免的學生，但後來聲望遠超過他的老師，是初期教會最偉大的學者。他是一位精闢的思想家，寫了許多偉大、博學的書籍。他的名著：「駁克理索」是對基督教非難者一部精彩的反駁。革利免與俄利根都藉著作幫助初期教會信徒對基督的位格有更清楚的認識。

7. 信經和正典的制訂　教會奮力駁斥諾斯底主義及孟他努主義的結果，產生了三樣東西：信經、正典和教會組織。這三件事對後代教會影響深遠。

「信經」這個詞源自拉丁文 Credo，即「我信」的意思，因此所謂「信經」就是「信仰的告白」。爲應對諾斯底主義和孟他努主義的危機，教會制訂了「使徒信經」（Apostles' Creed），這名稱是因信經內容綜合了使徒的教導，它並不是使徒所寫的。這是教會最早的信經，無怪乎今天許多信徒都會背誦。教會採用使徒信經，讓每位信徒清楚知道基督教信仰眞義，能分辨諾斯底派及孟他努派的異端。

「正典」（Canon），這個詞有許多含意，在這裡是「書目」的意思。爲抗衡上述異端而出現的正典，是新約的正典，即確定新約聖經的書目。在與諾斯底派及孟他努派爭辯時，教會總會引用聖經，然而當時有許多基督徒的著述流傳，因此必須確定那些是眞正出於神的啓示、具有權威的書信。在當時衆多基督教著述中，最後被教會承認、接受而列入正典的經卷，就是我們今日所用的新約聖經各卷。

8. 主教制的形成　教會在對付諾斯底派及孟他努派異端時，另一項新發展是在組織方面——教會產生了主教形態的管理。由於異端領袖也宣稱他們有聖經根據，因此，教會必須確立自己的

早期基督徒在羅馬聚會情形

權威，以解釋聖經的意思；權威的執行乃是透過治理教會者，就是「主教」（bishops）。教會從那時起，一直到宗教改革期間止，都是採用主教制。甚至今日仍有一些教會維持這種形態，例如羅馬天主教、希臘正教、聖公會與循道會。

教會最初的組織非常簡單，只有長老與執事兩種職份（「長老」一詞源於希臘文 Presbyter）。

初期教會所有長老原本地位同等，然而漸漸地，每個教會都需要其中一位長老負起帶領之責，他成了長老團的主席，帶領崇拜並講道。長老的另一名稱是監督（希臘文爲 episcopos），「主教」（bishop）之詞便由此而來。等到某一長老逐漸成爲長老團的領導者，主教的頭銜就加給他，於是其他長老的地位漸漸低於這位監督（或主教），他也在無形中獨攬了教會大權。希臘文稱獨裁爲“Monarch”，因此在教會中獨攬大權的主教便稱爲「專制主教」（Monarchical bishop）。

起初教會是設立在城裡，城外仍爲異教徒聚居之地，當基督教由城內往城郊傳播時，城外的信徒就到城裡聚會。城市和四周的郊區合稱爲教區（diocese），於是城裡教會的主教變成了整個教區的主教，而造成所謂的區主教（diocesan bishop）。

因爲希臘文是當時的世界語言，因此所有教會的職稱如執事、長老、主教、專制主教、區主教等均源自希臘文（diconos, presbyter, episcopal, monarchical bishop, diocesan bishop）。

我們無法得知到底教會何時開始有主教，因爲主教制的產生是逐漸的，而且各城市有主教制的時間也不一致，有些教會比羅馬教會先有專制主教。約於公元 110 年，安提阿教會（即差派保羅和巴拿巴出去宣道的教會）已經有主教，名叫依格那丟，而士每拿也有坡旅甲爲主教，他們二位都直接被使徒帶領過，屬使徒

黎巴嫩一間神廟的遺跡

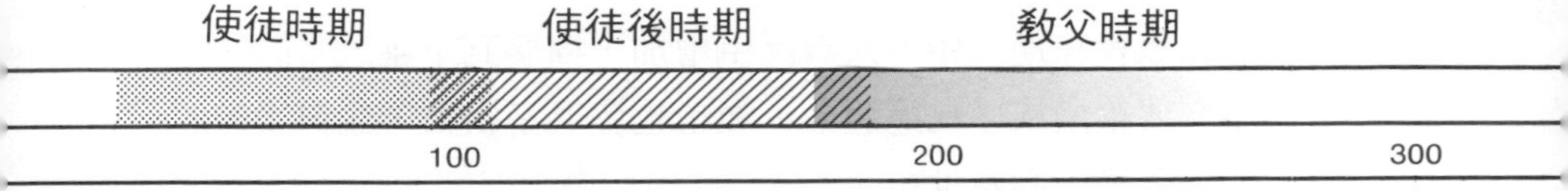

使徒時期　使徒後時期　教父時期

100　200　300

後時期的教父。羅馬的第一位主教似乎是安尼克托（Anicetus），他自公元 154 到 165 年任羅馬主教。到第二世紀中期，可以說所有教會都有了專制主教。

主教被認爲是使徒的繼承人，這種觀念給予他們無比的權威。伊格那丢强調主教是教會合一偉大的維繫者，也是對付異端的偉大辯護者。他寫信給非拉鐵非教會說：「你們都要跟隨主教，如同基督跟隨天父。行事不可不經主教認可。」

有相當長的時間，各城教會間彼此沒有聯絡。公元 200 年後，由於對付諾斯底派及孟他努派異端，各教會才漸漸結合，形成一個整體；所有教會都採用同一的信經、同樣的新約正典以及主教型態的教會管理；各異端則在教會以外成立他們自己的小教會，而大教會從此被稱爲大公教會或天主教會（Catholic Church）意即普世教會（Universal Church），以後我們將看到羅馬天主教會的發展。

當時最會表達教會觀念的人是居普良，他約在公元 200 年生於北非的迦太基，終其一生都住在那裡，是一位富有且受過高深教育的人，也是有名的修辭學教授。公元 246 年他成爲基督徒，兩年後成爲主教，公元 258 年被斬首殉道。在他的書上，他說：「只有一位神，一位基督，一個教會及一個座位（「座位」是指「權柄中心」而言）。」他又說：「凡不在基督教會裡面的都不是基督徒；凡不以教會爲母的都不能以神爲父；教會以外沒有救恩；教會是主教所組成的，主教在教會裡，教會在主教裡，凡不與主教同在的都不在教會裡。」

教會在逼迫中，人數反倒增加，擴展到全羅馬帝國，甚至將福音傳給蠻族；在逼迫中，教會也發展了組織，制訂了教義，準備跨入另一個新世紀。

研討問題：

1. 「使徒後時期教父」是指什麼人？他們屬於什麼年代？
2. 比較使徒信經、尼西亞信經及亞他那修信經中對耶穌基督位格的描述。
3. 解釋以下名詞：俄利根、居普良、諾斯底主義、孟他努主義。
4. 護教者有那些？他們的著作爲教會成全了什麼事？
5. 路加福音和使徒行傳的收書人是誰？
6. 爲什麼使徒信經中對聖父和聖靈都只用一句話描述，而對聖子却用許多話描述？可見初期教會所面對的異端如何？
7. 教會的新名稱是什麼？代表什麼意思？從何可以看出後來教皇控制教會的趨勢？

第四章

教會全面得勝（313）

1.「靠這記號，就必得勝」
2. 米蘭詔諭
3. 教會得勝是一件奇蹟
4. 教會歷史的轉捩點
5. 世界侵入教會
6. 教會與政府的關係
7. 猶利安恢復異教失敗

1.「靠這記號，就必得勝」　公元306年，不列顛的羅馬軍隊擁立君士坦丁（Constantine）爲帝，於是他接管了不列顛、高盧及西班牙。馬克森狄（Maxentius）則管義大利與北非。但他覬覦統管整個羅馬帝國的西部，漸漸公開地與君士坦丁敵對，君士坦丁乃決定先採取行動；在馬克森狄備戰之前，君士坦丁帶着四千軍人進攻義大利，到距離羅馬北邊十哩的薩克沙盧拉（Saxa Rubra），兩軍相遇。在羅馬和馬克森狄軍隊之間隔着台伯河（Tiber River），有米里維橋（Milvian Bridge）跨越其上。馬克森狄的軍隊不但三倍於君士坦丁，而且有皇家衞隊及羅

米里維橋之役前一天
君士坦丁看見十架在日頭上

馬軍隊中最優秀的軍人。日暮黃昏，不知第二天的戰事將有什麼結果？

君士坦丁發現自己正處於險境，他深深感到需要超自然的幫助。過去他沿襲父親的信仰，相信波斯太陽神米斯拉，據說那是一位爲眞理公義而戰的得勝者，是一位偉大的戰神，在當時羅馬帝國有不少敎徒。

據傳說，戰爭前一夜，君士坦丁看見西沉的日頭之上有一十架，寫着光耀的希臘文 Hoc Signo Vinces，意思是「靠這記號，就必得勝」。

第二天是公元 312 年十月廿八日，兩軍交接，引起一場可怕的戰爭，皇家衞隊勇猛如獅，他們從不退縮，但在這次戰役中却大敗，馬克森狄全軍覆沒，他本人在過河逃命時不愼墜河，淹死在台伯河中。

2. **米蘭詔諭**　米里維橋之役是世界史中富決定性的戰役之一，此役使君士坦丁成爲西羅馬的主人翁，然而更深遠的影響是：君士坦丁認定這次的得勝是由於基督敎上帝的幫助，因此他自己做了基督徒，這位曾經拜太陽神米斯拉的皇帝，現在成爲世界眞光——耶穌基督的跟從者。

公元 313 年，君士坦丁在米蘭下了一道詔諭，此詔諭並未定基督教爲羅馬國教，也沒有禁止異教崇拜，但它却遠超過加利流在公元 311 年所下容忍基督徒的詔諭。米蘭詔諭宣佈停止對基督徒的逼迫，並宣告良心的絕對自由，允許基督徒在羅馬帝國內和其他宗教一樣，可以享受法律前平等的地位。

3. **教會得勝是一件奇蹟**　米蘭詔諭奠立了基督教勝過異教的里程碑，教會的得勝是一件不可思議的奇蹟。因爲教會在三百年前才自一個很小的團體開始，它的成員多半是人數既少又被輕視的猶太民族，會友也多屬貧窮沒有受過教育的小民；教會所傳的

教皇西維斯特一世爲君士坦丁施洗

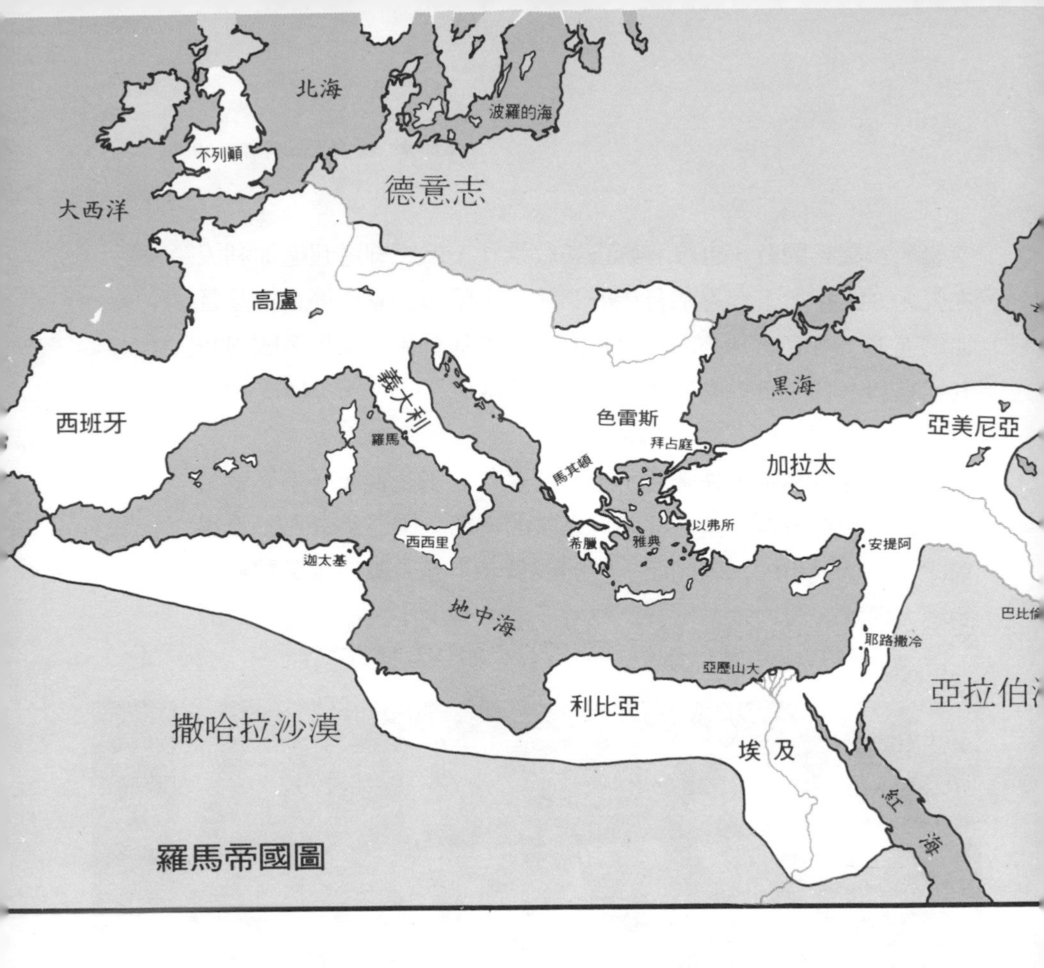

羅馬帝國圖

信息對許多人而言是愚拙的、絆人的道理，而四周反對的勢力却不計其數，包括金錢、學識、文化、社會特權、政治與軍事威力、猶太人、異教徒、羅馬帝國，甚至當日的全世界。至於教會本身也因某些成員在道德上的敗壞，不止一次地蒙羞受辱；教會也曾爲了懲戒問題而分裂；曾被怪異的教義、致死的異端所侵；爲福音信息的爭辯而苦惱。這許多不利的情況，加上三百年恐怖血腥的逼迫，任何人都會認爲教會的成長是不可能的事。

在這樣的衝突和困難中，教會怎麼可能得勝？有許多方面可以解釋，其中一個原因是：「殉道者的血是教會的種子（the blood of the martyrs is the seed of the Church）」越多人殉道，教會成長越蓬勃；然而另一個更明顯的答案是：基督對教會超自然的保守。因此，教會的存在，就是一個神蹟！

4. 教會歷史的轉捩點　教會歷史中某些事件爲歷史帶來突兀的轉變。例如，司提反的殉道將耶路撒冷的基督徒分散到各處，是教會最早的轉捩點之一；保羅等人的宣教，將基督教傳遍各地，可說是第二個轉捩點。

公元 313 年標出了教會歷史中第三個轉捩點，因爲在這一年頒佈了米蘭詔諭，使基督徒能與其他宗教信徒同樣享有平等權利。

坐在皇帝寶座上的人，不但不再逼迫基督徒，反倒接受了這信仰，而且給教會許多好處。聖職人員可以免於某些公民義務，君士坦丁還給他們大量津貼。他在君士坦丁堡、耶路撒冷、伯利恆等地興建宏偉的教堂，同時定星期天爲聖日，禁止百姓在星期天工作。然而君士坦丁的私生活仍有許多缺點，有人懷疑他在信仰上是否眞誠。

5. 世界侵入教會　後來證明米蘭詔諭爲教會帶來非常不良的後果。由於這份詔諭，作基督徒不但不再蒙羞，反而是一種殊榮；基督徒之名可以帶來許多物質上的好處，基督徒之名也成爲政治、軍事、社會界獲得陞遷的護照；因此，成千上萬的異教徒湧進了教會。

很不幸，許多人只是掛名的基督徒，君士坦丁自己的信仰就很成問題。教會在「量」上的得着，變成在「質」上的損失。公元 313 年的米蘭詔諭爲教會打開了水閘，屬世的腐敗潮流，通過這個閘門，冲進了教會。

在教會歷史的第一個三百年中，教會以和平方式向外擴展；在基督教勝過異教的過程中，教會一直沒有以爭戰取勝，而是以

猶利安在戰役中
從馬上摔下來

默然受苦得勝。然而公元 313 年後，基督徒有時會以戰爭來達到宣教目的。過去羅馬軍隊以老鷹爲徽號，現在，十字架取代了老鷹！

6. 教會與政府的關係 君士坦丁的信主帶出一個最明顯的結果：政教合一。君士坦丁給教會自由與許多好處，同時，他也要求干涉教會事務，於是教會與政府之間建立了親密的關係，從 公元 313 年直到今日，嚴重地影響了教會歷史的方向。教會和政府的關係帶出來的問題，成爲許多爭論、不和，甚至流血的焦點；直到今天，這個問題尚未得到答案。

7. 猶利安恢復異教失敗 公元 361 年，君士坦丁的姪子猶利安（ Julian ）即位爲羅馬皇帝，他自幼在基督教薰陶下長大，但心中仍信異教。即位後即宣稱自己的異教信仰，羅馬帝國再度有一位異教皇帝。由於他背叛基督教，而被稱爲「 叛道者猶利安 」（ Julian the Apostate ）。

雖然他曾發動一些對基督徒的逼迫（ 亞他那修稱之爲「 轉瞬即逝的一片雲 」），但他對基督教主要的攻擊是用筆寫下他尖刻的譏諷和嘲弄。他竭盡全力欲恢復異教信仰，却慘遭失敗，異教寺廟仍然毀棄，異教祭壇荒廢；異教已難死灰復燃。

公元 363 年，米蘭詔諭後整整五十年，叛道者猶利安在波斯之戰中被致命的一箭傷及大腿，從馬上摔下來。據傳說，這位皇帝於臨終時，用手抓起一把從傷口噴出的鮮血，灑向天空，喊着說：「加利利人哪，最後還是你贏了！」

研討問題：

1. 試想想，到底君士坦丁大帝對教會產生興趣的可能原因是什麼？
2. 米蘭詔諭對以下各項的影響是什麼？(a)教會的聖職人員，(b)教會的單純，(c)教會和政府的關係。
3. 羅馬天主教是否仍保持政教合一的傳統？
4. 爲什麼教會得勝是一件奇蹟？

第五章

教會日形穩固（325–451）

1. 教會會議的角色
2. 尼西亞會議
3. 君士坦丁堡會議
4. 迦克墩會議
5. 安波羅修
6. 耶柔米
7.「許多禱告托住之子必不失落」
8. 奧古斯丁衛護並解釋聖經
9. 省主教與主教長制

1. 教會會議的角色　教會歷史中曾有過幾次重要的大會議，開會時，各教會領袖聚在一起，共同研討重要問題，週密思考，愼重發言，獲致結論。教會歷史中第一次大會議是使徒們在耶路撒冷所召開的，討論外邦信徒是否要遵守律法的問題。

大會議可依參加代表的多少而有不同：「省區會議」（provincial council）參加者是來自一省內各教會的代表。「國家會議」（national council）參加者是來自全國各教會的代表。由各

尼西亞會議

國派教會代表出席的會議稱爲「大會議」（general council）或「大公會議」（ecumenical council）。公元 325 年召開的尼西亞會議就是第一次大公會議。

在教會的鞏固及合一上，沒有一種工作比大會議的成就更大。下文將集中於四次重要會議：尼西亞會議（公元 325 年）、君士坦丁堡會議（公元 381 年）、以弗所會議（公元 431 年）、迦克墩會議（公元 451 年）。

2. **尼西亞會議**（Council of Nicea）　三百年來，最令教會困惑的問題是：到底聖子基督是否和聖父完全一樣，具有神性？爲這問題爭辯得最激烈的兩位領袖是亞歷山大教會的兩位長老，亞流（Arius）和亞他那修（Athanasius）。

在激烈爭辯最高潮時，亞他那修不過是個年輕人，而亞流已是個愛主、敬虔、生活嚴謹、又有口才的長者。

由於異教信仰是多神的，亞流擔心如果聖子與聖父同樣有完全的神性，那就變成了兩位神，基督教信仰就會墮入異教信仰的錯謬裡；因此，他教導信徒聖子基督雖然像神，但祂並不全然是神，基督乃是被造者中的首先與最高者，祂不是永恆的，祂與聖父並不同質。相反地，亞他那修強調聖子與聖父同質，祂就是神。

這項有關基督位格的爭辯極其重要，因爲它牽涉到人類救恩的問題。基督的工作和祂的位格有不可分的關係，天使曾宣告基督的工作說：「你要給祂起名叫耶穌，因祂要將自己的百姓從罪惡裡救出來」（太一21）。基督救贖的價值全賴基督本身的位格。世人處於完全無助、無法自救的情況下，唯有神能施行拯救，如果基督不是神，基督就不能成爲人類的救主。亞他那修深切體會這一點，他說：「我知道耶穌基督是我的救贖主，祂決不能次於神。」

亞流派的教訓造成教會長期而痛苦的爭辯，最後是羅馬皇帝君士坦丁出面召集大公會議，解決這項爭論。會議定於公元325年在尼西亞舉行，（尼西亞在小亞細亞，位居博斯普魯士海峽邊，離君士坦丁堡約四十五哩的一個小城。）有三百多位主教出席，他們在皇宮輝煌壯麗的大廳中聚會，好些主教帶着逼迫期間受過酷刑的傷痕前來參加。

尼西亞會議的結果是：亞流的看法被判爲異端，基督位格的教義行諸文字，成爲全體教會信仰的根據。這項聲明再經後來多次開會，用心修改，成爲尼西亞信經（Nicene Creed）。教會經過了六、七十年的掙扎，才完全接納了這會議的決定。

尼西亞信經是第一個寫成文字的信經。在其中，教會承認：「耶穌基督，聖而神者，爲父所生，並非被造，與父同質。」

如此，教會宣告了信仰最基本的信條：基督具有完全的神性。從尼西亞會議以後到今天，它一直成爲希臘正教、羅馬天主教及復原教的基本信仰。

3. **君士坦丁堡會議**（Council of Constantinople）　尼西亞會議並未平息亞流派之爭。亞流和好些主教拒絕在尼西亞信經上簽字，仍然有不少人附從亞流，也有很多人批評大會所採用之詞不能完全表達基督教信仰，這批人得到皇帝和皇室的支持，因此，亞他那修必須不斷地、再接再厲地爲尼西亞信經中基督神性的教義奮鬥，直到死日。

亞他那修死後，爲正統信仰（orthodoxy）而奮鬥的領導責任落在三個人身上，他們被譽爲「加帕多家三傑」（The three great Cappadocians）。三位均來自小亞細亞的加帕多家省，是初期教會的傑出人物，他們分別是：該撒利亞的巴西流（Basil of Caesarea），拿先斯的貴格利（Gregory of Nazianzus）和女撒的貴格利（Gregory of Nyssa），這三位弟兄爲了護衛聖經的正確教導，不顧一切、勇敢地堅定奮鬥。

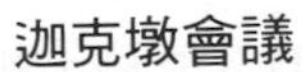
迦克墩會議

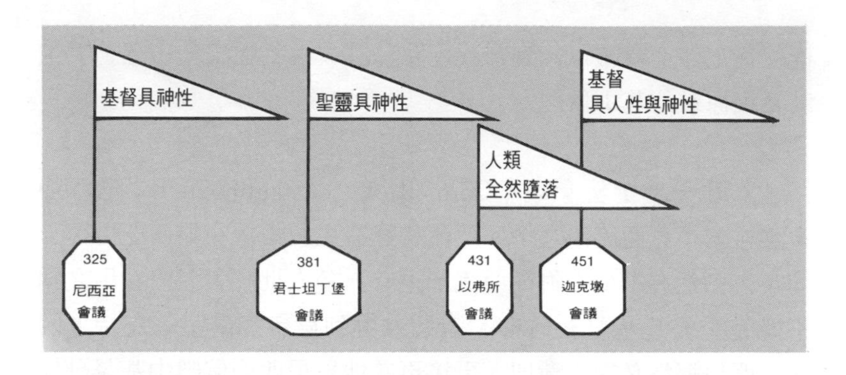

尼西亞信經沒有提及聖靈的神性，爲此，公元 381 年在君士坦丁堡召開了第二次大公會議。會議中，除再度確定尼西亞信經外，更宣告了「聖靈具有神性」的信仰。「三位一體」教義是基督教信仰的基本教義。至此，教會對聖父、聖子、聖靈爲三而一之眞神的信仰，才正式確立。這時教會才眞正將亞流主義完全排除。此後，亞流主義逐漸消聲匿跡。

4. **迦克墩會議**（Council of Chalcedon）　然而，上述會議仍然沒有充份表達教會對基督位格的瞭解。根據聖經的啓示，基督不但是神，祂也是完全的人。爲了拯救世人，基督必須有「完全的人性」，這一點和祂有「完全的神性」同樣重要。

教會對基督的神性曾意見分歧，如今對基督的人性以及人神二性之間的關係，也有許多不同的看法。要在這方面獲得一致的看法以及清楚的瞭解，需要更多的研討與思考，於是一場漫長而艱苦的爭辯再度展開。

終於，公元 451 年，第四次大公會議在尼西亞附近的迦克墩召開（第三次大公會議在以弗所舉行，將於本章稍後討論），約有 600 位主教參加會議。這次會議所制訂的信經和尼西亞信經同樣重要，教會除再度肯定基督有完全的神性外，又承認「基督有完全的人性」。教會宣告：「基督只有一個位格，但兼具神、人二性。」而這兩性之間的關係是：「不相混合，不相交換，也不能分割。」

安波羅修責備狄奧多西

尼西亞和迦克敦信經所表達的是基督教信仰中最基本的信條。十七世紀的改教運動雖然把西方教會分裂了，卻未曾拒絕這些信經，也未曾加以修改。至今這兩篇信經仍爲希臘正教、羅馬天主教與大部份復原教所接受的信仰。

5. **安波羅修**（Ambrose）　第四世紀末至第五世紀初，西方教會的三位傑出領袖是安波羅修、耶柔米（Jerome）、奧古斯丁（Augustine）。這三位弟兄被譽爲「拉丁教會之父」（Latin Church Fathers），在鞏固教會的事工上，扮演了重要的角色。

安波羅修（公元 340–397 年）生於今日德國西部，父親擔任羅馬政府要職。他自幼在羅馬受教育，很早便顯露才華，年輕時已被委任爲義大利北部省長，住在省都米蘭。

安波羅修任職期間，米蘭教會仍有不少亞流派的人，當米蘭主教去世時，亞流派與正統派都決定再選一位作主教的繼承人。選舉新主教的會議非常混亂，於是年輕的省長安波羅修進入教堂維持秩序。突然，一個孩子的喊聲壓倒全場的喧嚣，高呼：「安波羅修主教！」當時安波羅修還不是教會的會友，也未受洗，然而却被選爲主教。他認爲這是神的呼召，於是把金錢濟助窮人，接受洗禮，並正式就任主教，時爲公元 374 年。

耶柔米在教父中最熱心推動修道生活。他的一生就是神學史與修道史的總滙。宗教藝術通常以讀書或寫作姿態描繪他，旁邊的獅子與骷髏象徵他一生文學與修道的聯合。

安波羅修是尼西亞信經的全力支持者，寫了許多書，是一位博學之士、偉大教師、推廣聖詩的功臣、能幹的行政人員，他更勇敢地强調基督徒崇高道德的生活見證，這方面可以從他對皇帝的嚴格態度上看出。

羅馬皇帝狄奧多西（Theodosius）脾氣暴躁，由於帖撒羅尼迦人暗殺了該地省長，狄奧多西一氣之下，屠殺了城中數千百姓。安波羅修爲了這件事，不准皇帝領聖餐，除非他公開認罪並表示悔改。皇帝無奈，只有服在教會的懲戒之下，這件事的結果是皇帝與主教雙方均獲得衆百姓的嘉賞。

皇帝奧熱流時代所重建的羅馬城

6. **耶柔米**（Jerome）　他是另一位偉大的教會領袖，約於公元 340 年出生於撻馬太（Dalmatia），他和安波羅修一樣，也在羅馬受教育。

耶柔米愛好旅行，足跡踏遍大羅馬帝國，晚年時（公元 386−420 年），他來到耶穌的出生地伯利恆，住在山洞裡過隱居默想的修道生活，直到去世之日。

公元前 200 多年，舊約聖經被譯成希臘文，稱爲七十士譯本（Septuagent）因爲據說是由七十位學者合力譯成的。希臘文的新約聖經，以及這本希臘文版的新舊約聖經，都曾被譯爲拉丁文，但却譯得很差。

當耶柔米住在安提阿及伯利恆時，他向猶太拉比學習希伯來文，因此他可以說是西方教會唯一懂得希伯來文的人。耶柔米着手進行聖經的拉丁文翻譯工作，舊約部份沒有採用七十士譯本，而是直接由希伯來文翻譯過來。這本耶柔米所譯成的拉丁文聖經被稱爲武加大（Vulgate），直至今日，該譯本的修訂本仍對羅馬天主教有極大的影響。

7.「用許多禱告托住的兒子必不失落」　教父中最偉大的一位要推奧古斯丁。公元 354 年，奧古斯丁出生於非洲北部的塔迦斯特（Tagaste），此時非洲已經出過兩位偉大的教會領袖：特土良（Tertullian）和居普良（Cyprian）。

奧古斯丁的母親摩尼加（Monica）是一位虔誠的基督徒，也是歷史上一位偉大的母親。奧古斯丁於早年已顯露不尋常的才華，他的父母爲使他成爲偉人，不惜犧牲自己，供給他最好的教育。但奧古斯丁並未善用學習的機會，小時常爲貪玩而疏忽課業，以致連希臘文也沒學好。年事稍長後，他常爲這點深感懊悔，因爲他無法閱讀許多迫切想讀的希臘文原文書籍，其中包括新約聖經。

十六歲時，父母將他送到北非最大的城迦太基，就讀最好的學校，然而迦太基是個腐化的城市，充滿罪惡引誘。奧古斯丁在那兒雖然用功讀書，卻也過著腐敗的生活。

奧古斯丁

十五世紀一幅奧古斯丁「上帝之城」的縮圖。最上層代表已經進入天堂的聖徒；下層的七個格子中代表兩種人：一種是有基督教美德的人準備進入天堂，一種是犯罪作惡的人不得進入天堂。

摩尼加一刻不停地爲這個兒子禱告。奧古斯丁不顧母親流淚懇求，毅然離開非洲，遠赴羅馬，好多次令摩尼加面臨幾乎絕望的境界。這時，只有一位基督徒朋友的話給她安慰，他說：「妳用許多禱告托住的兒子必不至於失落。」

奧古斯丁的生活雖然敗壞，內心却不斷尋求眞理；開始時，他閱讀聖經，但毫無興趣，反而是異教詩人與哲學家的著作吸引他。這時，波斯人摩尼（Manes）所創的摩尼教（Manicheism）風靡全國，那是一種將基督教和異教混合的哲學體系，奧古斯丁做了九年摩尼教徒。

奧古斯丁在羅馬一年後，被聘往米蘭擔任修辭學與演講學教授。那時，安波羅修正是米蘭主教。奧古斯丁非常喜歡演講術，常去聽安波羅修講道。起初他只欣賞他的演講口才和手勢，並不關心他的講道內容。

這時，他的母親摩尼加也來到米蘭，奧古斯丁漸漸看出摩尼教的許多錯誤，使他的看法有了很大的轉機，開始以新的心態去聽安波羅修講道。

有一個名叫波提納（Potitianus）的人，告訴奧古斯丁在埃及有幾千名修道士過着聖潔的生活，而他們大部份是沒有受過教育的。奧古斯丁聽了，心中非常慚愧，想到這些無知的人可以控制自己的感情，自己身爲受過高等教育的學者，却做不到。他滿懷激動地衝進屋後的小花園，躺在園子的長凳上，將手上拿着的一本保羅書信放在旁邊；不久，又從凳上起來，倒在無花果樹下的草地上。這時，隔壁一個孩子唱着童謠：「拿起來讀！拿起來讀！」

他跳了起來，跑回長凳，拿起保羅的書信來讀，讀到羅馬書十三章 13 至 14 節：「行事爲人要端正，好像行在白晝。不可荒宴醉酒，不可好色邪蕩，不可爭競嫉妒。總要披戴主耶穌基督，不要爲肉體安排，去放縱私慾。」

這一刻成了奧古斯丁一生的轉捩點，他悔改了，從此以後成爲一個新造的人。這位博學的教授兼成功的演說家謙卑地報名參加米蘭主教的教義初學班。此事發生於公元 386 年，第二年復活節主日，他受洗加入教會。

8. 奧古斯丁衛護並解釋聖經　過不久，奧古斯丁成爲北非希

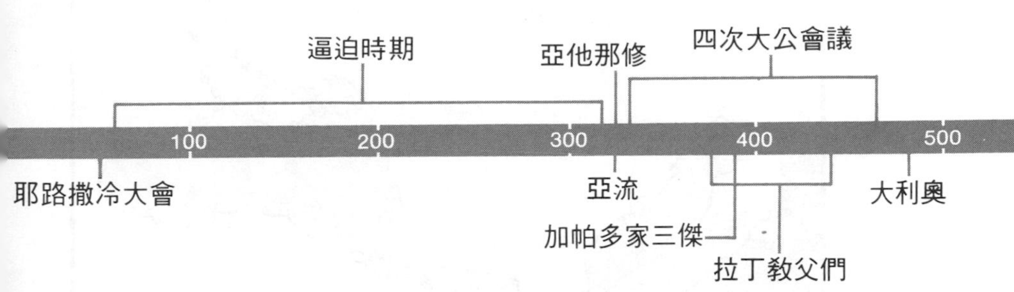

坡城（Hippo）主教。他全心全意投入教會事奉，直到公元 430 年去世之日。他在北非成立第一間修道院，公開地以辯論及文字衞護教會眞道，以對付異端及製造分裂的人。

他用許多時間及精力對付摩尼教、多納徒派（Donatists），及伯拉糾派（Pelagians）的爭論。

多納徒派是因領袖多納徒（Donatus）而得名。此派並非異端，在教義上完全正統無誤，然而他們在教會中製造了分裂。在羅馬皇帝丟克理田可怕的逼迫期間，有許多基督徒否認了信仰，多納徒派認爲這些人不得再回到教會；有些主教在逼迫中繳出聖經給政府官員焚毀，多納徒派認爲這種主教沒有資格主持聖禮及按立別人爲主教。這批多納徒派的人退出教會，組織自己的教會。當時在北非成立了不少多納徒派教會。

前文曾經提及，若有異端自教會分裂出去，自己成立教會，原教會則被稱爲「大公教會」或「普世教會」。

在北非的希坡城，多納徒教會的數目多於大公教會，爲了對付他們，奧古斯丁發展了教會與聖禮的教義，他主張：「大公教會是唯一的教會。」他將強大的權柄給與大公教會，他說：「若非藉着大公教會的權柄，我就不會相信福音。」

他針對伯拉糾派的爭論，完成了人類與救恩的教義。伯拉糾派因其創辦人伯拉糾（Pelagius）而得名。伯拉糾是一位英國僧

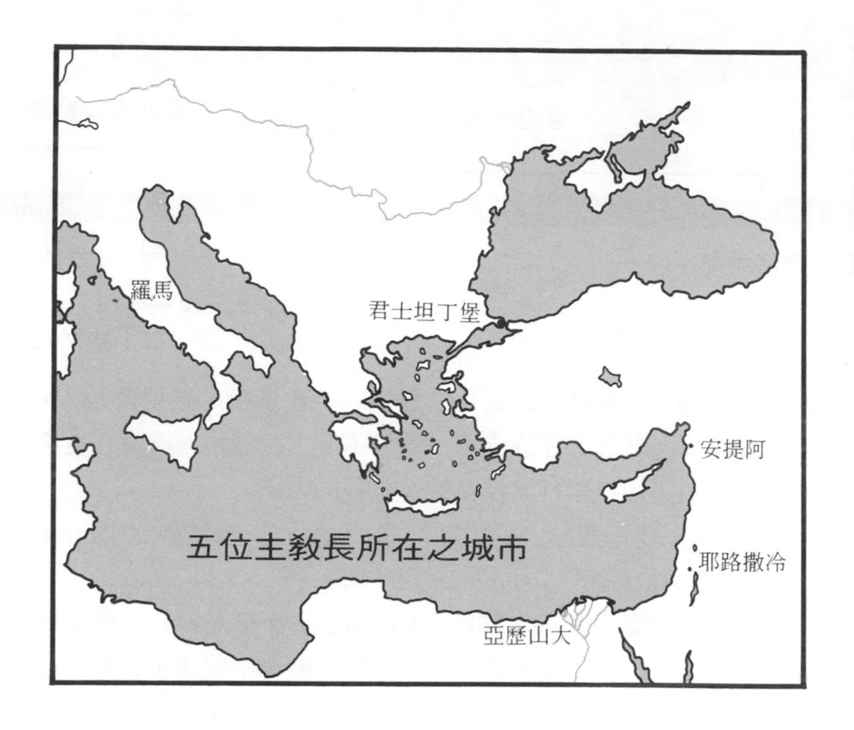

侶，他不接受人類因亞當而失落的教義，因此，他否認原罪、人類全然墮落及預定論。他主張人類並非生來敗壞，嬰兒是無罪的，他們逐漸變壞是由於別人壞榜樣的影響。奧古斯丁則主張世人都生在罪中，唯有藉着神在聖善的美意中所定的救恩，才能得救。

伯拉糾的學說在公元 431 年以弗所大會中，被宣判爲異端。公元 529 年的奧蘭治會議（Synod of Orange），將半伯拉糾派（Semi-Pelagians）定罪，該派認爲一個人可以有權決定接受或拒絕神的救恩。

奧古斯丁的神學成爲中世紀羅馬天主教的主要體系，教會歷史中後來的偉人，如馬丁路德（Luther）及其他改教者，都從這位偉大的教父得到啓發。

奥古斯丁最著名的兩本著作是：「懺悔錄」及「上帝之城」。在懺悔錄中，他赤裸裸地描繪自己早年的許多隱私以及他心靈深處的感受。上帝之城則寫出了他的歷史哲學觀。

9. **省主教與主教長制**　第三章中，我們已經看到教會組織的發展，專制的主教漸漸普及至各教會，每個教會或每個地區都有了主教。起先所有主教是平等的，沒有一位主教高於另一位，然而，逐漸地，羅馬主教超過其他主教的權位，竟演變成為後來的教皇。

最初，大城市中大教會的主教被看為高於小教會的主教，漸漸演變而成省主教。

不久之後，羅馬帝國中的五個大城漸居重要地位，它們是：耶路撒冷、安提阿、亞歷山大、君士坦丁堡及羅馬。這五個大城的主教均被稱為主教長。前四座城在帝國的東部，主要語文是希臘文；唯獨羅馬屬於帝國西部，使用拉丁文。

耶路撒冷教會是第一間教會，又是第一次大會議地點，也是信徒第一次受逼迫之處，因此，一直被尊為母會。然而，漸漸有許多教會在別的城市設立，不知不覺凌駕耶路撒冷教會之上。加上公元 70 年，羅馬提多將軍攻毁耶路撒冷；公元 132 年及 135 年，羅馬皇帝哈德良(Hadrian)征討耶路撒冷，那裏的教會及所有在巴勒斯坦的教會從此沒落。然而由於耶路撒冷是基督教的發源地，雖然其教會極為衰微，只是苟延殘喘地拖了數世紀，一般教會仍尊它的主教為主教長。

安提阿教會的情況則完全不同。保羅在安提阿工作，信徒被稱為基督徒是從安提阿開始，宣教工作也自安提阿開始，教會中心由耶路撒冷移到了安提阿，使耶路撒冷教會變成「祖母教會」，而安提阿教會却成為小亞細亞及許多希臘教會的母會。安提阿出了好幾位偉大的主教，也是神學思想界重要學派的發源地，加上安提阿城又是羅馬帝國的第三大城，因此，安提阿主教也得到主教長的尊稱。

亞歷山大教會雖然不是使徒所設立的，但據傳說，馬可曾在此地工作並設立這個教會。亞歷山大城是羅馬帝國第二大城，是偉大的學府與文化中心地，有數世紀之久，它的輝煌都超越羅馬城；那兒也有著名的神學院，當日教會最偉大的學者俄利根就是在該校執教，因此，亞歷山大主教爲被尊爲主教長。

君士坦丁堡原名拜占庭（Byzantium），是位居博斯普魯士海峽邊的一個古城。羅馬帝國第一位基督徒皇帝君士坦丁將他的首都自羅馬遷到拜占庭後，該城便改爲君士坦丁堡。當地的教會既不是使徒所設立的，又沒有偉大的古蹟，它的重要性全因皇帝的居所而得，因此，它的主教也被稱爲主教長。

羅馬是帝國的第一大城，不但保羅曾在此地工作過，據天主教的傳統說法，羅馬教會是使徒彼得所設立的。因爲耶穌基督曾將天國的鑰匙交付彼得，所以羅馬主教聲稱彼得將這鑰匙的權柄傳給了羅馬主教。

幾乎所有東西方教會中的爭論都向羅馬主教申訴。在爲基督的位格及本性的爭論中，西方教會在羅馬主教的影響下，使正統信仰獲得全面勝利。至於東方教會方面，耶路撒冷教會早已衰微，在一些爭論中不能產生影響，而安提阿、亞歷山大與君士坦丁堡之間却不斷爲領導地位而爭。他們雖然沒有一位承認羅馬主教有超越地位，但在互爭領導地位之時，往往去找羅馬主教的支持。

西方教會方面，從來沒有一間教會想要與羅馬教會一爭高低。早於公元 185 年，愛任紐已在他的「駁異端」一書中就說：「所有教會都當贊同羅馬教會」。雖然羅馬教會的宣佈有時會遭到反對，但至終西方衆教會都承認羅馬主教的超越地位，也因此，導致教皇制的開端。羅馬主教漸漸被稱爲教皇（Pope），此字源自拉丁文 PaPa，是「爸爸」的意思。在教皇管轄下的衆教會，總稱爲羅馬天主教會（Roman Catholic Church）。教皇制的發展成爲後來教會歷史中至爲重要的部份。

大利奧

教皇利奧一世（Pope Leo I）抗議迦克墩會議中所宣佈君士坦丁堡主教長與羅馬主教地位相等的決定，但是他的抗議無效。他死於公元 461 年，被稱爲初期教會與中古教會承先啓後的一位教皇。

研討問題：

1. 教會會議與大公會議的功用是什麼？
2. 本章所提四次大公會議分別在那裡舉行？何年舉行？它們各爲教會成就了什麼事？
3. 安波羅修、耶柔米與奧古斯丁分別對教會的貢獻是什麼？（參看大英百科全書以搜集更多資料）？

4. 使羅馬主教地位超越其他主教的原因爲何？
5. 有那些城市的主教與羅馬主教爭地位？
6. 這幾個大城市爲什麼有宗教上的重要性？
7. 在對付多納徒派及伯拉糾派的異端上，奧古斯丁分別以什麼教義與他們爭辯？

第六章

教會漸趨腐化（100–461）

1. 許多罪惡出現　從章標題的年代，讀者會注意到，本章的範圍包括前幾章曾談過的時代，到目前爲止，我們尚未把教會在最初五百年的狀況完全陳明。教會歷史不是一則簡單的故事，實況非常複雜。

我們在前面所讀到的，大部份是教會歷史中美好的一面。我們看見那從天而生的教會誕生於五旬節，向內、向外都不斷成長。我們看見教會在血腥的逼迫中屹立不搖，終於勝過異教，建立了穩固的地位。

然而，在這同時，教會中也發生許多令人心痛的事。教會歷史應當忠實地記載史實，前面數章固然是眞實的，但並不是全部的故事。

2. 腐化的早期跡象 從約翰書信及啓示錄中基督向小亞細亞七間教會所說的話，已經可以看出教會開始腐化的跡象。使徒時代約止於公元 100 年，接下來是使徒後時期教父們，從他們的著作中，清楚看到腐化現象已困擾教會；其後四百年，情況日益嚴重。

第五世紀末期，下列不合聖經的教義及活動已在教會生根：爲死人禱告；相信煉獄（即人死以後靈魂須在此處煉淨，才得進天堂）；四十天大齋期；認爲聖餐是一種獻祭，必須由祭司主持；聖品階級及平信徒階級分明；敬拜殉道者及聖徒，尤其是敬拜馬利亞；燒香燭向聖徒致敬；崇拜殉道者及聖徒遺物；迷信遺物有奇異能力；在教會中設置圖片、偶像、祭壇；聖職人員穿著華麗的法衣；崇拜儀式日趨繁複華麗；講道越來越少；聖地朝拜；修道主義；世俗化；以及逼迫異端及異教徒。

3. 腐化的原因 讀者或許會希奇，教會怎麼會墮落到如此可悲的腐敗光景。本文不欲詳述上列腐化現象的起源與發展，只檢討釀成此局面的一些因素。

第一個原因，是基督徒本身。每一個基督徒是聖徒，也是罪人。就算重生了，罪人的本性仍然會使他有犯罪和犯錯的傾向。

第二個原因，是初期教會對舊約和基督及使徒教導的無知及誤解。聖經固然是一本平易的書，但它也是神的話，所以也是深奧的。教會花了數世紀之久才研讀出聖經的眞義，而這項工程到現在還沒有完工。

最後一個原因，是異教的環境。異教早已存在了好幾世紀，其思想已滲透了生活的每個層面，當君士坦丁大帝給與基督徒信仰自由，又多方恩寵教會之後，成千上萬的異教徒湧進教會，成爲掛名的基督徒，世俗潮流吞噬了教會，洶湧的來勢造成不可收

修士們在修道院餐廳中

拾的局面。異教徒們喧囂地要成爲基督徒，教會尚無能力充份讓他們瞭解信仰內容，他們便把異教思想和做法帶進了教會。因此，教會全面得勝異教之時，也成爲教會受異教影響最危險之時。

異教信仰有他們的獻祭、祭司和祭壇。過不久，教會也有了獻祭、祭司和祭壇；異教信仰有數不淸的神及神像，過不久，殉道者和聖徒成爲基督徒敬拜的神，同時基督和馬利亞的像也出現在教會中；異教信仰有許多迷信之事，過不久，這種迷信轉移到十字架的碎片、聖徒和殉道者的遺物上，例如：一些骨頭、一束頭髮或衣服的殘片等，無怪乎羅馬皇帝叛道者猶利安稱基督徒爲「拜骨頭的人」；許多異教信仰的地方都有僧侶，過不久，基督徒也開始有修道士及修女。

4. 修道主義應運而起　修道主義最先開始於埃及，創立者是底比斯城的安東尼（Anthony）。公元270年，他在自己的鄉村開始過修道士的生活。十五年後，他住進沙漠中的山洞，因此被稱爲「隱士」（就是從世界隱退，過獨居生活的人），當時有許多人仿效他的榜樣。也有一些人羣居在一間大房子內，漸漸演變成修道院；修道院中，每個修士有自己的小房間。

修道主義很快從埃及傳佈到帝國的整個東方，修道士有時採取非常古怪的修道方式，例如：敍利亞的西門，在柱頂上住了三十年，直到死時；他造了幾根柱子，一根比一根長，他的最後一根柱子高六十呎，柱頂只有四呎平方，因此被稱爲「坐柱者西門」（Simon Stylites）。從五世紀到十二世紀間，敍利亞一帶有許多柱頂聖徒。

亞他那修將修道主義傳到西方，加上安波羅修和奧古斯丁的大力推廣，修道主義成爲中世紀生活中獨特的現象之一。

爲何這些人要去做修士和修女？原因很多，但最基本的動機是要逃離罪惡的世界，每天過聖潔的生活。

5. **教會逼迫傳異端者**　當異教徒停止對基督徒逼迫之際，幾乎同時，教會展開了對異教徒及傳異端者的逼迫。這時教會尚未使用死刑及酷刑，只是由基督徒皇帝禁止異教敬拜，並放逐傳異端的人。

有時基督徒之間也彼此迫害。亞歷山大主教提阿非羅（Theophilus）曾設陰謀，逼使當時最偉大的傳道人悲慘地被放逐到偏遠的小村。這位傳道人是君士坦丁堡大主教，名爲「屈梭多模」（Chrysostom），這名字是「金口」的意思，因爲他是初期教會最有口才的講道者，所以得此稱號；他在晚年被放逐到本都。人強逼他在烈日下，光頭赤足走在熱沙上，最後終於死在半路。

奧古斯丁根據耶穌在路加福音十四章 23 節中的一句話：「勉强人進來」而極力贊成逼迫的行爲。這種觀念爲中世紀及改教時代的教會結出了逼迫的苦果。

研討問題：

1. 列出並說明這時期教會中各種活動，它們和聖經的教導有何衝突？帶來什麼害處？
2. 人類可以藉着逃離罪惡的世界，實行禁慾的生活而得救嗎？
3. 爲什麼教會要逼迫與他們不合的人？
4. 一名羅馬天主教徒對於「教會腐化的現象」會有什麼說法？

第七章

教會歷劫而存，繼續增長
（376–754）

1. 初期教會增長綜覽
2. 羅馬——帝國的中心
3. 日耳曼蠻族入侵羅馬帝國
4. 西羅馬帝國滅亡
5. 人口的分佈
6. 教會面對雙重使命
7. 古文明得以保存
8. 法蘭克人歸信基督
9. 不列顛人歸信基督
10. 日耳曼人與荷蘭人歸信基督
11. 貴格利爲中世紀教會的代表

1. 初期教會增長綜覽　教會歷史是一條漫長的路，前後將近二千年；到目前爲止，我們已走了五百年的路，在這其間一共轉了三個大彎。第一個彎是轉在教會這支神的軍隊被逐出耶路撒冷，進軍猶太全地、撒瑪利亞，直到敍利亞的安提阿。第二個彎轉在基督精兵在保羅的領導下入侵整個羅馬帝國的異教世界。第三個彎轉在這支軍隊經過三百年血戰後，於公元 313 年因米蘭詔諭而獲得的全面勝利。

我們隨着這支得勝軍前進，從耶路撒冷到西班牙，從地中海東岸到地中海西端，其間包括巴勒斯坦、敍利亞、小亞細亞、波斯、馬其頓、希臘、義大利、高盧、埃及和北非。我們也抵達了許多城市，包括耶路撒冷、撒瑪利亞、該撒利亞、安提阿、士每拿、尼西亞、迦克墩、君士坦丁堡、羅馬、米蘭、塔迦斯特和希坡。我們到過博學者鑽研的地方，也到過沙漠中的洞穴、修道士的斗室、地牢、競技場、塋窟、教會和皇宮。我們目睹了許多偉大的情景，也認識了許多知名的人物（參看第 19 頁及第 30 頁地圖）。

2. 羅馬——帝國的中心　羅馬帝國和基督教會幾乎同時出現在歷史中，如今教會繼續存在，而帝國的西方却面臨淪亡之危。西羅馬的滅亡對教會歷史有很大的影響，這是教會歷史的另一個彎，留待下文詳述。

羅馬城的勢力早已伸張到整個義大利、西西里、北非及西班牙。羅馬軍團也向東征服了希臘、小亞細亞、巴勒斯坦及埃及，後來又征服了高盧（今日的法國）、今日的比利時、荷蘭及不列顛等地。因此，羅馬帝國的疆域南邊是以撒哈拉沙漠爲界，西邊是大西洋，北邊是萊茵河與多瑙河，東邊是幼發拉底河（參第 30 頁地圖）。

由於西界大西洋，南界撒哈拉沙漠，因此羅馬帝國對於西邊及南邊不必擔憂；而幼發拉底河以東的巴西亞人及波斯人則經常騷擾邊境，羅馬帝國必須時常加以防備；至於北界，那又是另一個不同的故事。

汪達爾人掠奪羅馬城

3. **日耳曼蠻族入侵羅馬帝國**　在萊茵河以東、多瑙河以北住着日耳曼部落，更北則是蒙古種匈奴人。匈奴人常逼迫日耳曼各部落。日耳曼人已是蠻族，但匈奴人更加野蠻，是一羣面目可憎、秉性兇悍的騎兵。日耳曼人中的西哥德人，因怕匈奴人而於公元 376 年越過多瑙河入侵羅馬帝國。過不久，東哥德人也加入了陣營。羅馬皇帝華倫斯於公元 378 年在亞得良堡（Adrianople）與他們交戰，結果全軍覆沒，華倫斯被殺；他的繼承人狄奧多西是位能幹的政治家兼軍事家，終於制服了入侵的哥德人，此後蠻族才離開羅馬帝國東部，使羅馬帝國可以在東方（或稱拜占庭）繼續存留，直到中世紀結束。

哥德人在東部打了敗仗，就聯合其他日耳曼部族攻打帝國的西方。雖然這時西羅馬帝國正趨衰亡，却仍具威力，蠻族先後花了一百年才將西羅馬征服——西哥德人於公元 376 年越過多瑙河，而西羅馬亡於公元 476 年。

西羅馬帝國在痛苦與混亂中渡過最後一百年，就在這黑暗時期中，偉大的教會領袖安波羅修、耶柔米、奧古斯丁等人均在世。

蠻族所經之地都留下血腥的痕跡。婦女、主教、祭司均遭侮

匈奴人入侵羅馬帝國

辱及殘殺，教堂被毀，祭壇被汚，殉道遺物慘遭翻掘，修道寺院廢棄荒涼，河川血染，萬衆被擄，羅馬世界快步衝向滅亡。

4. **西羅馬帝國滅亡**　公元410年，西哥德人在阿拉利（Alaric）領導下掠奪羅馬城，六天六夜之久，蠻族掃蕩羅馬城，街道立時成爲血河，皇帝的宮室、貴族的住宅、高級傢俱、貴重器皿、珠寶、絲綢、掛飾、珍藏，均遭洗劫；這個搶奪了全世界的大城，如今自己也被搶奪。

當可怕的災禍臨到這「大淫婦」時，基督徒和異教徒都受到震撼。當時，耶柔米正在伯利恆的洞穴中寫他的「以西結書註釋」，聽到這消息時，滿心痛苦，驚愕不能自制，他深信「敵基督」近了，他寫着說：「全世界正衝向毀滅，帝國首府，榮耀之城，慘被巨火吞滅，神聖教會淪爲灰燼，神的聖徒被捉拿、苦待、殺戮。」因恐怖過度，耶柔米甚至無法工作，在他的以西結書註釋導言中，他說：「誰能相信立在得勝基石上的羅馬城竟會毀滅，而她這個國度之母，竟成墳墓？」

羅馬的異教徒一向認爲羅馬的偉大是由於他們所信的許多神明所造成的，他們怪責基督徒離棄這些神明，以致災禍臨到羅

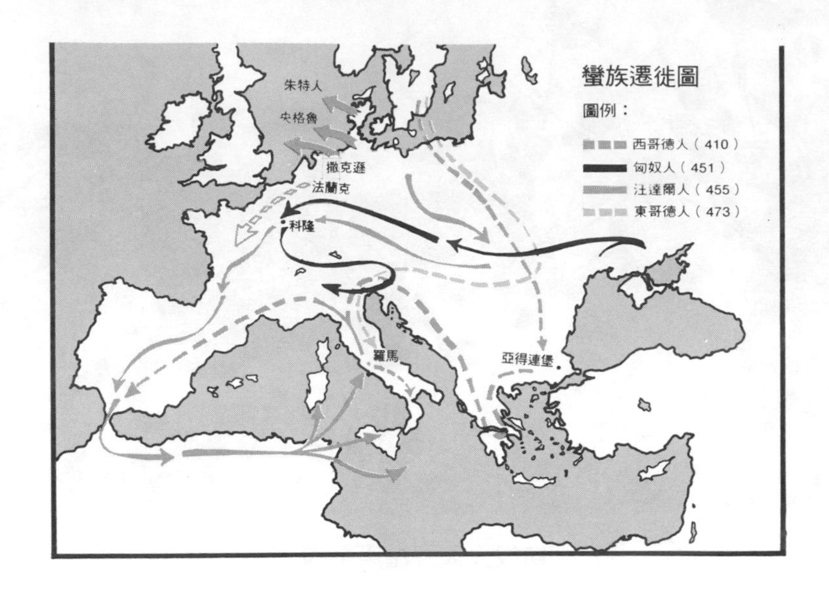

馬。奧古斯丁在震驚之中，寫下他最偉大的書：「上帝之城」（The City of God）以回應異教徒的控訴，此書成爲基督教最精彩的一本護教書。

汪達爾人侵佔了西班牙和北非後，於公元 455 年越過地中海，來到羅馬，成爲第二批掠奪羅馬城的蠻族。

在這同時，匈奴人在長時間壓迫日耳曼部族後，終於在迦隆之戰（Battle of Chalons）遭到敗績，他們的領袖阿提拉（Attila）轉而進攻羅馬城，教皇利奧一世（Leo Ⅰ）出面求情，總算保全了羅馬城。

最後蠻族戰勝了羅馬帝國的西部各省，包括義大利、北非、西班牙、高盧、荷蘭和不列顛。

奧達色威逼最後一位羅馬皇帝獻出皇冠

西羅馬帝國雖亡，基督教會却仍屹立，許多蠻族接受了基督教信仰，並且尊敬羅馬主教，當羅馬皇帝不能保全羅馬城時，羅馬主教却救了她，以至教會地位因主教的成功而得以堅固。

當戰火及濃煙逐漸消弭、平息，基督教會堅立在羅馬廢墟中，預備向這些蠻族傳講基督。

5. **人口的分佈**　蠻族的入侵、西羅馬的亡國，結束了初期教會史，邁進中世紀時代。這時代繼續了將近一千年之久，直到公元 1453 年，君士坦丁堡淪亡之時。

要清楚瞭解這時期教會歷史，必須先清楚這時期各族分佈的情形。

羅馬帝國東部是未被征服的地方，包括巴爾幹半島、小亞細亞、敍利亞、巴勒斯坦與埃及，稱爲東羅馬帝國或拜占庭帝國，以君士坦丁堡爲首都。帝國之中只有少數異教徒，皇帝及大部份百姓至少在名義上是基督徒。他們在文化及藝術方面非常進步，希臘人在未信主以前已經寫了很多書，信主以後，他們又著了不少偉大的書，這些文化寶藏，於中世紀時代，一直被保存在東羅馬帝國，尤其是在君士坦丁堡。

西羅馬各省的人口分佈情形如下：

義大利省原爲許多部落盤據之地，自從羅馬帝國征服義大利後，這些部落居民都成爲羅馬公民，他們學習羅馬的文字拉丁文，而且大部份人接受了基督教。蠻族入侵義大利後，東哥德人定居在義大利省，並與當地百姓同住。事實上，由於多年前烏斐拉（Ulfilas）的宣教工作，東、西哥德人於入侵羅馬帝國前已經接受基督教信仰，烏斐拉後來被立爲主教，他將大部份聖經譯成哥德文。

高盧南部及西班牙北部的一半，則被西哥德人佔據，他們也

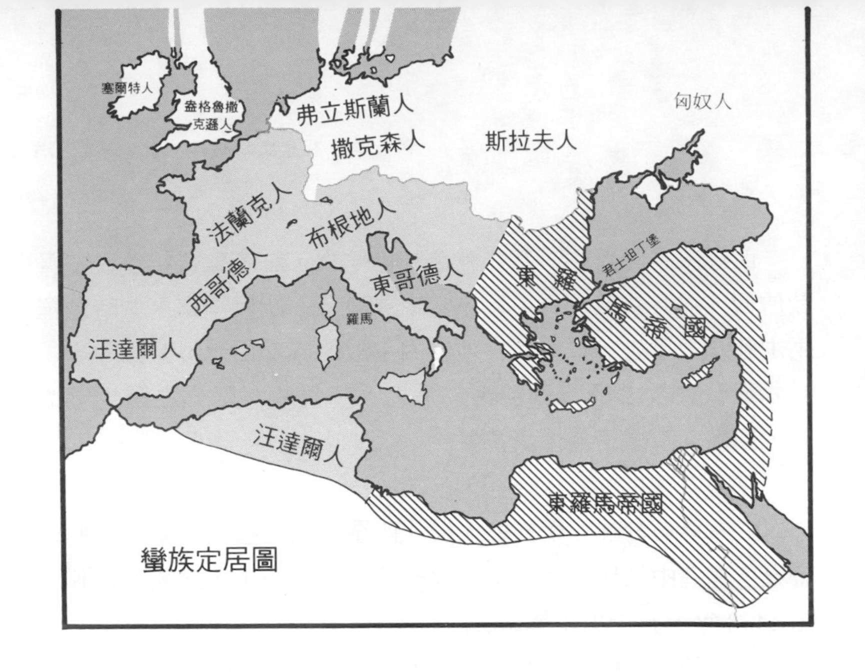

接受了基督教。

除了東、西哥德人，尚有其他日耳曼部族參與入侵羅馬的行動。布根地人（Burgundians）住在高盧東邊，汪達爾人（Vandals）住在西班牙南部及非洲北部，這兩族人都是基督徒，但他們與哥德人，屬亞流派（Arian）的信仰。

高盧北邊及不列顛地區的情形，就完全不同：法蘭克人（Franks)住在高盧北部、比利時與荷蘭南部，弗立斯蘭人（Frisians)住在荷蘭西北，撒克遜人（Saxons）在荷蘭東部，盎格魯撒克遜人（Anglo-Saxons）則征服了不列顛，這些民族均為異教徒。

此外，尚有一些民族住在羅馬帝國版圖以外的地區：塞爾特人（Celts）住在愛爾蘭，斯干地那維亞人（Scandinavians）分佈在今天的丹麥、挪威和瑞典；許多日耳曼族住在萊茵河東；更東邊至蘇俄一帶也有一些部族。這數百萬分散在廣大地區的種族，全都是異教信徒。

6. **教會面對雙重使命**　中世紀一開始，教會的狀況便與初期教會很不相同；教會所面對的情況也與早年截然不同。

初期教會雖然弱小，但保羅和其他宣教士所宣教的對象是有高等文明的羅馬帝國百姓，而且，在羅馬政府的管理下，國家穩定，百姓安全，又有公路網便於旅行。

到了這個時期，教會雖然有許多腐敗現象，但在主教的領導下，教會有強大的組織及健全的教義。只是教會失去了羅馬政府的保護，而歷經蠻族的統治。有些王朝，如高盧的法蘭克人，不列顛的盎格魯撒克遜人是異教徒；住在羅馬原疆界之外的各族也是異教信仰，他們所住的地方，大都未經開發，沒有道路；這些部族都是野蠻、無知、未受教育、沒有文化的人。

因此教會站在中世紀的門檻前，面對這樣一個野蠻的異教世界，必須肩負雙重使命：一方面把福音介紹給他們，一方面要教育這些人。

這項使命的達成，雖然未臻完善，但在接下來的一千年中，的確創下了輝煌的成績。在蠻族入侵後五百年，即公元 1000 年左右，歐洲的新興國家都成了基督教國家。再過五百年，即公元 1500 年左右，這些新興國家在繼承了中世紀文化之後，各自發

中世紀經卷抄寫室

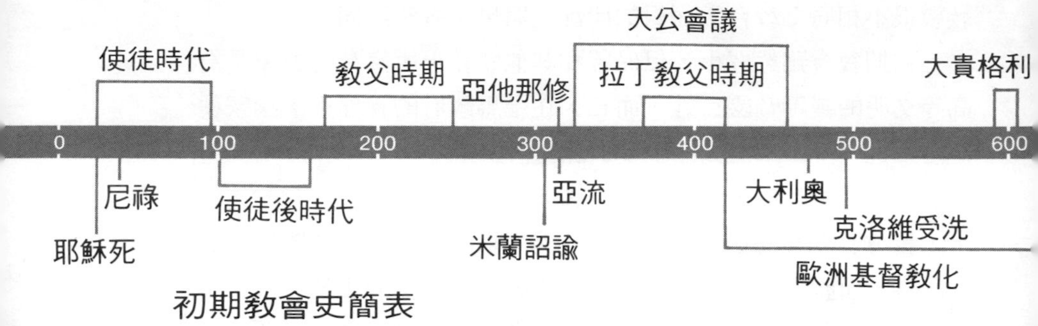

初期教會史簡表

展出獨特的文化。

7. *古文明得以保存*　這些蠻族雖然無知，但並不笨拙。笨拙者無藥可救，無知則可因教育而改善，何況他們也並非全然無知。事實上，他們仍知道的事情不少。他們有自己的宗教及神話；也有法律和管理制度；他們知道如何謀生；戰術足以取勝羅馬；他們會歌唱、編故事；只是他們不知道如何讀與寫，他們的無知是書本方面的無知。

蠻族入侵羅馬帝國時，毀了許多書籍，但沒有全毀；雖然成千百姓被殺害，但殘存的人中，有許多受過教育的，其中有些人開始寫書，把古代的知識流傳給中世紀。

這是當時修道士最大的貢獻。那時沒有印刷術，所有的書都是手抄的，這些修道士受過高等教育，能讀，能寫，藉着在斗室中不斷地抄寫，他們不但保存了經卷，更為文化留下了無價之寶。在一千年黑暗時代中，修道士們堅忍、勤奮、持久地抄寫經卷，維持了書本的供應，藉此可以教育新興的國家。

8. *法蘭克人歸信基督*　法蘭克人在國王克洛維（Clovis）的領導下，擴張勢力至全高盧省，從此高盧被稱為法國。法蘭克人

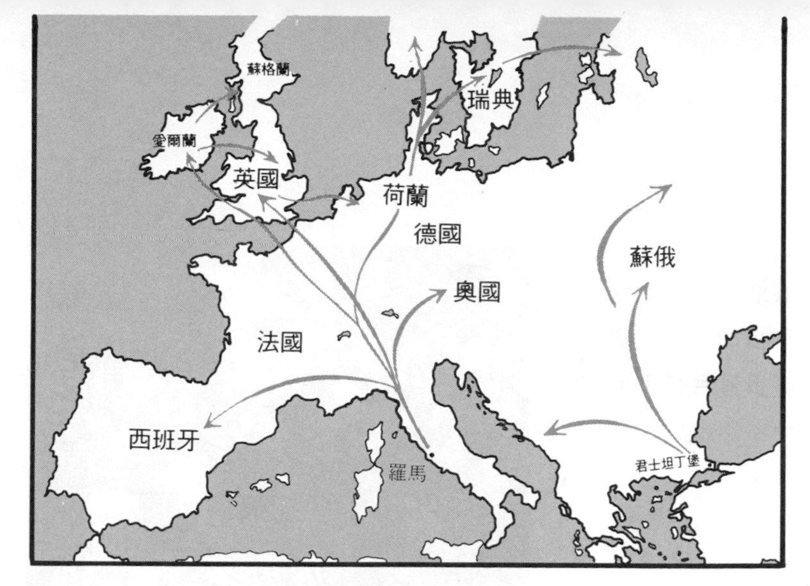

歐洲基督化

是蠻族入侵羅馬後，第一個歸信基督的日耳曼部族。國王克洛維的信主經過與君士坦丁皇帝非常相似：在一次激烈戰爭中，他看到十架顯在天空，他發誓如果此役得勝就做基督徒，打完勝仗後，他和三千名部屬同時於公元 496 年聖誕節受了洗。

過去都是個人接受基督，從這時候起，只要一個國王信主，整族人都同時信主。

法蘭克人所信的是根據尼西亞信經的正統基督教信仰，因此從起步開始，他們就與羅馬天主教會完全一致。其他日耳曼部落所接受的則是異端的亞流派信仰。

法蘭克人接受正統信仰，對後來教會歷史的發展有重大的意義與影響，二百多年後，就彰顯出來。

9. 不列顛人歸信基督　西羅馬亡國前，就有基督徒的羅馬士兵將福音帶到不列顛。西羅馬亡國前十幾年，一位不列顛修道士聖帕提克（St. Patrick）成了「愛爾蘭的使徒」，公元 461 年，他去世時，教會已經堅立在那個地區，加上宣教士的努力，愛爾蘭修道院成爲當時著名的教育中心。

聖帕提克死後一百年，一位愛爾蘭修道士科倫巴（Colum-

波尼法修站在傾倒的橡樹旁，該樹一直是日耳曼人所信之佗爾神的「聖樹」。

ba）在蘇格蘭西邊的愛俄那島創立了一間修道院，從這間修道院差出了許多宣教士，他們在蘇格蘭做了美好的工作，建立了教會，也將福音帶給了萊茵河以東的日耳曼民族中。

科倫巴去世前一年，公元 597 年，教皇大貴格利（Pope Gregory the Great）差派修道士奧古斯丁及四十位修士前往英格蘭佈道。英格蘭即羅馬帝國時代的不列顛，自從被盎格魯與撒克遜人征服後，便稱爲英格蘭。這兩族是强悍的異教徒，在第五世紀征服不列顛後，他們除滅了島上所有基督教的痕跡，重新建立一個異教國家。

一百年後，教皇大貴格利有一次經過羅馬的販奴市場，被一

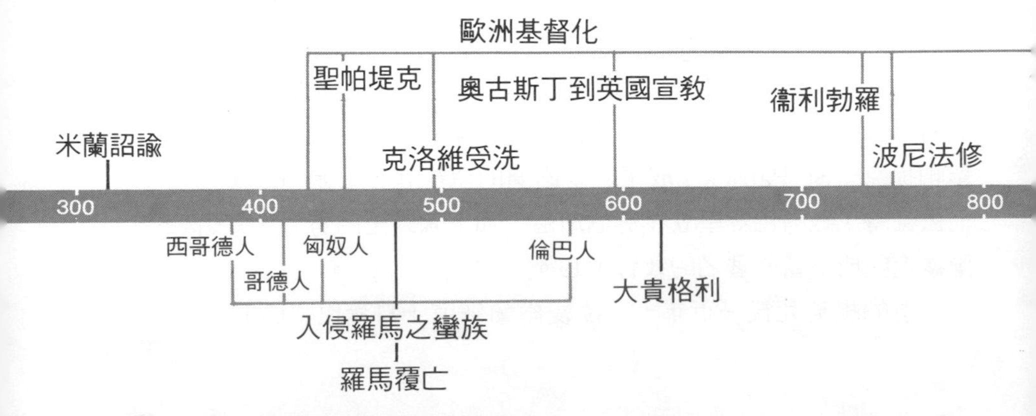

位黃髮藍眼的青年所吸引，當得知年輕人是盎格魯人時，教皇說：「不是盎格魯，是天使！」（盎格魯 Angles 與天使 Angels 發音相近）從此，他決定差派宣教士往英格蘭傳道。大約經過一百年的宣教工作，終於使英格蘭成爲基督教國家。

10. 日耳曼人與荷蘭人歸信基督　英格蘭人信主後，成爲偉大的宣教士，他們前往北歐大陸，在異教徒中工作。其中最偉大的一位是波尼法修（Boniface）。他首先向弗立斯蘭人傳教失敗，然後越過萊茵河，進入日耳曼人中間，帶領了不少人信主。日耳曼人所虔信的一位神明是佗爾神（Thor），當波尼法修砍下佗爾神的至聖大橡樹時，許多異教徒驚懼地等待這位雷神以閃電將他殛死，結果什麼事也沒發生，這些人就不再相信佗爾而接受了基督。波尼法修用這橡樹的木材建造了一座教堂，在當時，他被譽爲「日耳曼人的使徒」。

公元 754 年，波尼法修以七十三歲高齡回到他早期在弗立斯蘭的工場。一天當他正爲一些信徒施洗時，一批痛恨基督教的弗立斯蘭人兇殘地把他以及在場的五十三位同道全部殺盡。

另一位前往荷蘭工作的英格蘭修道士是衞利勃羅（Willibrord），從公元 690 到 739 年間，他的努力，使烏特列赫城（Utrecht）成爲大主教區。至今該城仍爲羅馬天主教在荷蘭的總部所在地。

公元 1000 年左右，丹麥、挪威、瑞典及蘇俄各地的福音工作都有長足的進展。

11. 貴格利爲中世紀教會的代表　當西羅馬滅亡，許多蠻族在該地立國之際，最重要的一位教皇就是大貴格利。他是第一位修道士成爲教皇的人，在位十四年（公元 590–604 年），他自稱是「神的眾僕之僕」，這個頭銜被後來的教皇一直沿用至今。

大貴格利身具中世紀教會所有最突出的特點：他是第一個取得政治大權的教皇。雖然在法律及理論上，義大利仍屬於東羅馬帝國。但他在當地的權威大於羅馬皇帝，在屬世領袖的角色方面，他指派都市的行政首長，整軍備武，並締結和平條約。他使征服義大利北部的倫巴人不再南侵。

藉著這些行動，大貴格利重新運用衰亡的羅馬帝國所放棄的大權。在往後的年日中，教會變成歐洲的政治指揮中心，沿用過去帝國的區域劃分來進行教會行政管理的單位。教會負起了教育全民、救濟貧困及伸張正義的重任。如果不是教會肩負起這個角色，在蠻族入侵的艱困時期中，歐洲必會經歷更幽黑的深谷。我們可能不同意教會的作風或行動，但卻不能忽略當時她對文化可貴的服務。

大貴格利極力支持羅馬主教權位超過其他主教的說法，認爲他是使徒彼得的繼承人；在海外宣道方面，他使羅馬教皇的勢力伸張到遠方；在聖樂方面，他創始了貴格利聖歌（Gregorian Chant）；在神學方面，他主張：⑴聖餐是將基督再度獻上爲祭。⑵已故聖徒可幫助我們。⑶煉獄的存在。

從教會誕生到公元500年間，教會征服了有高度文化的羅馬帝國，接下來的五百年間，教會又征服了北歐野蠻的異教徒。

當教會歷經這許多艱辛而龐大的爭戰時，教會本身也有了很大的改變，這些改變將詳述於後。

研討問題：

1. 奧古斯丁爲何寫「上帝之城」？
2. 當蠻族入侵羅馬帝國後，教會面對什麼新使命？

3. 在中世紀黑暗時代中，修道士們做了什麼重要的工作？
4. 「羣體信主」（Mass Conversion）對教會的純淨有什麼影響？
5. 當蠻族入侵之時，教會爲什麼仍能存在？
6. 法蘭克人和汪達爾人在基督信仰上有何不同？後來對教會的影響如何？
7. 查考百科全書或教會歷史書，研讀「愛爾蘭使徒」聖帕提克的一生事蹟。
8. 列出修道士奧古斯丁、波尼法修及衛利勃羅的年代與事工。

第貳部

中世紀教會

第貳部

中世紀教會導論

——本書第二部份將自回教徒的征伐敍述至改教前夕。

——這段時期稱爲中世紀。教會分裂成東方教會與西方教會，我們將集中注意在西方拉丁教會。

——在這時期中，令教會領袖倍感痛惜的是教會被政府操縱。教會一次又一次地想掙脫政府的控制，甚至希望反過來控制政府；教皇與皇帝互爭大權，若有一方俯首認輸，歷史舞台上就出現十分戲劇性的場面。

——十字軍東征是聖戰，是西方教會爲從土耳其人手中奪回聖地之戰。由於十字軍東征，接觸到東方古老而豐富的文化，刺激了西方的思想與學習。教皇們對異教文化的興趣甚至超越對信仰的維護。人們開始對教會的教導和行動產生懷疑。有些人開始散佈非基督教思想。有些人則持守信仰，但高呼改革。

本段結束之時，可以看出教會與世界都面臨了大改革的契機。

第八章

教會喪失領域(632–732)

1. 災禍的序幕
2. 穆罕默德
3. 許多省份被征服
4. 都爾之役
5. 淪入回教的失地
6. 失敗的原因

1. 災禍的序幕　東羅馬帝國逃過了蠻族的肆虐，得以保持一段時期的太平。但在西羅馬亡國後五十年左右，東羅馬也必須爲生存而戰。起初她忙著抵禦自北方南侵的日耳曼民族，亂定之後，皇帝猶斯丁年(Justinian)甚至自東哥德人手中奪回了義大利，又從汪達爾人手中奪回了北非之地，使它們均成爲東羅馬帝國的省份。

五十年之後，皇帝赫拉克留(Heraclius)發動對波斯人之戰，於公元627年的尼尼微之役中消滅了波斯軍隊，挽救了東羅馬帝國。可惜太平的日子十分短暫，災禍不久又臨到東羅馬，雖然她未像西羅馬般全然覆亡，但也損失了不少省份。

征服西羅馬的是從北方下來的日耳曼部落，與帝國居民同屬印歐民族，而且大部份相信基督教；而佔領東羅馬帝國省份的，是來自南方的亞拉伯人，在種族及宗教信仰上與羅馬帝國居民完全不同。亞拉伯人屬閃族，相信的是回教。

前文中，我們看見西方教會在日耳曼蠻族入侵時，不但得以生存，而且繼續增長。本章中，我們却將看見東羅馬教會遭亞拉伯民族入侵後，面臨毀滅。

2. **穆罕默德**（Mohammed） 亞拉伯人是以實瑪利（Ishmael）的後裔，以實瑪利是亞伯拉罕之子，以撒的同父異母兄弟。他們原是異教徒，相信多神、崇拜偶像。

公元570年，穆罕默德生於亞拉伯的麥加城（Mecca），年輕時是個牧羊人，稍長，成爲商人，隨着駱駝隊到不同國家經商；在旅行中接觸到猶太人和基督徒，知道一些他們的信仰。他喜歡隱退到安靜的地方默想，在那兒，他宣稱從天使加百列獲得啓示，而創立了一個新的、錯誤的宗教，稱爲回教。穆罕默德的教導，後來經收集、編寫而成可蘭經，直到今日仍爲回教徒的聖典。他的基本教導是：只有一位神，而穆罕默

穆罕默德口述可蘭經

在麥加城每天有幾百萬回教徒一天五次向圖中黑幕罩着的建築物祈禱、膜拜。該建築物稱爲「聖卡巴」(Holy Ka'ba),朝聖者甚至親吻聖卡巴牆壁上的黑色石磚。

德是這位神的先知。亞拉伯文的「神」稱爲「阿拉」,回教徒將他們的信仰總結成一句話:阿拉眞偉大,穆罕默德是祂的先知。

穆罕默德起初召到一些信徒,然而麥加城大部份人相信多神,不喜歡他的教導。反對勢力非常强大,以致公元622年,他必須帶著跟隨者逃往麥地那(Medina),此次逃亡稱爲哈及拉(Hegira)。在麥地那,他的教導廣爲接受,在許多信徒的支持下,十年之內他就成了亞拉伯的統治者。

3. **許多省份被征服** 穆罕默德死於公元632年,他的影響卻流傳後世。他的跟隨者卻是兇猛好戰的騎兵,在往後的一百年中,他們橫掃亞拉伯沙漠,征服波斯,貫穿印度,弭平羅馬帝國的小亞細亞省,圍攻君士坦丁堡兩次未成,卻奪佔了帝國的敍利亞、巴勒斯坦、埃及與北非。

亞拉伯人的征討並未停在北非。公元711至718年間,他們越過直布羅陀海峽,征服了西班牙。

他們又繼續征伐,越過庇里牛斯山,穿入高盧中心。高盧曾

查理馬特爾在都爾之役截斷了回教徒的進犯

隸屬於羅馬帝國四百年，此時已由法蘭克人佔據了二百年。

回教的徽號是一個新月形，到這時，新月的一端已經橫越北非，尖端觸及小亞細亞；另一端則貫穿法國，似乎有擴成「全月」的趨勢，全歐洲都可能成爲回教地區，這正是教會及全世界的危機時代。

4. **都爾之役**（Battle of Tours） 公元 451 年，歐洲曾面臨一次極大的危機。那是在西羅馬滅亡之前。阿提拉統領的蠻悍匈奴人在迦隆之戰被打敗，迦隆也座落在法國境內。如今，大約三百年後，教會及全歐洲，甚至全世界，都處於極其危急的情況：

回教即將吞噬基督教。

讀者應仍記得，法蘭克王克洛維在公元 496 年信主，以致法國成爲基督教國家的經過。這是件極其重要的事。現在，法蘭克人成爲護衛基督教的勇士。

法蘭克王查理（Charles）呼籲境內所有百姓投入戰爭。到這時，人人皆可感到情勢岌岌可危。因此，不但法蘭克人，連萊茵河東的弗立斯蘭人也響應了這項呼籲。

公元 732 年，在查理的指揮下，這支「基督徒」軍隊與回教大軍相遇在都爾平原。雙方都知道這將是一場關鍵戰役，兩軍對峙了七天之久，沒有一邊敢先出兵。終於在十月的一個星期六，雙方擺開陣勢。亞拉伯軍隊大部份是騎兵，法蘭克軍隊則全是步兵；回教軍團擁有一百多年常勝的紀錄，一個接一個地征服列國，又何懼這次戰役？

法蘭克軍隊嚴陣以待，士兵列隊成牆，不留間隙。整整一天之久，亞拉伯軍隊發出一次次攻擊，兇悍精銳的騎兵衝向法蘭克軍隊，新月形旗號在他們頭上飛舞；然而，看來這個「新月」註定是不會發展成「全月」了。亞拉伯騎兵屢次進擊，卻無法攻破法蘭克軍隊的堅牆。十字架旗幟堅毅地飄揚着。入夜以後，雙方都力竭回營，都爾平原血流成河，屍首遍地，然而亞拉伯人最猛烈的攻擊終於被擋住了。法蘭克軍隊離開戰場時，手中仍揮舞着利劍。

第二天一早，法蘭克軍隊再度擺陣，却不見亞拉伯騎兵出現。爲了提防埋伏，法蘭克軍隊分小隊出去搜尋，數哩範圍內都找不到一個敵兵，在亞拉伯人所棄的營內，却發現成堆自別處掠奪的戰利品。原來亞拉伯人已撤退到庇里牛斯山後，進入西班牙了。

都爾之役是回教氾濫的最高水位線。曾經是異教蠻族的日耳

回教徒在進回教寺祈禱前，先將鞋子脫掉

曼法蘭克人，卻為基督教挽救了西歐。

至於都爾之役的法蘭克大將軍查理，則被譽為「馬特爾」，「馬特爾」是「鐵槌」的意思，他成為歷史上有名的「查理馬特爾」（Charles Martel）或「鐵槌查理」。

5. **淪入回教的失地** 回教大軍的征伐雖然被阻止在都爾，但他們鐵蹄所踏之處，留下許多教會的殘骸。

由於回教勢力的得勝，使基督教失去許多可能宣教的工場，以致今天在印度有好幾百萬回教徒，波斯完全成為回教國家。此外，亞拉伯人在基督教歐洲及異教東方之間築起一條回教的界線，數世紀之久，它一直是一堵無法跨越的高牆。

教會本身也慘遭撕裂。敍利亞、巴勒斯坦、埃及與北非，被亞拉伯人從東羅馬帝國奪走，這些地方原來都有無數興旺的教會。西班牙也曾是基督化地區。（參第79頁地圖）。我們且來思想這一系列的損失：巴勒斯坦的耶路撒冷曾經是教會的搖籃，西方最偉大的學者耶柔米曾在伯列恆將聖經譯成拉丁文；敍利亞的安提阿是保羅將基督教西傳整個羅馬帝國的通道，也是初期教會最偉大的講道者屈梭多摸展露才華之處；埃及的亞歷山大是革利免的家鄉，也是東方教會最偉大的學者俄利根以及尼西亞信經之父亞他那修的家鄉；北非的迦太基與希坡城，曾出過初期教會的偉大教父特土良、居普良與奧古斯丁；西班牙的塞維爾曾有教會

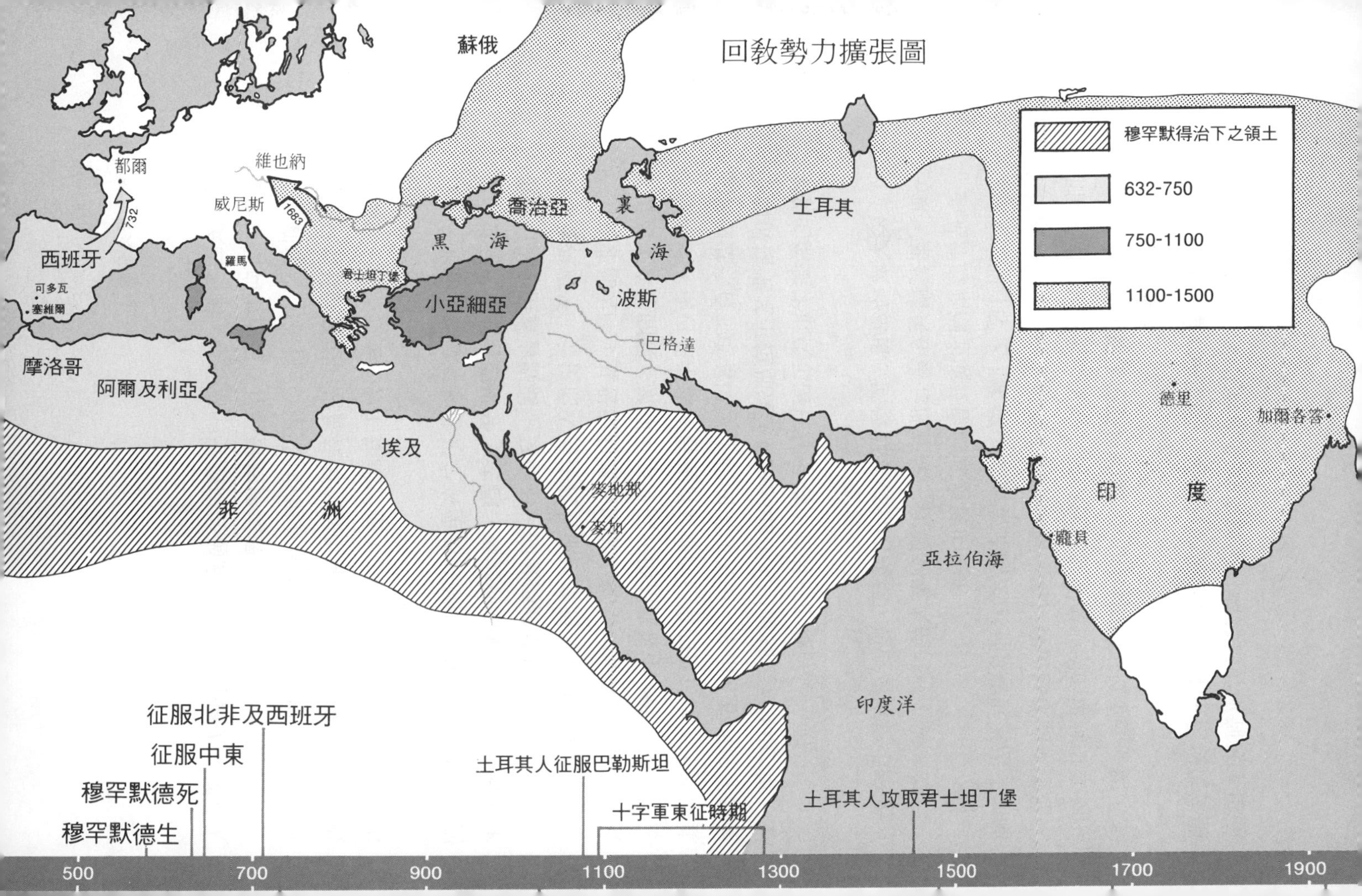

回教勢力擴張圖
穆罕默得治下之領土
632-750
750-1100
1100-1500
蘇俄
都爾
732
維也納
威尼斯
1683
西班牙
可多瓦
塞維爾
羅馬
君士坦丁堡
黑海
喬治亞
裏海
土耳其
小亞細亞
波斯
巴格達
摩洛哥
阿爾及利亞
埃及
非洲
麥地那
麥加
亞拉伯海
印度洋
印度
德里
加爾各答
孟買
征服北非及西班牙
征服中東
穆罕默德死
穆罕默德生
土耳其人征服巴勒斯坦
十字軍東征時期
土耳其人攻取君士坦丁堡
500
700
900
1100
1300
1500
1700
1900

領袖依西多爾，以豐富的學識向受過高等教育的希臘人、羅馬人工作，又向中世紀日耳曼蠻族傳福音。

到如今，敍利亞、巴勒斯坦及埃及仍然是强烈回教化的地方，只有幾間衰弱的基督教會勉强生存。埃及的開羅是今日回教大學所在地，也是回教的知識堡壘，基督教宣教工作在這些地方好像開墾巖地一般。

在北非，教會有數世紀之久全然被剷除，蛛絲不留；一直到上一世紀，才藉着西班牙、法國、義大利的殖民活動，基督教才重新引入，但教會既弱小又變形，回教仍然是當地人的信仰。在北非及西班牙，亞拉伯人的後代被稱爲摩爾人（Moors）。

在非洲大陸，基督教向異教的黑人部落的宣教工作，與回教的宣教工作之間競爭激烈。至今回教仍在擴張中。

今天，西班牙半島復爲基督教地區已有四百年之久，然而其間曾經歷八百年的奮鬥，才收回這塊失土。摩爾人在西班牙最後一個根據地是格拉那達（Granada），一直到公元1492年，十字架的徽號才取代了西班牙堡壘上新月形的標誌。

6. 失敗的原因 回教對基督教的暴行，是教會歷史中黯淡的一頁。基督精兵在第七世紀頭一次遭到驚人的慘敗。

是什麼原因造成教會如此羞愧的失敗？

「文明」軟化了帝國中的基督徒居民，而「曠野生活」却硬化了回教徒。修道主義使成千上萬原來可以捍衞國家的人隱退，而回教却應允爭戰而死的人可以在來世獲得特別的權利與享受，這種信念激勵了兇猛的亞拉伯騎士，所以他們可以不顧一切，不懼死亡地爭戰。

然而，更重要的原因，是當日的東方教會大部份已經失去鹽味（太五13），變成形式化的宗教，忽略將福音傳到後來接受回教信仰的地區。教會不僅因內部的爭論而力量削弱，基督徒更浪費許多精力對付其他基督徒，不能同心面對共同的敵人。有些被逼迫的基督徒團體，反而因被回教勢力征服，而鬆了一口氣。但在回教的鐵蹄下，教會遭到殘暴的蹂躪。

研討問題：

1. 那些地方被回教徒征服？請敍述回教國度的擴展經過。
2. 以下年代發生什麼重要事件？公元 732 年，公元 622 年。
3. 回教的征伐對教會有何影響？
4. 請查出回教的五條信仰要素。
5. 回教的神觀如何？
6. 爲什麼回教神學成爲回教徒接受基督教的攔阻？
7. 爲什麼克洛維的信主是一重要事件？
8. 回教近日在那些地區擴展？爲何它擴展的速度似乎超過基督教？
9. 都爾之役有什麼重要性？

第九章

教會組成聯盟（751－800）

1. 倫巴人
2. 丕平
3. 教皇變成屬世統治者
4. 查理變成查理曼
5. 查理曼的成就
6. 三大帝國
7. 教會與法蘭克人

1. 倫巴人（Lombards）　公元568年，即東羅馬皇帝猶斯丁年自東哥德人手中奪回義大利後十四年，義大利北部波河流域再度陷敵。此次敵人是日耳曼部落中的倫巴人（倫巴是「長鬍子」的意思），直到今日，義大利北部仍稱爲倫巴底（Lombardy）。除了這地區外，義大利半島的其他地區至少在名義上仍屬羅馬帝國。

倫巴人入侵義大利以前，早已接受基督教的異端亞流派信仰，後來因尼西亞信經的影響而歸回基督教正統信仰。教皇大貴格利爲了討好他們，特將一頂皇冠贈與倫巴王，此冠被稱爲「鐵

第一個在義大利登位的倫巴王，阿爾布因進入帕維亞城

冠」，因爲據傳說，皇冠上曾放了一個釘十字架的釘子（可見當時的人如何輕信傳說）。

教會歷史（尤其是教皇時代）從此與倫巴人及法蘭克人的歷史交織在一起。在義大利北邊的倫巴人成爲教皇隨時的威脅，他們毫無安全保障。君士坦丁堡的羅馬皇帝不但距離太遠，無法保護教皇，自己還要面對亞拉伯人的入侵，再加上他和教皇之間的摩擦，更不用談到保護了。因此，當倫巴人壓境的威脅臨到時，教皇只得轉而向法蘭克人求救。倫巴人把教皇推進了法蘭克人保護的雙臂中。

前文我們曾看到法蘭克人如何拯救歐洲脫離回教的吞噬，這件事已顯出法蘭克王克洛維自異教信仰歸信基督教的重要性。現在我們將看到他的信主對教會歷史進一步的影響：教會與法蘭克王國結爲聯盟。

2. 丕平（Pepin）　克洛維王能幹而有魄力，但他的繼承人却很儒弱，大部份是名義上作國王，實際大權操縱在一位傑出的大臣查理馬特爾手中。他是都爾之役的英雄，雖然不是法蘭克王，却是眞正掌握王權的人物。

查理馬特爾的兒子「矮子丕平」獲得和父親一樣的高位，但他仍不滿足，竟廢了克洛維皇裔的最後一個弱王，將他放進修道院，然後自登皇座。但他認爲此舉必須得到教皇的贊同，而這時

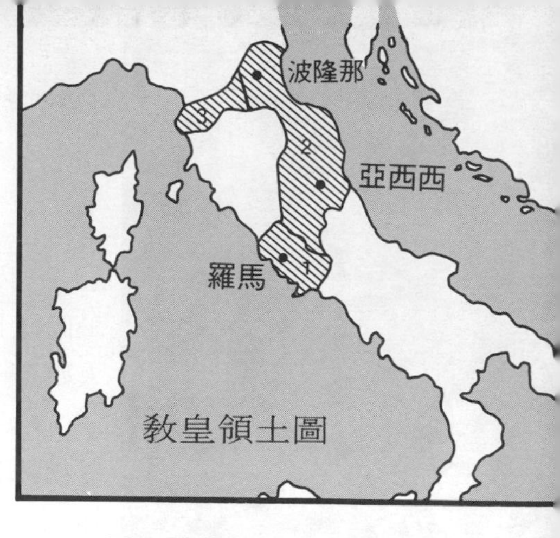

的教皇撒迦利亞（Zacharias）早已準備同意他的行爲，說：「有國王之權的人也當擁有國王之名。」因此，於公元 751 年，丕平正式被教皇加冕爲法蘭克王。

這件事當時從表面來看很單純，然而却造成了長遠的影響。畢竟，丕平要求教皇的批准總不是件尋常的事。從此，教皇開始有權立王廢王，成爲帝國在西方重建的第一步。這件事也造成後來教皇與皇帝之間强烈的鬥爭，這段鬥爭史佔了中世紀歷史的大部份。

丕平將他從倫巴王奪來之地送給教皇，此事記載在「丕平御賜教產」公文中。這塊地包括地圖中 1、 2 兩部份。

教皇領土的邊界因戰爭及政治因素時常變遷，公元 1000 年時曾縮小至圖中 1 的範圍，到教皇依諾森三世時，又擴張到 1, 2, 3, 並且使該領土範圍保持了 600 年之久。

因此，從某個角度而言，這件事是中世紀史中最重要的事件。

3. **教皇變成屬世統治者** 教皇撒迦利亞要求丕平對付倫巴人，以回報教皇，因爲倫巴人一直是他權位與安全的威脅。

於是丕平進入義大利，打敗了倫巴人，並强迫他們把領土的一部份割給教皇。從此便開始了所謂的「教會領土」（States of the Church）。教皇不但管理教會的事務，也成爲屬世的統治者。這種情況一直維持到公元 1870 年，後來義大利重新立國，

公元 800 年教皇利奧三世爲查理曼加冕爲帝

將教會領土置於國家的一部份。

4. **查理變成查理曼**　矮子丕平於公元 768 年去世後，他的兩個兒子卡勒門及查理同時即位。但卡勒門於公元 771 年去世，查理便獨攬大權，正式開始統治。

公元 800 年的聖誕日，當查理正跪在羅馬聖彼得教堂中時，教皇突然將一頂皇冠加在他頭上，藉此舉立他爲神聖羅馬帝國的皇帝。

查理被立爲皇帝在當時似乎非常合適，因爲他擁有過去羅馬帝國的三種特色：法律、文化與基督教。

這三件事是世界上最重大的事：法律代表和平，能保障個人生命與財產；文化代表知識，能充實生活，提高性靈；基督教代表眞實的宗教信仰。

查理所處的時代是個沒有法紀的時代，兇殺、搶劫被視爲平常；人們野蠻、無知而粗俗，基督教在西歐也極不穩定。「查理曼」（即大查理的意思）所統治的範圍，像是在異教與回教大海中的一個「基督徒島嶼」。

這位在公元800年聖誕節被加冕爲皇帝的人物，成功地爲西歐人民取得三項無價之寶：⑴法律，⑵文化，⑶基督教。這也就是他爲什麼配稱爲「查理曼」（Charlemagne）的原因。

5. 查理曼的成就　查理曼畢生爲這幾件事而奮鬥。他制定良好的法律，並認眞推行，爲國家帶來安全與秩序。他在全國推廣學校，培養文化氣息與學習氣氛。但以征服者自居的蠻族，輕視有文明的羅馬人，而傲慢地認爲文化是頹廢的東西；查理曼便在自己的住處設立皇宮學院，並以身作則做該校學生。他試著學讀書和寫字；可惜由於手腕長期揮舞沉重的軍斧，過分有力，使手指無法學會握筆。

查理曼幾乎一生都在打仗：首先與倫巴人爭戰，於公元777年滅了倫巴國，並把倫巴王的「鐵冠」放在自己的頭上。接下

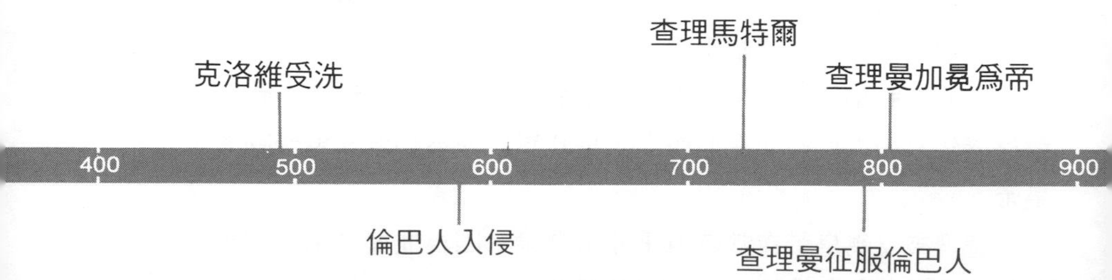

來，他自回教徒手中解救西班牙，將回教勢力推到庇里牛斯山後，直達伊博河。

查理曼也與撒克遜人爭戰。撒克遜人是日耳曼民族的一個強族，佔據德國北部地區，極其兇悍野蠻。查理曼經過好幾次艱苦的戰役，才將他們馴服，並將他們的領土歸屬自己權下，又用劍強迫撒克遜人接受基督教。

6. 三大帝國　公元 814 年查理曼去世時，世界上有三大帝國：其中年代最悠久、國勢最衰弱的是東羅馬帝國，疆域包括巴爾幹半島、小亞細亞及義大利南部。最大的一國是回教的亞拉伯帝國，版圖包括亞洲的印度、波斯、敍利亞、巴勒斯坦、非洲的北部及歐洲的伊博河。年代最短、國勢最強盛的，則是查理曼帝國，在查理曼去世時，國土包括義大利北部的一半、西班牙西北部、法國、比利時、荷蘭的全部以及德國與奧國的大部份。

以疆界而言，查理曼王國實在相當雄偉。自西羅馬滅亡後，西歐尚無一個政府統管這麼大的領域；查理曼是自猶斯丁年到查理第五之間最偉大的統治者。他鶴立於中世紀，影響遠及好幾世紀。

查理曼最愛讀的書是奧古斯丁所寫的「上帝之城」，他常認爲自己的王國就是「神的國度」降臨地上。亞拉伯帝國是回教國家，東羅馬帝國是衰弱的基督教國家，在三個帝國中，查理曼所擁有的是教會與人類前途最光明的一國。

7. 教會與法蘭克人　丕平將倫巴人土地的一部份送給教皇，爲「教會領土」奠下了基礎，他也使教皇成爲屬世的統治者（參第 84 頁地圖）。

查理曼拯救教皇脫離倫巴人的威脅，又爲回教入侵後西歐的混亂局面帶來秩序與安定，他降服了撒克遜人，把他們納入基督教範圍之內，同時推廣讀書與文化。

教皇則藉着爲查理曼加冕恢復了西方帝國，同時也因此舉，開始了以後教皇與皇帝之間强烈的摩擦。

因此，教會與法蘭克人之間的聯盟，造成無法估計的後果。

研討問題：

1. 爲何這時期的教皇，在政治及國際關係上都需依賴法蘭克人？
2. 在與倫巴人的關係上，教皇的政策是什麼？
3. 教皇變成「屬世統治者」是什麼意思？
4. 所謂「教皇領土」（Papal States）是指什麼？
5. 法蘭克人是怎樣歸信基督的？
6. 查理曼如何獲得皇帝的稱號？
7. 教會與法蘭克人聯盟的結果是什麼？

第十章

教皇權勢的發展
(461–1073)

1. 教會組織的回顧 第三章中，我們已經看見，由於教會的發展，自然需要有一位長老（或監督）領導，而有主教（bishop）的頭銜。

後來又因爲要對付諾斯底主義及孟他努主義，教會漸漸發展成主教制度形態，成爲中央集權形態的教會組織，來解釋聖經並決定正統信仰標準，因爲連異端也引用聖經。

第五章中已經提到，大城市的主教被稱爲省主教，而帝國內最大五座城市的主教則稱爲主教長（patriarch）。西方各教會主教漸漸承認羅馬主教有超越其他主教的地位。當公元 461 年，大利奥死時，教皇制已完全建立了。

又隨世紀的轉移，教會行政組織更進一步發展。到查理曼時代，稱省主教爲大主教（Archbishop）已成當日習慣，而這個頭銜一直被羅馬天主教沿用至今。在他的轄區內大主教可以對其他主教行使制裁權。

現今在許多宗派中，大城市教會的傳道人無權管理鄉村小教會的傳道人，所有傳道人都地位平等。然而，今天仍有人會以爲大城市教會的牧師比小地方教會的傳道同工重要。

這一類感覺成爲教皇制發展的第一個因素。在全羅馬帝國中沒有一座城可以和羅馬相比，它是凱撒之城，是上古時代世界的支配者，而羅馬城所代表的各項優越特權都落在一個人身上，就是羅馬教會的主教。

逐漸地，若一些爭論難作決定時，其他主教便習慣地向羅馬主教請訴。過了不久，羅馬主教便要求統管全國所有教會的主教。他們聲稱歷史已證明羅馬是上訴的最高法庭，連聖經也支持他們的說法。加上他們深信羅馬教會是使徒彼得親自設立的，因爲基督曾對彼得說：「你餵養我的小羊，牧養我的羊。」可見基督已將羣羊整個交在彼得手中。再者，天國鑰匙的權柄也交給了彼得。那時代的人，都相信彼得是使徒中居首位的人，也相信彼得是教會的第一任主教，而羅馬主教是承繼彼得地位的人。這些觀念就形成了教皇制的基礎，因此，羅馬天主教稱教皇寶座爲「聖彼得座位」。

2.歷史事件加强教皇制　許多環境的興起有利於教皇權勢的發展。歷史上一連串事件的發生，似乎在將權威滙集到羅馬主教身上。

首先是蠻族的入侵。當時整個義大利都服在羅馬之下，由於都接受基督教信仰，所以非常尊重羅馬主教；當皇帝無法保護百姓時，羅馬主教在手無寸鐵的情況下，竟能保護羅馬城，免於蠻

這幅拉裴爾的壁畫描繪教皇大利奧與阿提拉會面情景

族的侵略。教皇大利奧也曾阻止阿提拉恐怖的征伐，以及汪達爾人的暴怒。羅馬城的絕境竟成了教皇的機緣。

西羅馬的覆亡大大增進了教皇的特權。因爲在羅馬，再也沒有皇帝的影子遮蓋在主教之上，羅馬主教變成西方最重要的人物。

羅馬教會派遣許多宣教士前往北歐各地宣教並建立教會。「日耳曼人的使徒」波尼法修與羅馬主教非常親密，因此，他在宣教時，奉羅馬主教的名工作。這些宣教士所設立的教會，很自然地尊羅馬教會爲他們的領袖。

回教勢力征服敍利亞、巴勒斯坦及埃及後，爲羅馬主教除去了安提阿、耶路撒冷及亞歷山大三個競爭的對手。

回教勢力也征服了北非，爲羅馬主教除去極可能競爭的對手——迦太基主教。

教會又遭到極大的災禍，這些災禍無形中再度加增羅馬教會

這幅九世紀的貼瓷示意使徒彼得將代表教會的圍巾交給教皇利奧，並將代表王權的軍旗交給查理曼。

首腦人物的權勢。在人心有一個趨勢，就是把羅馬主教提昇到全教會首要的地位。

3. **以欺詐手段增進教皇權勢**　一些人爲的陰謀，藉着欺詐與僞造，成功地加强了教皇的地位和權勢。有兩個例子可以說明他們如何藉欺詐手段達到目的：

大約在查理曼時代，出現了一份很怪的文件，稱爲「君士坦丁御賜教產諭」（Donation of Constantine），內容敍述君士坦丁丁大帝因教皇西維斯特（Sylvester）的禱告，痲瘋病得以痊癒，在感激之餘，他決定遷都至拜占庭，就是後來的君士坦丁堡，目的是爲了不讓屬世政府妨礙教皇的屬靈政體。根據該文件，君士坦丁於離開羅馬時，下令所有教會聖職人員都要臣服於教皇西維斯特一世以及他的繼承人，此外，君士坦丁還將羅馬城和義大利所有的省份、地區和城市都轉移給教皇。因此，根據該文件，君士坦丁將帝國西方整個主權賜給了教皇。

大約於九世紀中葉，又出現了第二份神秘文件，稱爲「伊西多爾教令集」（Isidorian Decretals）。據說這些教令是由塞維爾的伊西多爾所收集的。該文件包括自第一世紀羅馬的革利免到第八世紀貴格利二世期間，各教皇及會議所作之決定。根據此文件，主教可以直接向教皇請訴，主教和教皇均不在屬世政府轄管

教皇尼古拉一世

之下。「君士坦丁御賜教產諭」也包括在這份教令集中。

所謂「聖品階級」（hierarchical system）是經過數世紀發展而成的，而「伊西多爾教令集」的目的，在證明第九世紀教皇所宣布的主權，早於數世紀前就實行了。

這些文件歷經數百年之久，一直被公認爲是眞品，無人懷疑其價值。直到公元 1433 年，庫薩（Nicholas de Cusa）首先指出「伊西多爾教令集」是贋品。自此以後，這份文件被改稱爲「僞伊西多爾教令集」。公元 1440 年，瓦喇（Lorenzo Valla）證明「君士坦丁御賜教產喩」是一份僞造文件。今天，天主教學者和基督教學者均同意這兩份文件爲贋品。

假文件是很普通的事，只是這兩份文件是假文件中最大的騙局；然而，當時它們所矇騙的世界，是個非常無知的世代。整個中世紀都深信它們是眞的，它們讓教皇有充份的時間建立權威。

自從公元 1054 年，東西方教會正式分裂後，君士坦丁堡主教長不再成爲羅馬主教的競爭對手，羅馬主教——當時的教皇，便高倨西方教會之首；君士坦丁堡主教長則高倨東方教會之首。

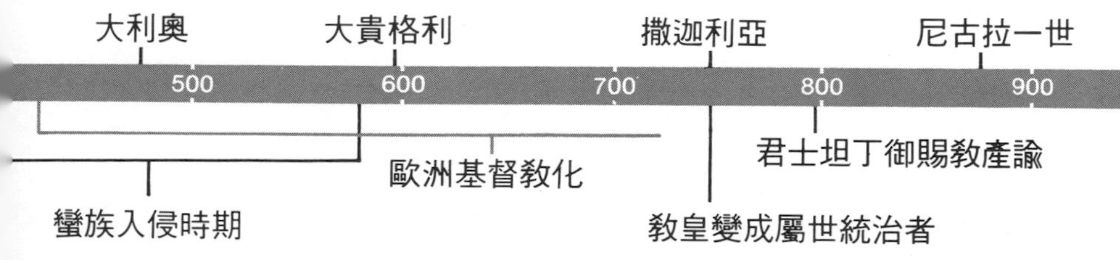

4. 教皇尼古拉一世　教皇尼古拉一世在位年代爲公元 858 至 867 年，他爲教皇地位及權勢立下堅固的基礎。奧古斯丁所寫的「上帝之城」大大影響了中世紀，也啟發了查理曼大帝，同時給尼古拉一世深刻的印象。他定意用自己一生的年日，把書中的理想實行出來。

他深信：「所有主教都是教皇的代理人，教皇是全教會的統治者，教會超越所有屬世權勢。」尼古拉一世雖然在發展教皇權勢上不遺餘力，但只止於某個程度。然而他對教皇權勢的宣告，卻成爲後繼教皇奮鬥的目標。權勢幾乎達到此目標的教皇，有貴格利七世與依諾森三世（Innocent Ⅲ）。不過，沒有一個教皇比尼古拉一世對教皇權勢作更大的宣告。

研討問題：

1. 請列出羅馬主教變成教皇的各種原因。
2. 查考百科全書，找出瓦喇如何證明「君士坦丁御賜教產諭」爲贋品。
3. 查考百科全書，找出尼古拉一世曾做過什麼大事？運用過什麼權柄？
4. 「君士坦丁御賜教產諭」如何堅定了教皇制？

第十一章

教會被政府控制
(885–1049)

1. 歐洲在混亂中
2. 封建制度的發展
3. 諾曼人
4. 義大利封建諸侯控制教皇
5. 教皇投靠德國皇帝
6. 教皇職位買賣

1. 歐洲在混亂中　公元 843 年，查理曼帝國被他的三個孫子瓜分：一位得到萊茵河（Rhine）東之地，在歷史上稱爲東法蘭克王國，這是後來德國的起始；一位得到繆士河（Meuse）及隆河（Rhone）以西之地，即西法蘭克王國，國土包括今日的法國、比利時及荷蘭；第三位得到這兩國中間一條狹長地帶，包括義大利，稱爲中間王國。

查理曼在混亂中建立了秩序，但他的繼承人却不能像他一樣抵禦新來的敵人。從東邊，有斯拉夫人和匈牙利人騎馬入侵；從北邊，有野蠻的斯干地那維亞人乘船進攻，他們沿河而下，在荷

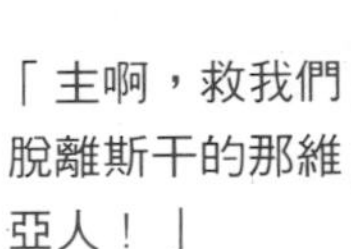

「主啊，救我們脫離斯干的那維亞人！」

蘭及法國上岸。來攻的敵人全是異教徒，每到一處即大肆劫掠，燒毀教堂、修道院，並殺害無數居民。三百年之久，基督教歐陸流傳着一句禱告文：「主啊，救我們脫離斯干地那維亞人！」

歐洲再度進入混亂局面，就在這混亂中，興起了封建制度。

2. **封建制度的發展**　中世紀時代，整個西歐世界都在封建制度之下，因此，要瞭解中世紀教會歷史，必須先瞭解什麼是封建制度。由於蠻族的入侵，中世紀早期不再有大城市存在，大多數人都住在鄉間，土地就是財富，所謂封建制度，是根據土地擁有權而發展出來的一種獨特管理系統。

繼承查理曼的諸王，很快就發現自己無能保衞國家免於蠻族之侵。爲安全起見，國王就把國土分給他手下的主要戰士，條件是：在需要時，提供國王軍事援助。而這些新興的封建王侯，也依同法再把他所得的土地分給下面的貴族們，貴族又把土地再分給更低的佃戶，依此類推。

公元 843 年查理曼帝國被三分爲今日的法國、德國與義大利。

以上二圖說明封建制度中的關係：
左圖顯示繳納什一酒捐給聖職人員的情形
右圖顯示修道士在修道院門口恭迎封侯的情形

在封建制度中，以保衞爲條件而得土地的人稱爲「家臣」（vassals）；一名家臣可能又會以同樣的條件把部份土地給別人；這種土地稱爲「封土」（或「采邑」）。

一些虔誠的基督徒往往會把土地捐給教會或修道院。於是主教、大主教及修道院院長漸漸成爲地主。這樣，他們也進入了封建制度。最後，全歐洲每一個人都在封建系統之中。而皇帝視教皇如同諸侯，爲後來教會帶來嚴重的問題。

立於封建制度最頂端的，是不作任何人的「家臣」，只作「領主」（lord）的人；而最底層的，是純爲「家臣」，沒有領主身份的人；在這中間的人，都有「領主」與「家臣」雙重身份——對居其下者爲「領主」，對在其上者爲「家臣」。

領主必須保護家臣，家臣必須提供服務，尤其是要爲領主作

公元 886 年巴黎伯爵抵禦諾曼 人入侵

戰。封建制度其實是一種互助制度。

封建制度在政治上的結果是造成「地方分治」的局面。全歐洲沒有一國有強大的中央政府，而是分成許多被貴族統治的公國、侯國，這些貴族在他的領土內就是一個國王。結果眞正的皇帝實力薄弱，只不過是許多貴族中爲首的一位而已。若幾個貴族聯合起來，就往往比皇帝還强。中世紀時，確曾有貴族聯合起來攻擊皇帝的事件，但更多時候是彼此攻擊。無怪乎北方來的斯干地那維亞人可以輕易侵入這片混亂的領域。

3. **諾曼人**（Normans） 許多斯干地那維亞人遠征掠奪之後，不再回到丹麥、挪威的老家。有一大批人定居於法國西北部；他們很快就接納了當地的語言、習俗及宗教，這些定居在法國西北部的斯干地那維亞人後來被稱爲諾曼人。直至今日，法國西北仍稱爲諾曼第（Normandy）。

不久，諾曼人又開始遠征。公元 1066 年，諾曼第公爵威廉進攻英國，在哈斯丁斯之役（battle of Hastings）征服了英

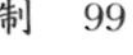

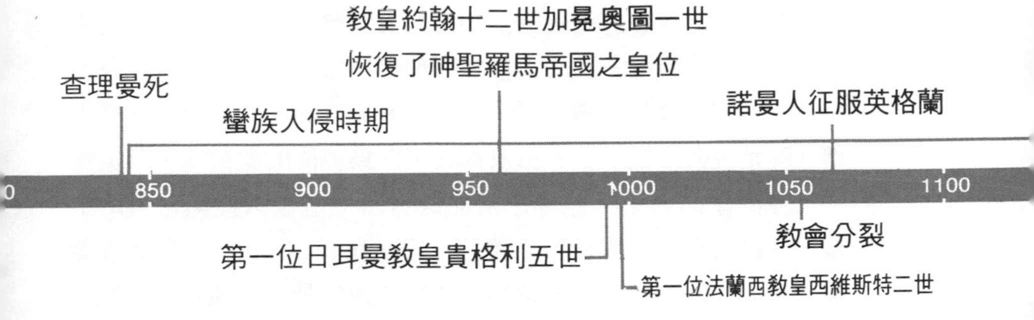

國；他們也征服義大利南部。

4. **義大利封建諸侯控制教皇**　義大利的情況和其他地方一樣，沒有中央政府，而是諸侯割據的局面。

諸侯之間爲了互爭領導地位，經常打仗。能控制羅馬的諸侯便掌握了指派教皇的大權。因爲教皇是由該城的人民和聖品人員選舉出來的。結果，常是懦弱、完全不合適的人被選爲教皇。尤其是公元十世紀時的情形最糟，這段時期教皇地位淪落到最低點，教會完全控制在屬世統治者手中。通常打勝仗的諸侯立刻把前一個諸侯所提拔的教皇廢掉，自己再立一位新人。因此教皇的替換速度非常快，從公元 891 年教皇司提反六世去世，到公元 955 年教皇約翰十二世登位，其間不下廿位教皇。這時期實在是教會最羞愧、最恥辱、最混亂的時期。

5. **教皇投靠德國皇帝**　這段時期，教皇再度自阿爾卑斯山以北求援。教皇約翰十二世便向德國國王奧圖一世求助；奧圖一世（Otto Ⅰ）是個强人，他藉着擁有廣大土地的主教和修道院院長之助，兼併了許多公侯貴族，因爲任何貴族的力量都抵不過國王與教會的聯合勢力。從這時起一直到拿破崙（Napoleon）時代，德國的主教和修道院院長不僅擁有教會管理權，同時也是屬世的統治者。奧圖一世的大權在於他能指派主教及修道院院長，在當時，這種大權叫做「授衣禮」（Investiture）（所謂「授衣禮」就是授與當選主教戒指及權杖，作爲地位的象徵），而奧圖一世並非聖品人員，他以平信徒身份將這些象徵授與當選的主教，所以稱爲「平信徒授衣禮」（Lay Investiture）。毋庸置疑地，奧圖一世所指派的主教和修道院院長都是一些願意支持他的人。

奧圖一世果然援救了教皇約翰十二世。爲表示感激，教皇於公元 962 年二月二日爲奧圖加冕爲帝，使這個在查理曼懦弱的繼承者手中分崩離析的神聖羅馬帝國，再度恢復起來。這個帝國也因此與德國結下不解之緣。直到公元 1806 年被拿破崙消滅時爲止。

由於教皇約翰十二世求助於德王奧圖一世，使教皇制又跨進了一個新世紀。

在這以前，所有教皇都是義大利人，現在這個傳統被打破了。德王奧圖三世於公元 999 年把他的老師、大主教加貝（Gerbert）放在教皇寶座上，成爲第一個法蘭西教皇，號稱西維斯特二世。加貝是當時最富學識的人。他的前一任教皇貴格利五世是第一個日耳曼教皇。

6.教皇職位買賣 教會再度面臨倍受羞辱的危機。這時義大利特士堪（Tuscan）家族控制大權，他們於公元 1033 年立本尼狄克九世（Bendict Ⅸ）爲教皇。當時，本尼狄克只不過是個十二歲的孩子，後來他成爲品行最卑劣的一位教皇。由於他的行爲太敗壞，以至於公元 1045 年被特士堪家族的對頭克里仙祖族（Crescenzio）逐出羅馬。他們另立了西維斯特三世爲教皇。但過了不久，本尼狄克九世又回到羅馬，繼續教皇職位。然而他逐漸厭倦這個職位，便無恥地以一千磅銀子的代價將教皇職位出賣給一個人，這人就成爲教皇貴格利六世。（這種以金錢購買教會職位的罪惡行爲，在歷史上稱爲「西摩尼」（Simony）即「聖職買賣」）。這項無恥的交易洩漏了風聲，羣情嘩然。結果，本尼狄克拒絕將他出售的教皇職位交出來；因此，在羅馬就有了三個彼此對立的教皇同時存在：西維斯特三世、本尼狄克九世、及貴格利六世。

　　這個教會就是所有基督徒的先祖，因此，不論復原教徒或天主教徒，都當爲這段黑暗的日子傷痛。

研討問題：

1. 主教和修道院院長如何變成國王的封侯？
2. 說明封建制度的利與弊？
3. 解釋以下名詞：西摩尼、平信徒授衣禮。
4. 教會怎麼會去投靠德國皇帝？
5. 封建制度如何影響教會與國家之間的關係？
6. 查考資料，找出中世紀封建時代的生活情況。

第十二章

教會分裂（1054）

1. 公元 1000 年時的歐洲 西羅馬帝國雖亡，西方教會却歷劫而存，且繼續增長。教會在西北歐地區迭有進展，南部卻被回教勢力吞噬，損失慘重。公元 1000 年左右，歐洲的情況可以簡述如下（參第 62 頁及第 79 頁地圖）：

當時在西方，教會已在義大利、法國、荷蘭、英格蘭、德國、奧國、丹麥、挪威、瑞典、愛爾蘭、蘇格蘭及蘇俄奠立了穩固基礎。

曾爲帝國中心的義大利，雖有日耳曼人定居，並與當地人通婚，羅馬人仍居顯要地位。

高盧原爲羅馬帝國一個省份，日耳曼部落來到後，與當地羅馬人及羅馬化的塞爾特人混合雜居。法蘭克人在此地獲得優勢，因此，高盧成爲說法語的地區。

俄皇依格爾（igor）的寡妻俄爾卡（Olga）接受了基督教，她於公元 957 年受洗

荷蘭有三種日耳曼民族分佈：法蘭克人在南部，撒克遜人在東部，弗立斯蘭人在西部及北部。

英格蘭在羅馬帝國治理時代稱爲不列顛，現在爲日耳曼民族中的安格耳人及撒克遜人所居之地，此地因盎格魯人（Angles）而被稱爲英格蘭（England）。

德國、奧國、丹麥、挪威和瑞典，過去都不屬羅馬帝國。因此，這些地區所居住的民族純爲日耳曼人。

愛爾蘭與蘇格蘭也不在羅馬帝國屬下，愛爾蘭住着塞爾特人（Celts），蘇格蘭住着匹克特人（Picts），他們都不屬日耳曼民族。

蘇俄的基督化歸功於君士坦丁堡的宣教士，他們建立了希臘東正教會。

東、西教會走向分裂之途，亦可以從東、西方教堂建築之不同看出：左圖爲莫斯科的聖巴塞爾座堂，拜占庭式建築，顯出東方活潑、變幻的格調。右圖爲倫敦有名的西敏寺大教堂，哥德式建築，顯出西方穩重、堅固的格調。

2. **西方教會日耳曼化**　從上文可見：日耳曼人漸漸成爲西方教會的大部份。教會原屬於說拉丁文的羅馬人，現在卻慢慢轉移到入侵的日耳曼人手中。

日耳曼人沒有自己的文化，由於教會的努力，羅馬將拉丁語言、文學與文明傳給了日耳曼人。因此，西方教會的成員雖然大部份是日耳曼人，却仍稱爲「拉丁教會」。

當跨入中世紀門檻之際，我們首要瞭解這一特色：西方教會說拉丁話、用拉丁文，但其中大多數人屬於日耳曼民族。

教會日耳曼化成爲教會歷史的轉捩點，因爲由這許多不同因素組成的教會，免不了會產生發酵作用。經過幾世紀的發酵，必然會造成很大的後果。

3. 教會分裂爲二　東方的情形則與西方完全不同。東羅馬帝國雖曾經歷日耳曼蠻族的打擊，却仍屹立不動，而且維持了一千年國運。當然我們沒忘記帝國東部的敍利亞、巴勒斯坦及埃及都已經落入回教徒手中，這些地區的教會極其衰弱。然而帝國所餘的省份，即小亞細亞與巴爾幹半島一帶，教會仍然蓬勃。這些東方教會所採用的語文是希臘文。

東西方的差異，使教會來到了分叉路口，這是教會歷史中前所未有的事。過去一千年，教會一直是一個整體，現在，到了公元 1054 年，教會分裂爲二，成爲希臘東方教會與拉丁西方教會。

這次分裂本是可以預料的事：一千年前，教會誕生於第一個五旬節之時，已經出現一些分歧之事，不過從大體來看這些事

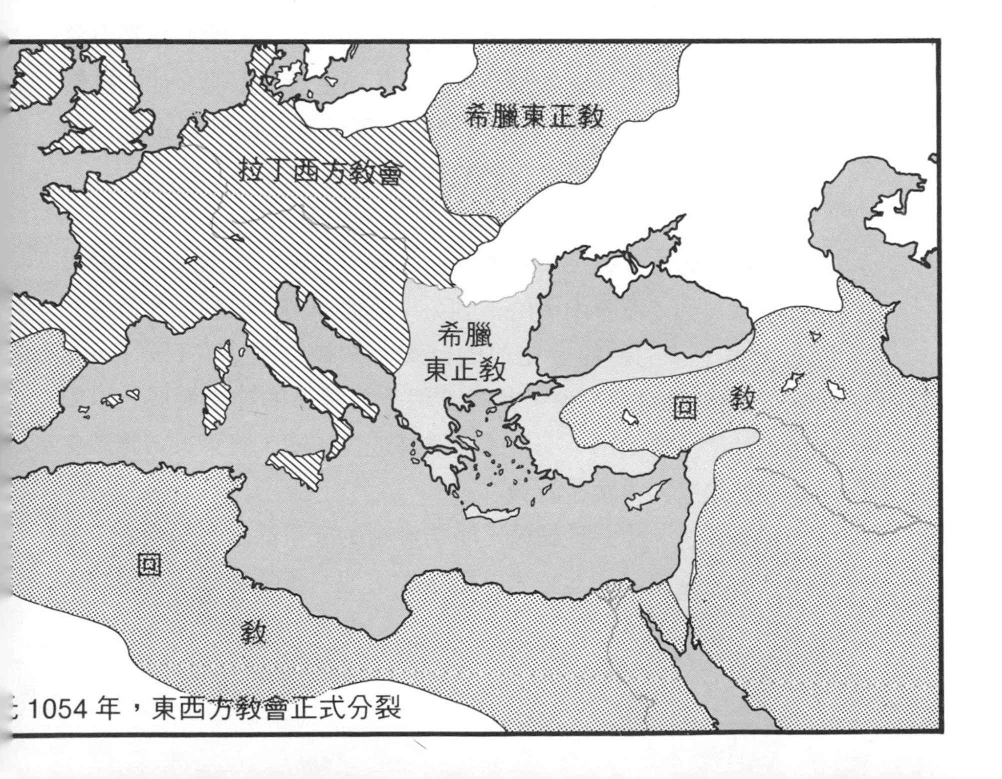

公元 1054 年，東西方教會正式分裂

此圖畫於公元 1000 年左右，顯示大馬士革的約翰正在寫作，對坐者爲書稿彩飾者。

件，都無足輕重。

但兩種民族性的不同，確實是一件大事：東、西方人因著個性、思想的不同，對教會問題往往也有不同的意見。羅馬帝國在行政體系上分成二部份之後，這兩個地區在各方面的發展都有分歧的趨勢。當羅馬教皇意圖令君士坦丁堡主教長臣服在他的權勢之下時，情況更加嚴重。直到一件大事爆發，他們就正式分裂了。這件引起分裂的導火線將於下文敍述。

4. **靜止的東方教會**　說希臘話的東方教會，曾出過不少偉大的神學家，如：亞歷山大的革利免、亞他那修和俄利根，最後一位是大馬士革的約翰，在他的巨著「知識之源」（The Fountain of Knowledge）中，他把整個東方教會的神學發展，以簡潔平易的手法歸納出來，這本書被譯成拉丁文，將東方希臘教會的神學傳給了西方拉丁教會。

但是到公元十一世紀時，東方教會的成員都是一些衰老、疲憊的人，教會變成一池止水。最後，這池水竟降到幾乎不見踪影的地步。

因此，以下歷史將集中在西方拉丁教會。西方教會恰和東方教會相反：它的成員是年輕、強健的日耳曼人，在中世紀時代，他們充滿活力，不但不是一池止水，更是一片汪洋，而且是一片常因颶風掀起狂浪的大海洋。

研討問題：

1. 爲什麼羅馬人所傳給日耳曼蠻族的文明會開始「發酵」？
2. 爲什麼蘇俄教會被稱爲希臘東正教會？
3. 爲什麼東方教會變成一池止水？
4. 西方教會日耳曼化是什麼意思？
5. 解釋以下名詞：知識之源、東方教會。

第十三章

修道主義與克呂尼革新運動

1. 教會的靈性生活
2. 修道主義與禁慾主義的興起
3. 修道主義奠基在錯誤觀念上
4. 克呂尼修道院

1. 教會的靈性生活　由於每一個人心中都有罪惡存在，教會的靈性生活無法完美無疵。

罪惡很早便已滲入教會：耶路撒冷第一個教會的美好靈性，何其快便被亞拿尼亞、撒非拉玷污了！成立在撒瑪利亞的第二個教會，即碰到行邪術的西門，把宗教當做職業，想以金錢賄買屬靈的恩賜；這種行徑後世便稱之爲西摩尼（Simony），在中世紀教會中非常猖獗。

由於教會有缺點，不論教內或教外的人都經常挑它的毛病。其中有許多批評是不智，也不公平的。不錯，基督徒都是聖徒，然而聖徒也是罪人，更何況教會裡的人不盡是「眞基督徒」。

蒙西拉修道院號稱西班牙最神聖之地

有時教會的屬靈光景降到非常低落的地步，但是在教會中的基督，一直保守祂自己的教會。

2.修道主義與禁慾主義的興起　從第六章中，我們已經看見初期教會的腐敗造成了修道主義的發展。到中世紀，教會的光景更加低落，促使人們迫切尋求屬靈的滿足。這種情形本可以導致屬靈的復興，不幸卻發展成一種病態的復興；人們沒有回到純正聖經的教導，反而轉向禁慾主義。

禁慾主義是一種極端的「自我否定」。過禁慾生活的基督徒放棄一切人生的樂趣與安適，專注於宗教默想，並恪行宗教儀式。

這種沒有組織，也不離羣的禁慾生活，往往會有更深一層的進展。第四世紀時，早已有人離開社會，退隱到深山、曠野。在東方教會中，這種修道形態非常普遍，然而只適合男性，也不適合歐洲酷寒的氣候。

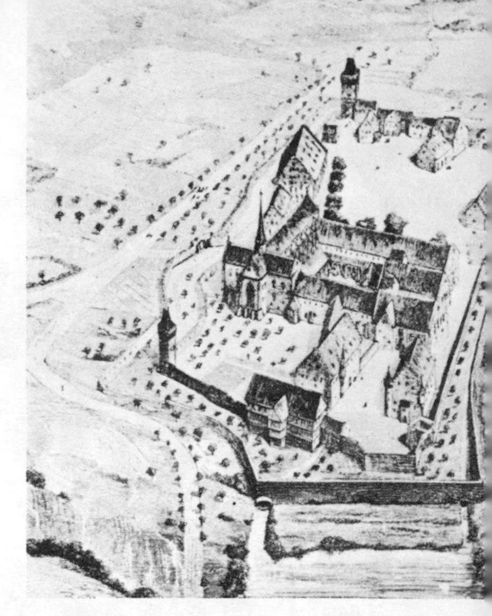
中世紀修道院往往是自給自足的社區。圖中所示爲一在法國之修道院，除有田地、菓園，尙有圍牆之保障

西方教會則發展成修道院。在院中，修士和修女過禁慾生活；他們棄絕世上的財物；飲食絕不超過最低需要量，每日僅以白水及麵包度日，而且經常禁食；他們也用鞭子鞭打自己、刑罰自己；修士和修女絕不結婚；在禁慾生活中，他們專心祈禱、讀經及默想。

修道主義發展到最後一個階段，是修道會的成立。幾間修道院聯合在一起，制訂一套規條，治理統一，便成爲一個修道會。

3. **修道主義奠基在錯誤觀念上**　中世紀修士對西歐文明有極大的貢獻。當蠻族湧進帝國時，這些修道院變成了避難所；它們成爲疲憊客旅的歇脚處，是病痛者的接待站，同時又是當時農業

巴黎修道院中，女修士們在教堂唱詩情形。

卡都新（Carthusian）修道院膳廳一角。
只有主日及節期，修道士才可以聚集在此，與院長一同享用盛筵，並可以暫時解除「沉默誓」，彼此略爲交談。每週有一天只吃白水與麵包，每週五則全天禁食。

與文化的中心。

可惜修道主義本身奠基在錯誤的觀念上。當時在教會中，有所謂的高級與低級的靈性。一個基督徒若要成爲「高級」的信徒，就必須做修士或修女。修士和修女被一般人尊爲「敬虔者」。這種把靈性分成高級與低級的看法是錯誤的。

甚至今天，羅馬天主教的神甫也有分別：在教會中事奉的神甫是住在俗界的，稱爲「教區神甫」，進入修道院的神甫則稱爲「敬虔神甫」。

修道主義的骨子裡認爲，本性罪惡的人可以藉着逃避世界而達到聖潔的地步。

到了公元九世紀，許多修道院的修士不再過禁慾生活。這些修道院受當時腐敗風氣的影響，竟變成罪惡的蘊育所。

教會認爲，信徒只要遵行教會所定的儀式就夠了。這些儀式包括學會主禱文、使徒信經、認罪及守聖餐。聖餐被認爲是領受神恩惠的奇妙導管。

在那時，一般人的信仰多半非常表面化：只要遵守宗教儀式就夠了。然而他們認爲，修士和修女必須遠超過這個標準。

4. 克呂尼（Cluny）修道院 不管怎樣，每個時代都有眞基督徒，甚至在最黑暗的第十世紀也不例外。他們看到教會的腐化，心中憂傷。其中有一位是亞奎丹公爵、敎虔者威廉；他於公元 910 年在法國東部的克呂尼創立一所新的修道院。該院嚴格執行禁慾生活，於是「克呂尼運動」（Cluny movement）廣傳到其他修道院。其後的兩百年中，克呂尼革新運動成爲改善教會屬靈光景的强大力量。修道主義的原則及方法雖然錯誤，但它的動機却是眞誠的；克呂尼運動的方式雖然錯誤，但確喚起當代屬靈的覺醒。克呂尼修道院在最興盛的時期，統管了二千多所修道院。

這運動塑造出偉大的希爾得布蘭（Hildebrand），後來成爲教皇貴格利七世；因他的緣故，克呂尼修道院對教會產生了巨大的影響。

研討問題：

1. 從保羅在歌羅西書二章 16 至 23 節及耶穌在馬太福音十六章 24 節的話中，說明人是不是必須藉禁戒食物及人生樂趣，才能像修道者所追求的，成爲敬虔的信徒？

2. 修道士對文化的貢獻是什麼？這是修道生活原來的目的嗎？
3. 什麼因素使克呂尼修道院與衆不同，成爲黑暗時代中的明燈？
4. 修道主義與禁慾主義有什麼關聯？修道主義奠基在什麼錯誤的看法上？
5. 請列出修道主義發展的四個階段。
6. 中世紀教會發展出來的兩種不同屬靈標準是什麼？

第十四章

教會為自由奮鬥
（1049–1058）

1. 羅馬教會歷經之階段　在往下繼續敍述前，讓我們先回溯羅馬教會的四個階段：㈠羅馬教會很早就顯出，在教會歷史中它會佔重要的一席。㈡因着羅馬主教的努力，教皇制漸漸成形。㈢十世紀及十一世紀前半期，教皇制被政府控制，非常腐敗。㈣教會屬靈情況低落時，宗教復興開始，這復興是由克呂尼修道院帶出來的。

2. 亨利三世協助克呂尼運動　「克呂尼運動」的目的在於革新聖職人員、修道士及教皇制。這次改革運動影響到西歐各國許多修道院，不但激勵了成千上萬的修道士、神甫與主教，也影響了無數平信徒，為他們帶來心靈、思想全面的革新。事實上，這個運動就是由一個平信徒（亞奎丹公爵）創設修道院而開始的。

我們是否記得三位教皇同時在位、互相攻擊的事？其中以本尼狄克九世最壞、最無恥，他竟然將教皇職位出售。為了結束這種混亂局面並維護健全的教皇制，克呂尼運動的改革家們決定向神聖羅馬帝國皇帝德國的亨利三世求援。

亨利三世是一位虔誠的信徒，非常讚賞克呂尼運動。於是在他的領導下，開了一次宗教會議，把西維斯特三世革職，同時逼貴格利六世辭職，並將他放逐到德國。他又召開另一次會議，將本尼狄克九世革職。教皇座位本來就不能容三人同坐。現在，這三位競爭者相繼被摔下了寶座。

為了避免再捲入羅馬的腐敗，亨利三世另選一位德國主教就任教皇職，就是教皇革利免二世。然而這個教皇與繼任的教皇都很短命，在位不久就去世。亨利便指派自己的表兄弟、土爾主教為教皇，是為利奧九世。

3. 教皇利奧九世　他在位五年（公元 1049–1054 年），是克呂尼運動的強力支持者，正因為他有改革的熱誠，才被皇帝指派為教皇。

他一登位就非常忙碌，首先是改組紅衣主教會議（College of Cardinals）。原來在羅馬早已存在所謂紅衣主教，這些紅衣主教是教皇個人的助理及顧問。從形態上看，紅衣主教會議和教皇的關係正如內閣和總統之間的關係一樣。

利奧九世即位之初，就發現這個紅衣主教會議全部成員都是

伊斯坦堡（Istanbul）一景。圖中有三間著名之回教寺，後面之背景爲亞洲地區。

羅馬人，他們來自羅馬的貴族，長期控制教皇，腐化了教皇制，而且不理會克呂尼革新運動。教皇利奧九世重新任命接受克呂尼運動的人爲紅衣主教，並從不同地區挑選新的紅衣主教。這樣，圍繞着他的一羣顧問，不但是他可以信任的人，而且是來自歐洲不同地區的人。

這樣新教皇不遺餘力地推動革新，他走遍德國、法國，在各地召開宗教會議，也在各地加强教皇的權勢。他所做的一切事，深得克呂尼修道院院長笏哥（Hugo）的合作。他强調三件事：㈠神甫絕對禁止結婚。㈡不得實行聖職買賣。㈢非經聖職人員及會衆選舉，沒有人可擔任教會職務。

4. **東西方分裂**　然而教皇利奧九世在位時也有難處。我們還記得東西方教會之間早有歧異，距離日遠，只是到目前爲止，教會仍是一體。直到利奧九世在位，東西方教會才正式決裂。這事導因於利奧九世與君士坦丁堡主教長瑟如拉留（Michael Cerul-

arius）之間的不睦。公元 1054 年，教皇利奧九世的代表拿着教皇革除瑟如拉留教籍的詔諭，放在君士坦丁堡聖蘇菲亞教堂的聖壇上。主教長瑟如拉留盛怒之下，一報還一報，也革除了教皇利奧九世的教籍。於是東西方教會正式分裂爲二：東方爲希臘教會，西方爲拉丁教會。

5. 克呂尼改革家面臨難關 教皇利奧九世去世後，德皇亨利三世又指派一位德國人爲教皇，號稱維克多二世（Victor Ⅱ）；但他只在位兩年（公元 1055−1057 年），而亨利三世也於公元 1056 年突然去世。教皇維克多二世對克呂尼改革家及德皇亨利三世都很忠誠。當亨利三世去世時，王子只有六歲，維克多使他在母后愛格妮（Agnes）的輔佐下，即位爲亨利四世。

這時克呂尼改革家們面臨難關：教皇制雖然已脫離羅馬貴族的控制，然而還是藉德皇之助而維持的，事實上，教皇制不過是換個主人而已。到目前爲止，有兩個原因使克呂尼改革家們容忍皇室對教皇的控制：㈠這似乎是教皇制擺脫羅馬貴族的唯一之路。㈡雖然德皇亨利三世也像羅馬貴族一樣壟斷教皇制，但他對革新運動非常贊同，羅馬貴族則完全反對。因此，克呂尼改革家們寧可站在皇室這一邊。

如今這位神聖羅馬帝國能幹的皇帝去世了，即位的亨利四世只是一個六歲孩童，當權的是他軟弱的母后愛格妮。

因此，克呂尼改革家們深信，這是教皇制擺脫皇室控制的最佳時機。

6. 教皇司提反十世 既然克呂尼改革家能夠控制羅馬，在他們的領導之下，經由羅馬聖職人員選出了一位新教皇司提反十世。這件事完全沒有經過皇室的決定或影響，甚至根本沒有諮詢

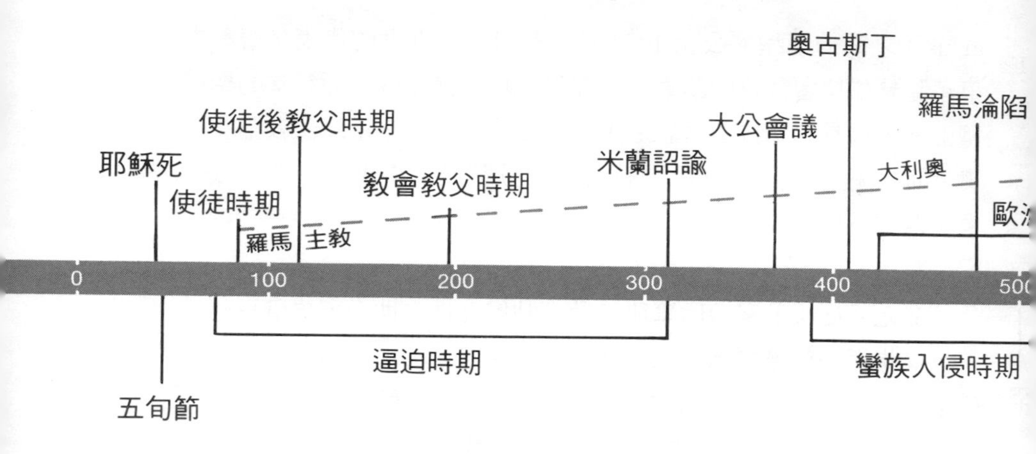

太后愛格妮的意見。

教皇司提反是個能幹的改革家，他宣稱所有的聖職都需經「教會」按立，平信徒毫無權柄。他極力反對「平信徒授衣禮」。

德皇的權勢在於他可以指派自己喜歡的人當主教，若將這權勢從德皇手中奪走，皇帝就變得很弱。德皇當然是不會答應這樣做的，因此若教皇要執行他的諭令，必然會造成皇帝和教皇之間强烈的摩擦。

司提反深怕這種摩擦的發生，因此沒有推行他的主張，反而要求太后愛格妮支持他就任教皇職；然而，在愛格妮給他支持不久後，他就去世了。

7. 希爾得布蘭遴選教皇　教皇司提反十世去世後，克呂尼改革家們面對的局面十分困難。羅馬貴族一直想奪回控制教皇的權勢，司提反十世死後才一星期，羅馬貴族就選了一個自己人爲教皇，是爲本尼狄克十世。

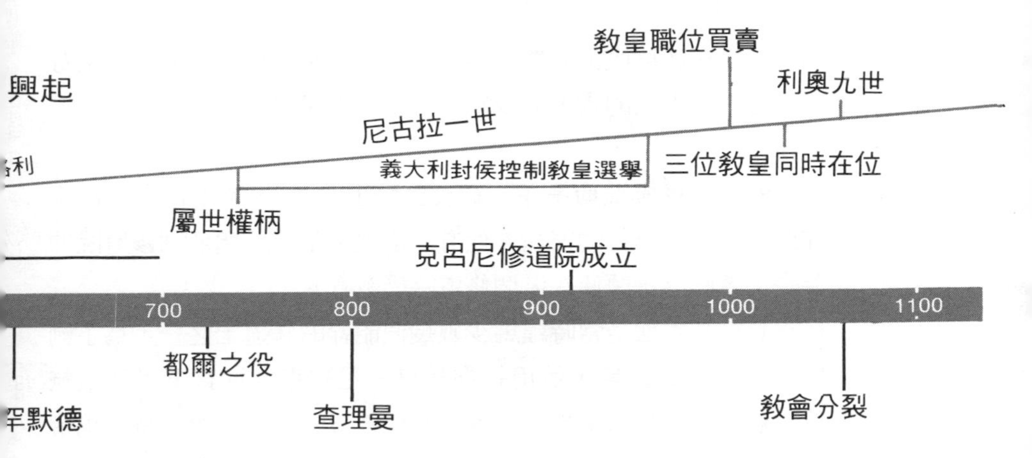

於是，那些在改革運動中新選出的紅衣主教必須離開羅馬逃命。這時期，對克呂尼改革家而言，是個黑暗時期，似乎教皇本尼狄克九世時代的腐敗又捲土重來，然而，他們卻在意想不到的情況中得到幫助。

原來在教皇貴格利六世被放逐到德國時，有一位名叫希爾得布蘭的年輕人伴他同往。亨利三世指派利奧九世爲教皇，他赴羅馬就職時，從德國帶希爾得布蘭同往。抵羅馬後，利奧九世給他副執事的職位，專管教皇的經濟事務。這一位在利奧九世時代完全不被人注意的希爾得布蘭，在當前艱困的時期中挺身而出，成爲黑暗時代的救星。

首先他注意觀察，要找到一位贊同克呂尼運動的好教皇；於是，佛羅倫斯主教成爲他的人選；接著，他聯合塔斯卡尼公爵及一部份羅馬人支持這位人選；然後，他得到愛格妮的認可；最後，他召回那批逃命的紅衣主教，他們便選舉了希爾得布蘭所提出的候選人爲繼任教皇，這位新教皇的稱號是尼古拉二世。

由於塔斯卡尼公爵的兵力保障，尼古拉二世成爲羅馬的主宰，堅立在教皇座上。然而，從今以後，希爾得布蘭成爲教皇背後眞正掌握大權的人，他成爲教會歷史中傑出的人物之一。

8. **希爾得布蘭的早年** 約於公元 1020 年，希爾得布蘭出生在義大利一個窮苦的家庭。他有一位叔父是羅馬聖瑪利修道院的院長，希爾得布蘭便在這個修道院受教育。

貴格利六世是當時羅馬少數幾個能幹的修道士之一，爲了剷除在位敗壞的教皇，他用錢向教皇本尼狄克九世買下了教皇職位，並派希爾得布蘭爲他服務。當他被皇帝放逐到德國時，也帶著希爾得布蘭同去。因此，公元 1073 年，當希爾得布蘭成爲教皇時，他以貴格利七世爲稱號，表達他對施惠者的感激。

在德國期間，希爾得布蘭獲得德國教會中罪惡行爲的第一手資料，他親見屬世權貴如何指派一些完全不合適的人擔任教會聖職，只因爲這些人肯付出高價。也是在德國期間，他認識了後來成爲教皇的利奧九世。是利奧將他從德國再帶回羅馬。

研討問題：

1. 解釋以下名詞：大分裂、紅衣主教會議、教皇制。
2. 爲何在這時期中，皇帝可以任意指派或免除教皇？
3. 教皇利奧九世革新教皇制的基本方法是什麼？
4. 東西方教會彼此不合的原因是什麼？
5. 爲什麼克呂尼改革家們要掙脱皇帝對教皇制的控制？
6. 希爾得布蘭如何推動改革計劃？
7. 德皇亨利三世如何協助克呂尼革新運動？
8. 列出教皇利奧九世爲擺脱羅馬貴族控制而行的三件事。
9. 爲什麼教會反對「平信徒授衣禮」？

第十五章

教會繼續為自由奮鬥
（1056–1073）

1. 希爾得布蘭的明智外交
2. 選教皇的新方法
3. 教皇亞歷山大二世
4. 希爾得布蘭成為教皇
5. 教會與政府的關係
6. 教會預備面對更激烈摩擦

1. 希爾得布蘭的明智外交　希爾得布蘭成功地打敗羅馬貴族，將一位以改革為志的教皇送上寶座。然而難處還在，教皇制雖脫離了羅馬貴族的控制，但仍在德皇束縛之中。希爾得布蘭希望教會也能自德皇的枷鎖下掙脫，但教皇制又是不能沒有政府支持的，問題是，如何找到一個支持教皇而不控制教皇的政府。

希爾得布蘭環顧四周，發現只有塔斯卡尼公爵（Duke of Tuscany）是可靠的，只可惜力量不夠強大。義大利南部有諾曼人，當教皇利奧九世在位時，曾為領土問題和諾曼人交戰，教皇戰敗，甚至被囚。然而，希爾得布蘭却以明智的外交手腕使諾曼人成爲尼古拉二世的封侯，並依封建制度條例使他們爲教皇提供軍事防衛。不但如此，希爾得布蘭又爲教皇獲得義大利北方民主政黨的支持。

在這些强大政權有力的支持下，教皇權位非常穩固，希爾得布蘭感到這是面對當時最重要問題的時機。公元 1059 年，在羅馬召開的宗教會議中，教皇尼古拉二世正式廢止了「平信徒授衣禮」。

這些「僧冠」象徵教皇不同的職責，也用在不同的儀式之中。

2. **選教皇的新方法**　教皇尼古拉二世時代，最重大的事是建立選舉教皇的新方法。這新方法於 1059 年的會議中宣佈，除了一些修正外，這項方法沿用至今。新方法的主要目的是要把選教皇的大權自義大利貴族及皇帝手中釋放出來。

這項新的選舉方法如下：前任教皇去世時，先由紅衣主教們提出繼任教皇的名字；待紅衣主教作出抉擇後，他們再徵求羅馬的神甫及百姓的同意。

此次會議的宣言中，僅含糊地提到年輕德皇亨利四世之名，以示禮貌，但卻絲毫未提皇帝與選舉有任何關係。

宣言中也定下一個規條：即教皇可以選自不同地區，必要時甚至可以在羅馬以外舉行選舉，不管選上者當時是在那裡，他可以立時擁有教皇職位的全部權勢。

照片中是德國的萊茵河區
希爾得布蘭曾被貴格利六世帶來此地，後來又隨利奧九世從此地返回羅馬

3. 教皇亞歷山大二世　選教皇的新方法帶來了革命性的改變。這個作法使教會與教皇制脫離了所有政治權勢。

宣言公佈後不久，教皇尼古拉二世就去世，新方法立刻面對考驗。

希爾得布蘭這時早已是克呂尼革新運動的領袖，他使亞歷山大二世繼承尼古拉二世。然而，德國及倫巴第主教，以及義大利貴族們都不喜歡這個新方法，他們與太后愛格妮聯合，指派帕爾馬主教（Bishop of Parma）繼任教皇職位，稱爲何挪留二世（Honorius Ⅱ）。

在這種局面下，幸好德國發生了一個混亂事件，才挽救了希爾得布蘭及克呂尼改革家：公元 1062 年，科倫（Cologne）大主教亞諾（Anno）綁架了德皇亨利四世，並取代太后愛格妮的監護地位。亞諾是個極有野心的人，他看出改革團體對自己有利，便公開承認亞歷山大二世爲正式教皇，而使何挪留二世悄然引退。這件事，使希爾得布蘭再度獲勝。

新教皇在各方面相當成功，因爲有希爾得布蘭強大的輔佐。

亞歷山大二世使德國兩個最强的大主教爲買賣聖職行補贖；他又不許亨利四世與皇后離婚。此外，亞歷山大二世批准諾曼第威廉公爵進攻英格蘭；又許可義大利南部諾曼人的活動。結果，威廉公爵征服了英格蘭，諾曼人在義大利也征服了西西里。這樣，亞歷山大堅定了他的地位。

希爾得布蘭——貴格利七世

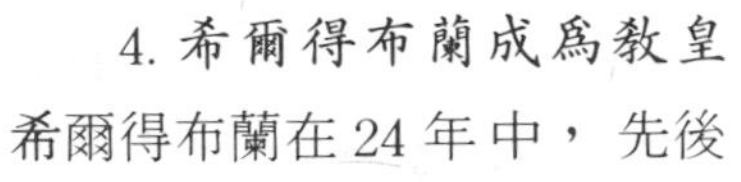

4. 希爾得布蘭成爲教皇

希爾得布蘭在 24 年中，先後擔任了六位教皇的總參謀。公元 1073 年，在一個危急情況下，他自己成了教皇。這件事完全出乎意料，而且相當不合理。

那時，希爾得布蘭正在拉特蘭宮主持教皇亞歷山大的喪禮，羣衆們突然高呼他爲教皇，他們狂熱地將他抬到聖彼得教堂，把他放上教皇座位，奉爲教皇。就這樣，希爾得布蘭未經提名選舉，沒有按 1059 年宣言的規定而成爲教皇。只是，過不久，紅

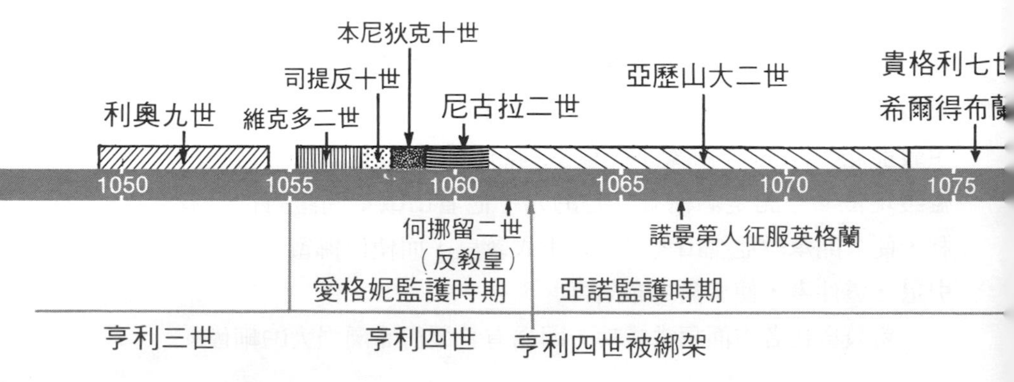

衣主教們舉行了一次正式投票，追認此事合法。

5. 教會與政府的關係 君士坦丁大帝信主以前，並沒有所謂「教會與政府關係」的問題。

在異教國家，國王和異教祭司間的關係，不成爲問題；有時祭司在國王治下，有時國王在祭司治下。在以色列國，則爲政教合一。新約教會於五旬節誕生後，教會和政府是分開的。君士坦丁大帝信主前，教會是個被逼迫的團體；君士坦丁的信主將局面翻轉，從此政府承認教會是一個獨立的機構。在基督教成爲羅馬國教時，教會和政府事實上是兩個平行的組織，因此便產生了「教會與政府」之間關係的問題。

解決之道有三種可能性：⑴教會與政府地位同等。⑵政府高於教會。⑶教會高於政府。

東方的教會採用第二種方法。東羅馬皇帝全權控制君士坦丁堡主教長及東方希臘教會。

在西方，這個問題造成嚴重的衝突。有許多人主張政府高於教會，也有許多人主張教會高於政府，只有少數人贊成教會與政府地位同等。

這點又看出東西方教會的不同，東方教會在這方面沒有問題，因此，東方教會的歷史也平淡乏味；而西方教會爲了和政府互爭領導地位，教會歷史中充滿活力與刺激。

6.教會預備面對更激烈摩擦 西方教會曾在屬世統治者的控制之下，例如被義大利貴族及德皇控制，他們把教會帶回到查理曼大帝及君士坦丁大帝的時代。克呂尼革新運動，就是一項把教會自政府捆綁下掙脫出來的努力，該運動有相當的成就。

然而，教皇們並不以脫離屬世控制力量爲滿足，他們希望更進一步，把政府放在教會的管理之下。

下一章將描繪教皇貴格利七世和德皇亨利四世之間激烈的摩擦。這摩擦發展到一個地步，非常壯觀，也非常戲劇化。

研討問題：

1. 請說明公元 1059 年的宗教會議。
2. 希爾得布蘭的外交政策有何明智之處？
3. 教皇的新選舉法，如何使教會及教皇制脫離屬世權勢的控制？
4. 列出亞歷山大二世之成就。
5. 教會當局怎樣使希爾得布蘭被擁立爲教皇的事合法化？他們能廢掉這位不按章法而立的教皇嗎？

第十六章

教會被迫妥協(1073–1122)

1. 希爾得布蘭受克呂尼理想啟發
2. 爲「授衣權」奮鬥
3. 亨利四世向貴格利七世挑戰
4. 教皇革除德皇教籍
5. 德皇假意降服
6. 德皇前往義大利
7. 德皇耐心等待
8. 教皇與德皇相見
9. 卡諾撒戲劇眞象
10. 摩擦仍然繼續
11. 沃木斯協約

1. *希爾得布蘭受克呂尼理想啟發* 見過希爾得布蘭的人，都看不出他是個不尋常的人。因爲他身材矮小，聲音微弱，外表平凡；然而他却是中世紀最傑出的人物。他有敏銳的思想、堅定的意志、無畏的勇氣及火熱的心靈。

正如許多中世紀的偉人，他也深受奧古斯丁鉅著「上帝之城」的影響；他在羅馬修道院修習時，又浸染在克呂尼革新理想之中；終其一生，這些理想給他强烈的啟發，而且深植在他本性之內。

他一生最高的理想源自「上帝之城」，就是要在地上建立一個「神的國度」。希爾得布蘭深信，神所預備並指派爲這國度實現的代理者就是教會。他進一步深信，教會的頭，教皇本身，就是基督的代表（Christ's vicar），在他的觀念中，教皇高於一切，包括王子、國王、皇帝及所有人民，而教皇只向神負責。

爲了實現這理想，希爾得布蘭已經在六位教皇任內努力了廿多年。現在他自己身爲教皇，更以充沛的精力及才幹，繼續爲這理想而努力。

他一點不會爲個人的利益奮鬥，他不像當時其他許多主教的作風。他不收受賄賂，也不雄心萬丈或講求虛榮。當然，他的動機不可能全然純正，但又有誰是如此呢？有時爲了達到目的，只要他認爲是好的目地，他可以不擇手段。他本性喜好統治，但基本上他是誠心、熱切要事奉神的教會，以推廣神在地上的國度。

教皇有大筆錢財可以任意支配使用，希爾得布蘭本可以像以前或以後的許多教皇一樣，過奢靡、享受、閒懶的生活；但他總是埋頭在繁重勞累的工作中，每天過著簡樸、禁慾的生活。

2. 爲「授衣權」奮鬥 爲了使教會配成爲神國度在地上的代理人，希爾得布蘭認爲教會與聖職人員均需按克呂尼的標準改革。爲了剷除革新的障礙，教會必須脫離政府的控制，而且政府必須在教會的管理之下。因此，「授衣權」必須自皇帝手中轉移到教皇手中。

只要屬世權勢有能力指派並授權給主教，這些被指派的主教

公元 1076 年一月，在主教會議中，皇帝亨利四世宣佈希爾得布蘭必須從教皇座上下來。

必然替他們的領袖努力，而不爲教會努力。

從皇帝的角度而言，他們不能放棄「授衣權」，因爲這樣會削弱他們勢力。在當時，封建制度仍然繼續；單單德國就分成好幾部份，分別爲公爵、侯爵及貴族們所轄管。他們之間經常衝突，但他們若聯合起來，勢力往往大於皇帝。而主教們及修道院院長也是封侯之一，藉着這批人的幫助，皇帝就有力量對付貴族的勢力。如果皇帝失去「授衣權」，就失去對主教及修道院院長的控制權；如果得不到他們的幫助，他便很可能被貴族們奪去皇位。

如此，對教皇及皇帝而言，「授衣權」變成了「生死攸關」的事件。教皇若得不到這權柄，就不能改革教會；皇帝若沒有這權柄，就有失去帝位的危險。這兩方面的掙扎已經累積多年，爲了爭「授衣權」，教皇貴格利七世與德皇亨利四世終於爆發了火勢兇猛的大摩擦。

3. **亨利四世向貴格利七世挑戰**　由於有一些貴族反叛，造成困擾，德皇亨利四世於教皇貴格利七世在位的頭兩年，表面上與他保持友善關係。教皇貴格利七世趁德皇勢微之際，於 1075 年再度禁止「平信徒授衣禮」。然而，就在同一年後半年，亨利四世在軍事上大獲全勝；而將整個局勢改觀。亨利深信自己有夠强的力量反抗教皇，便公然違反教皇禁止平信徒授衣禮的宣告，而給三位主教行了授衣禮。

教皇對這件事的反應如何？

公元 1075 年 12 月，貴格利送了一封信給亨利，以嚴厲的口氣，表達他心中的忿怒，於是教皇與皇帝之間形成對敵的情勢。

信上一開頭寫着說：「神的衆僕之僕貴格利主教寫信給亨利國王，願問候及使徒祝福臨到他，也就是說，如果他順服使徒座位、配爲基督徒國王的話。爲了使徒首領聖彼得所託的事奉，我們深思熟慮、仔細衡量當用什麼嚴厲之言，在此猶豫地給您使徒的祝福……」

教皇在信中繼續指出國王許多罪狀，並提醒國王，他是在聖彼得及聖彼得繼承人教皇之下；貴格利又勸他不要爲最近的勝利而驕傲。

貴格利對亨利說，由於他的違規，必須被革除教籍；並從國王的地位免職；除非他悔改，否則就要受罰。

當國王收到該信時，亨利正爲不久前的得勝而興奮，他年輕、傲慢、頑固，讀完這信便勃然大怒。

公元 1076 年一月二十四日，他在沃木斯召開主教會議，在國王的命令下，會中宣佈不再尊貴格利爲教皇，並寫信將此決議致達教皇。

信上一開頭寫着說：「非藉篡位乃藉神手按立的國王亨利，寫信給目前不是教皇而是一個僞修士的希爾得布蘭。」

信中指責希爾得布蘭以非法手段篡取教皇職位。國王亨利根據希爾得布蘭當日不尋常的被擁立爲教皇的事實，作出如此的結論。

國王的信繼續寫道：「因此，我們全體主教定你有罪，必須從你所篡的使徒座位上下來，讓其他不假藉宗教外衣，不運用暴力，只教導聖彼得純正教義的人，登上聖彼得寶座」。

4. **教皇革除德皇教籍**　可想而知，教皇必定立刻採取行動。二月十四日，在羅馬一個會議中，教皇嚴肅地宣佈革除國王教籍。

教皇在他的宣判上寫着說：「　聖彼得啊，懇求垂聽我的禱告，因為我是你的代表，得着你從神而來的權柄，凡我在地上所捆綁的，在天上也要捆綁；凡我在地上所釋放的，在天上也要釋放。憑着信，也為了保全教會，並聖父、聖子、聖靈三一全能者的榮耀，藉着你的大能和權勢，我褫奪皇帝亨利三世之子亨利四世在整個德國及義大利的主權，因為他以前所未聞的侮辱抵擋你的教會。凡和亨利四世所訂的誓約，無論過去或未來，均歸無效，我在此禁止任何人尊他為王！」

5. **德皇假意降服**　於是德皇頒了一道諭令，給羅馬百姓，以激烈的口氣要求他們將「修道士希爾得布蘭」逐出羅馬城；在這同時，教皇也送了一封信給德國百姓，叫他們另選新王，除非亨利悔改。

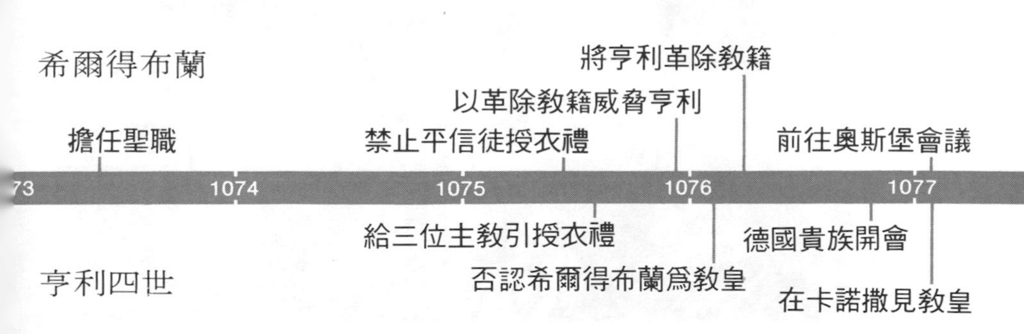

但是，德皇的諭令沒有羅馬人理會，而教皇的要求却在德國掀起了熱烈的反應。封建貴族們很高興他們有藉口可以不再效忠德皇；由於德皇高壓式的統治，德國百姓都很恨亨利。

公元 1076 年十月，德國貴族們舉行一次會議，大部份人主張立刻廢黜亨利，全體都希望將他降卑。

最後貴族們決定第二年二月在奧斯堡再舉行一次會議，由教皇親自主持。在那次會議中，他們將給德皇亨利一個機會澄淸罪名。如果一年之內，教皇貴格利還沒有取消亨利革除教籍的宣判，亨利就將失去王位。這段期間內，他將被軟禁在斯拜爾城（Spires）中。

這時亨利處在非常危急的情況，他可以感覺到皇冠正在往下滑。爲了挽救王位，他願意做任何事。

因此，他給教皇寫信說：「謹遵臣民之意見，本人願意從此

皇帝亨利四世在卡諾撒堡門外

尊重並順服使徒職任及您教皇貴格利。既然本人已被判觸犯重罪，願意呈上無辜之證明，或接受懲罰，或遵行您所規定，足以抵罪的補贖之禮。」

貴格利廢除「革除教籍」令

6. 德皇前往義大利　就這樣，德皇屈尊降卑在德國臣民及教皇面前，但他本人則忙着計劃如何得回他原來的地位。

「革除教籍」就是從教會的會員中被除名。當一位國王被革除教籍時，他的臣民可以不必再聽從，他就失去了整個國家。若要挪去「革除教籍」的宣判，恢復教會會員的身份，必須得到教會的宣赦令。在宣赦之前，這個人必須先行補贖禮並呈上悔改的證明。

在中世紀，行補贖禮是一件很普通的事。補贖禮有一定的方式及習俗，補贖時，悔罪的人必須穿上某種衣著並且禁食。

亨利必須在一年內獲得教皇的宣赦，取消「革除教籍」的判決，因此他設計逃出斯拜爾城，帶着妻子白莎（Bertha）、小兒子及幾個忠心的隨從，前往義大利。在酷寒的冬天，冒着刺骨的冷風，越過冰雪覆蓋的阿爾卑斯山。

在這同時，教皇正啟程北上，前往奧斯堡會議。當他行過塔斯卡尼時，聽到謠言說，亨利帶軍前來。於是，貴格利轉道避進卡諾撒堡（Castle of Canossa）的堅固城牆中。

7. **德皇耐心等待** 公元 1077 年一月廿五日，亨利爬上卡諾撒堡的山坡，敲打城堡的外門。外門開啟，有人領他穿過第一道圍牆及第二道圍牆的牆門，但第三道牆門却仍關閉。亨利在第三道牆門外的庭院中，整整站了一天，全天禁食，在他衣服外面，罩着悔罪者粗糙的毛織長袍，光頭赤足站在寒冷的雪地上。日暮西沉，大門仍然緊閉，這一天他不得其門而入。

第二天早上，亨利再度出現，又是一整天赤足站在雪地上。夜晚來臨，第三道門仍不開啟，亨利只得回到他殘陋的臨時住處。

第三天，亨利再一次以悔罪者身份站立在卡諾撒堡庭院中。漫長的時光，一直拖到中午，仍然沒有動靜；當下午即將消逝之際，於公元 1077 年一月廿七日的黃昏，第三道門終於徐徐開啟，讓亨利進入。

8.**教皇與德皇相見** 在房間的一端，坐着希爾得布蘭。這一位過去是出身寒微的窮小子，現在是外表平凡、矮小凋謝的老頭子，但確是教皇貴格利七世。

走進來的亨利，則為年輕、高大、體格健壯的男子漢，雖然身穿悔罪者裝束，仍是令人矚目的德皇亨利四世。

現在戲劇上演了：

德皇流着淚，伏倒在地，他親着教皇的脚，懇求他的赦免。於是，教皇貴格利宣告赦罪，並解除了他「革除教籍」的判決令。

9. **卡諾撒戲劇真相** 為什麼教皇要讓皇帝三天赤足站在雪地上？是不是要將他屈辱到最卑微的地步？這是卡諾撒情景給世人留下的印象，今天人們已經用「去卡諾撒」這句話代表最深度的降卑。然而，這句話卻表明一般人對在卡諾撒所發生的事，完全誤解了。

當時亨利的王國正處於危急情況，如果他只是呆坐等待，直到奧斯堡會議舉行之日，而仍掛着「革除教籍」的宣判令的話，他一定會失去王位。因此他不顧一切地，越過冰凍的阿爾卑斯山，去碰那位正往奧斯堡會議前來的教皇。

此外，當教皇看到德皇時，發現他並非傳言所說帶着軍隊，而是扮成悔罪者的樣式，使教皇不知所措。當一個人以悔罪者方式前來時，「宣赦」是必須頒佈的，因爲這是基督的命令，也是教會的規定。因此，這時教皇是處於政治顧慮及教會責任兩難之間，這也就是爲什麼他讓德皇在外面三天之久，因爲教皇整整猶豫了三天。在這三天中，他自己心中有强烈的掙扎，德皇這樣做實在是把教皇放進困境。所以，卡諾撒眞正戲劇，不是上演在庭院中，乃是上演在教皇心靈內。

最後，亨利可以說事實上「勒索」到貴格利的宣赦，因此也就恢復了王位。藉着在教皇面前的降卑，德皇在臣民與貴族面前獲得外交上的全勝，亨利可以說是「以屈尊取勝」的人。

10. **摩擦仍然繼續**　卡諾撒事件並未結束亨利和貴格利之間的摩擦，它是最戲劇化的部份而已。

接下來是一片混亂的局面。德國和義大利分裂成兩個陣營：亨利在德國的對手們，於 1077 年推選了斯華比亞的魯道夫（Rudolph of Swabia）爲王，於是，在德國有了兩位對立的皇帝。公元 1080 年，教皇貴格利再度將亨利革除教籍，但此次沒有造成什麼影響，因爲當時有一股反教皇潮流，大部份主教宣佈將貴格利免職並另選一位教皇，稱爲「反教皇」（Antipope）。於是，在義大利有了兩位對立的教皇。同一年，亨利和魯道夫爭戰，後者重傷而死，內戰在德國境內繼續，到處是殘殺暴行，將德國夷爲廢墟。

魯道夫死後，亨利整軍前往義大利，圍攻羅馬，將城奪取。亨利隨己意使「反教皇」就職，教皇也立刻爲亨利加冕爲帝。貴格利聽見亨利率軍前來的消息，立刻逃到台伯河西岸的聖安格羅堡（The Castle of St. Angele）避難，並向義大利南方的諾曼人求救。諾曼大軍抵達，亨利帶軍撤退。諾曼人爲報復羅馬人投降貴格利的敵人，進城後大肆屠殺搶掠。雖然這不是教皇的責任，但羅馬人對教皇已經充滿忿恨，使教皇此後不得立足於羅馬，只有隨諾曼人回往義大利南部。

公元 1085 年，貴格利死於南行途中的沙勒諾城（Salerno），去世時是個心碎的老人。臨死前，他說：「我酷愛正義，恨惡罪惡，因此我死於放逐。」

11. 沃木斯協約（The Concordat of Worms）　貴格利死後，爲「授衣禮」的奮鬥，又繼續了三十五年。

公元 1122 年，經過長期疲憊的爭鬥，終於訂下了雙方同意的沃木斯協約。根據協約，由教皇在敍任主教的「授衣禮」中頒賜屬靈職位的象徵（戒指與杖），而皇帝則以「權杖之觸」頒賜封地。

研討問題：

1. 解釋以下名詞：卡諾撒、沃木斯協約、反教皇、革除教籍。
2. 說明希爾得布蘭對教皇制的看法。
3. 爲什麼教皇與皇帝爲「平信徒授衣禮」之爭，成爲一件大事？
4. 當一國之君被「革除教籍」時，他遭到什麼難處？亨利四世被革除教籍後的行動，是表明他怕屬靈的刑罰嗎？教會以革除教籍懲罰信徒的動機是什麼？

5. 亨利的悔罪行爲是眞心的嗎？
6. 教皇爲什麼讓他在城堡外苦等三天？
7. 爲什麼羅馬人憎恨希爾得布蘭？
8. 希爾得布蘭一生努力的動機是什麼？

第十七章

教會發起十字軍運動
（1096–1291）

1. 十字軍東征的背景
2. 土耳其人仇視朝聖者
3. 教皇烏爾班二世發動第一次東征
4. 十字軍東征的結果
5. 十字軍東征的動機

1. 十字軍東征的背景　教會本是源自東方，第一世紀後，它發展成強大的勢力，也在東方舉行的大會議中訂立了好些偉大的基督教信經。教會從東方發展到西方，有一千年之久，所有正統信仰的基督徒都藉着這個相同的信仰而屬於同一個教會。

公元 1054 年，教會分裂成東方希臘教會與西方拉丁教會。當希爾得布蘭於 1073 年即位教皇之時，東西方教會之間的裂痕仍然新鮮，貴格利七世深盼能醫治這個創傷。

教會不但內部有分裂，外在也被戰爭摧毀，成千上萬的信徒被敵軍征服。回教與基督教一樣源自東方，信回教的阿拉伯人奪取了東羅馬帝國的敍利亞、巴勒斯坦、埃及與北非，再以旋風之速從北非，奪取西班牙，直搗法國。直到公元 732 年，查理馬特爾才將他們截阻在都爾。

數世紀後，阿拉伯人失去了威勢，土耳其人取而代之。土耳其人也是回教徒。公元 1070 年，他們從亞拉伯人手中奪取巴勒斯坦及敍利亞，並且進攻小亞細亞，曾有一度嚴重地威脅到君士坦丁堡、東羅馬帝國及東方教會。

這段時期，一連串事件相繼發生，公元 1054 年東西方教會分裂，公元 1070 年土耳其人威脅君士坦丁堡，公元 1073 年貴格利就任教皇。

貴格利急於彌補東西方之間的裂痕，他深切地關懷正受土耳其人威脅的東羅馬帝國與東方教會。

在危急情況下，東羅馬帝國向教皇貴格利求救，幫他們抵禦土耳其人；因為東羅馬皇帝有權控制東方教會，所以皇帝應允教皇，如果教皇給與援助，他將終止東西方教會的分裂。

東羅馬皇帝的請求使教皇大為動心，因為歷史上再也找不到這麼好的機會了。貴格利以為他可能同時完成三件大事：(1)保全東方教會不致落入回教徒手中。(2)東

公元 1954 年亞拉伯軍團守衛耶路撒冷耶穌聖墓教堂情形。該教堂包括各各他堂、抹油石、耶穌之墓堂、希臘堂、幻象堂、十架堂。第一間教堂建於公元 336 年，毀於公元 614 年，重建於公元 616 年，再毀於公元 969 年，又重建於公元 1037 年。公元 1056 年十字軍建起一座巨大的羅馬式教堂，將所有聖地、聖堂包圍在內。此堂毀於公元 1244 年，再建於 1310 年，並於 1400 年及 1717 年重修，1808 年被毀。到 1810 年再建成今日的型式。圖中之鋼架是近年來為防止教堂傾斜而加上的。

教皇烏爾班二世宣布
第一次十字軍東征

西方教會再度合一，醫好分裂的創傷。(3)建立全球性、宇宙性的教皇統治。這實在是一項偉大而勇敢的計劃。

教皇貴格利七世，這位中世紀的拿破崙，計劃親自帶領五萬軍人，前去「與神的敵人爭戰，直到耶穌基督的墳墓所在地」。然而這個計劃却因他捲進與亨利四世授衣禮之爭而無法實現。

無論如何，貴格利是第一個想到十字軍東征的人，雖然沒有一位教皇眞正親自帶過十字軍東征，但後來所有發動十字軍的教皇都是受到貴格利的啟發。

2. **土耳其人仇視朝聖者** 從君士坦丁歸主直到中世紀，基督教演變成非常形式化的宗教。信仰內容除了學習使徒信經、十誡、主禱文之外，又信聖禮具有神奇能力；此外，並實行禁慾、敬拜聖徒、崇拜聖徒遺物及朝聖。

到「聖地」（Holy Land）朝拜，更加流行。第五世紀時，耶柔米甚至定居於伯利恆。自從東西方教會分裂後，大部份西歐基督徒並不關心回教徒怎樣對待東方教會，但他們一想到基督教的聖地被不信者侵佔，便感到這恥辱不可容忍。

過去阿拉伯人佔據聖地時，基督徒去朝聖並未遭到困難，因爲阿拉伯人待朝聖者，就像今天名勝區對觀光客的態度，朝聖者的錢和回教的錢一樣好，他們從朝聖客身上賺取了不少財富。

然而，當塞爾柱土耳其人（Seljuk Turks）自阿拉伯人手中奪走聖地後，情況就改變了。土耳其人在宗教信仰上非常狂熱，他們憎恨基督徒，只因爲他們是基督徒。他們不要和朝聖者打交道，不要這些人的錢，以致使「朝聖之舉」處於困境。朝聖者回去後，向大家報告如何遭受土耳其人的惡待，這些報告煽起了西歐信徒心中原有的懷恨，造成一股忿怒的烈焰。羣情激動的情況，爲教皇烏爾班二世（Urban Ⅱ）打開了發動第一次東征之路。

3. **教皇烏爾班二世發動第一次東征**　教皇烏爾班二世在位自公元 1088 至 1099 年。他與貴格利完全不同：貴格利身材矮小、相貌平凡、不善言辭，而烏爾班出身貴族、高大英俊、相貌出衆、又善於演講；他不是一個率領軍隊的將軍，却是一個會控制羣衆心理的人。

公元 1095 年秋，他前往法國克勒門城（Clermont）之前，先讓大家曉得他此行要去公開講到「聖地與土耳其人」之事。因

十字軍東征圖

第一次十字軍東征（公元1096至1099年）的四位將領。

此，當他走上講台時，展現在眼前的是人山人海、迫切等待的聽衆。他有力的聲調、流利的言辭，迷住了全體聽衆；他提到耶穌的降生、成長、受洗、在聖地的遊行、教導與行善：他使他們看到耶穌的被捉、被釘、死亡與埋葬。他充滿感情地描述每一個救主所到過而成爲神聖的地方，然後，他嚴厲的指責異教徒對聖地的褻瀆，以及對朝聖者的虐待。於是，廣大的羣衆開始激動。

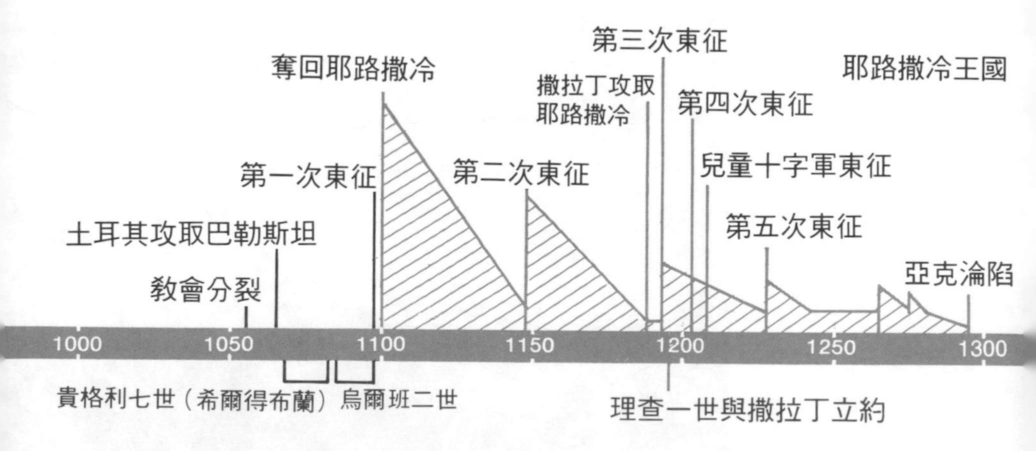

他繼續演講，煽起了羣衆的暴怒。接着，他號召他們一同前往聖地去，從土耳其人手中奪回耶路撒冷與耶穌之墓；他應許所有參加的人可以減少在煉獄中受苦的時間；（煉獄 Purgatory 是個想像的地方，天主教相信人死後，靈魂在進天堂前，先到煉獄去受苦、煉淨。）又應許爲此聖戰而喪生的人可以得着永生。

於是羣情激昂，成千上萬的人聚集在克勒門城，狂熱地喊着說：「願神旨成全！願神旨成全！」

教皇把紅布剪成小布條，將它們縫成十字形，每一個願意參加的人，在袖子上縫一個紅十字，於是形成了這支「十字軍」。

因此，十字軍是西歐基督徒爲將聖地自回教徒手中奪回的遠征軍。

回教徒爲傳教而打的仗叫「聖戰」，現在，西歐基督教組成了十字軍，也掀起了「聖戰」，因爲這是爲宗教目的，由教會發起的戰爭。

4. 十字軍東征的結果　第一次十字軍東征於 1096 年出發，結果奪回了耶路撒冷，並設立了耶路撒冷王國，由十字軍武士們統管。然而，過不久，他們之間起了紛爭，甚至與被征服的回教徒訂立和約。雖然這第一次東征所建立的王國，維持了八十年之久（直到公元 1187 年），但却是一個衰弱無能的政府，這個王國與當地人友好，因爲當地人善於農事及建築，這是西歐來的人所不會的。

接下來的東征：如公元 1147 年第二次十字軍東征中純然是爲援助搖搖欲墜的耶路撒冷王國；到公元 1187 年耶路撒冷落入埃及與敍利亞、蘇丹、撒拉丁（Saladin）手中，於是英王獅心理查（Richard I, the Lion-Hearted）、法王腓力（Philip）及德皇腓得力巴巴若沙（Frederick Barbarossa）組織了第三次十

字軍東征；德皇巴巴若沙在途中不幸淹死，法王半途而回，唯有英王獅心理查到達，但也只與撒拉丁訂立協約，准許基督徒朝拜聖墓（Holy Sepulcher），即耶穌之墓。

大多數史學家認爲十字軍東征一共有八次，只有一次兒童十字軍，前後共持續二百年之久。沒有一次東征達到目的，長久下來，教皇越來越不易激起東征的熱情。因此，到公元1200年代中期，它默默自歷史上消失，直到第一次世界大戰，英國人才自土耳其人手中奪得巴勒斯坦。

公元1098年六月三日
安提阿城之戰

5. 十字軍東征的動機　毫無疑問的，對教皇和百姓而言，十字軍乃是表達他們對宗教的熱誠，但這個行動也代表一種錯誤的宗教信仰，就是中世紀信徒把聖地、聖徒及聖徒遺物當做崇拜的對象。

當教會發動「爲聖地而戰」時，這些十字軍成員只是一味地追隨教會的帶領，從來不問：「我這樣做是不是在事奉神？」即使有人質疑，也是極少數而已，因爲當時一般人都沒有受過什麼教育。因此，我們只能佩服十字軍的熱誠，但不能接受他們在宗教上的看法。我們對宗教，正如對其他事情一樣，不但需要有「熱誠」，也需要有正確的認識。

研討問題：

1. 解釋下列名詞：耶路撒冷王國、塞爾柱土耳其人、聖墓。

2. 貴格利七世如何會有一舉三得的良機？

3. 聖地朝拜與十字軍東征有什麼關聯？

4. 當日歐洲處於何種情況，以致教皇一號召，成千上萬的人願意離鄉背井，加入攻打回教徒之戰？如果在今天，這種事可能發生嗎？

5. 從其他書籍中，查出兒童十字軍東征的史實。

6. 查考其他書籍，找出有關武士組織（the militant orders）如「聖殿武士團」（the knights templar）的記載。

第十八章

教會權勢顛峯時期
（1198–1216）

1. 又一位皇帝屈尊降卑
2. 教皇依諾森三世
3. 依諾森的得勢
4. 教皇權勢達到顛峯
5. 拉特蘭會議
6. 革新的需要
7. 道明會
8. 方濟會
9. 募緣會
10. 文藝復興的開始

1. 又一位皇帝屈尊降卑　雖然貴格利七世想使教皇超越皇帝的一切努力全盤失敗，甚至連他在卡諾撒堡對亨利四世的大勝也歸於徒然，但是，繼任教皇的腦海中，仍不能忘懷卡諾撒的情景，他們的心眼仍定睛於亨利卑微俯伏在教皇貴格利腳前的鏡頭，這幕戲景時常催逼他們去努力達到貴格利一生所委身的理

公元 1177 年七月廿四日，德皇腓得利巴巴若沙跪在教皇亞歷山大三世脚前。他於公元 1189 年五月帶領第三次十字軍東征，不幸於途中淹死。

想。

當教皇亞歷山大三世在位時，教皇的權勢高張，教皇與德皇腓得利巴巴若沙之間，發生强烈的摩擦。最後，逼得皇帝向教皇投降。公元 1177 年，皇帝親自到威尼斯（Venice）的聖馬可座堂，在教皇面前，把皇服鋪在石灰地上，跪在上面，親吻教皇的脚，亞歷山大把皇帝扶起，並賜他一個「平安之吻」（Kiss of Peace）。

八月七日，他們在義大利的阿南宜城（Anagni）相遇，這次德皇嚴肅地宣告他過去在羅馬所封立的「反教皇」無效，並承認亞歷山大才是合法教皇。當教皇上馬時，德皇爲他拉馬韁，並陪在馬旁走了一程路。

歷史似乎在重演，整整一百年前，他的曾祖父德皇亨利四世在卡諾撒降卑在教皇貴格利七世之前，現在，德皇腓得利巴巴若沙也兩次在義大利降卑於教皇亞歷山大三世面前，一次在威尼斯，一次在阿南宜。

2. **教皇依諾森三世（InnocentⅢ）**　依諾森三世擔任教皇時（公元 1198−1216 年），是教會權勢的顛峯時期。他出生於顯赫的羅馬世家，接受最好的教育，在巴黎修語言學，又在波隆那

（Bologna）修法律，是個口才卓越的演說家，又是優秀的音樂家及歌唱能手，二十九歲便當紅衣主教，三十七歲被選爲教皇。

教皇依諾森對教皇制抱著最崇高的理想，他在兩封信上寫着說：「神把權柄賜給彼得，不僅要他管轄普世教會，也是要他管理全世界。」他又說：「除非皇帝眞誠地事奉神在地上的代表人，他不會成爲好的皇帝。」

3. **依諾森的得勢** 依諾森對教皇制的理想是由五個因素塑成：貴格利七世的榜樣；僞文件「君士坦丁御賜教產諭」；十字軍東征；「藉着罪名（ratione peccati）」的原則；及當時歐洲有利的環境。茲將這五項分述於下：

雖然貴格利一生爲建立教皇至高無上權勢的努力全盤失敗，但他留下的榜樣，却成爲一代代繼任教皇的原動力。

雖然「君士坦丁御賜教產諭」是一份假文件，但世世代代被人當做眞品。這份文件，在依諾森要求教皇權威的事上，提供了合法而有力的基礎。

十字軍東征象徵着全歐洲基督徒反抗回教徒的大聯合，而每次東征都是由教皇發起，他吩咐國王、皇帝率軍出戰，他們都服從了，使教皇漸漸以「基督教世界之首」的姿態出現。

拉丁文「ratione peccati」是「由於罪」的意思。教會承認皇帝在純政治的範疇內居首位，而教皇是宗教與道德範疇內的最高權柄。現在教皇宣稱：如果屬世君王在政治行爲上犯了「不道德的罪」時，教皇不但有權，而且有責任干涉這些君王，並加以申斥。既然每一個政治行爲都包含道德的成份，於是這項「藉着罪名」的原則，就在政治的範疇內，給教皇至高無上的權威，使他們成爲制裁君王的人。

當時歐洲的情勢對依諾森非常有利，使得加强教皇宇宙性特

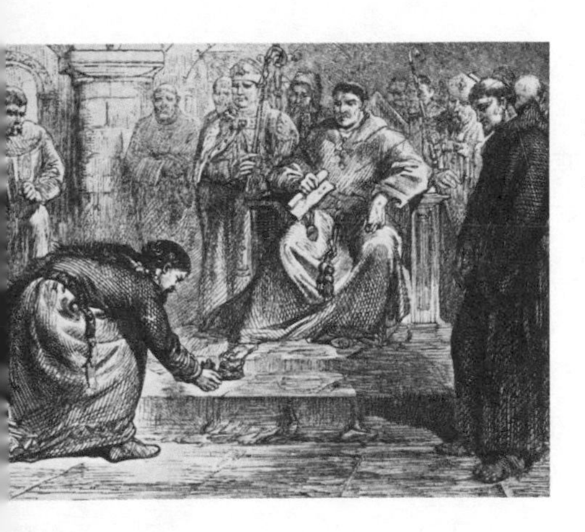

英王約翰將皇冠放在教皇代表魯道夫的腳前。

權的要求，有實現的可能。當時義大利北部各城漸趨富裕，他們願意與教皇聯合，對抗皇帝。德皇巴巴若沙在十字軍東征途中死亡，繼任的兒子只在位幾年，接下來的是三歲的腓得利二世；法國和其他國家則漸漸開始有民族合一的感覺。因此，當時的歐洲沒有一個強大的屬世權位可以向依諾森挑戰。

4. 教皇權勢達到顛峯　依諾森一即教皇之位，就恢復「聖彼得教產」（the patrimony of St. Peter），也就是所謂的「教皇領土」（Papal States）。這塊領土在義大利半島中部，過去由於教皇以土地交換神聖羅馬皇帝的保護，變得越來越小。自從依諾森上任後，六百年內，這塊教皇領土的疆界一直能保持原狀。

教皇依諾森同時也向全世界宣佈，他絕不縱容反對他的屬世權勢。英王約翰膽敢違抗教皇，於是在公元 1208 年，教皇給英國下了一道禁令（Interdict），宣佈全英國不准舉行教會儀式；第二年，英王約翰被革除教籍，他的臣民不必再臣服於他，他也失去了王位。公元 1213 年，約翰只得向教皇屈服，他寫了一份公文，在肅穆的典禮中，呈遞給教皇代表魯道夫，公文上寫着：

「謹將英格蘭和愛爾蘭的一切權利及臣民獻給神及聖使徒彼得和保羅，也獻給我們的母親——神聖羅馬教會，以及我們的主——依諾森和他的繼承人，爲要重新成爲神與羅馬教會的臣屬。因此，我們在魯道夫面前立下了臣屬之誓……我們的後代也將繼續信守此誓。爲表明我們的臣屬，我們和我們的後代，將在彼得辨士（Peter's pence）之外，每年自歲收內，爲英格蘭提七百馬克，爲愛爾蘭提三百馬克，奉獻給教皇轄區（Holy See）。」英王約翰隨即將他的皇冠及權杖交給魯道夫，魯道夫將它們保管了五天，再交還英王，以示至高無上之威權，英國自此成爲教皇的屬下。

國王和皇帝們一個接一個地，相繼承認教皇是他們屬靈的領袖。除了法王之外，所有的君王都承認教皇也是屬世的主宰，他們宣稱自己是教皇的臣屬，也承認他們的國土是羅馬教會的領土。

有一段時期，甚至羅馬帝國也成爲羅馬教會的領土：十字軍東征的目的，是要自回教徒手中奪回聖地；但第四次十字軍東征却偏離了這個目標，十字軍在東征的途中，不前往耶路撒冷，乃是攻打君士坦丁堡。他們奪取了君士坦丁堡，並設了一個拉丁王國（Latin Kingdom），拉丁王國的統治者承認自己臣屬教皇。

公元 1215 年由教皇依諾森三世召開第十四次拉特蘭會議，共有一千五百位代表出席，爲歷代最盛大的一次會議。

依諾森三世在位期間（公元 1198－1216 年），整個基督教世界中，大部份君王都成爲羅馬教會的封侯，教會權勢自此達到了巔峯。

5. **拉特蘭會議**　然而依諾森三世的理想遠超過屬世權勢的獲得。公元 1215 年，他在羅馬拉特蘭教堂（Lateran Church）召開一次大公會議；在召集這次會議時，他說：「有兩件事一直是我心中的負擔：聖地的再度征服，及全球教會的革新」。

四百多位主教、八百多位修道院院長及副院長，以及許多聖品人員和平信徒參加。聖品人員中地位最高的大主教都出席，共七十一位，其中包括君士坦丁堡及耶路撒冷大主教。也有德皇腓得利、法王、英王、亞拉岡（Aragon）王、匈牙利王、耶路撒冷王、塞浦路斯（Cyprus）王派來的特使，以及義大利各城的代表，「好像全世界都到齊了」！

這次會議決定再組一次十字軍，由教皇親領出征；會中也指斥瓦勒度派（Waldensian）及亞爾比根派（Albigensian）爲異端；會中規定了對不肯悔改、傳佈異端者的刑罰；同時宣告限制贖罪劵的頒發；並規定主教們應當選能幹的人講道；並爲學識較

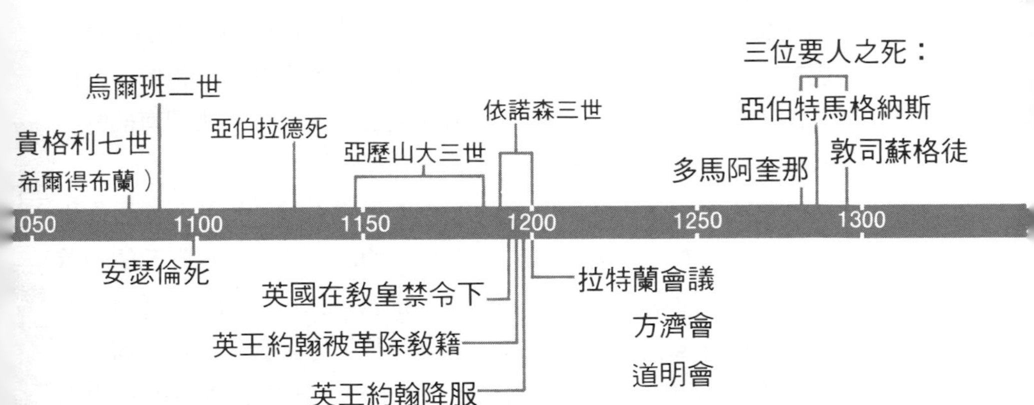

差者免費提供神學及文法教育；也命令猶太人及回教徒穿著特別服裝；猶太人不可擔任有權管轄基督徒的公職。

這次拉特蘭會議成爲教皇依諾森三世超越其他諸教皇、擁有最高權勢的標記。第二年，依諾森逝世。

方濟會修道士又稱「小僧侶」，在英國則因他們僧袍的顏色而被稱爲「灰衣修士」。

6. **革新的需要** 依諾森已經宣佈他召集拉特蘭會議的目的之一是要改革教會，而教會也確實需要革新。在當時，基督徒心目中所謂的教會革新，是指聖職人員和修道士的改善，因爲那段時期，聖職人員大部份的屬靈情況令人嘆息。教會擁有大批財富，擔任教會聖職是謀生最容易、最舒適的途徑；主教的薪水很高，於是有許多非常世俗的人當了主教。巴黎有一位書記說：「我可以相信任何事，但卻無法相信一位德國的主教可以得救。」教皇依諾森三世寫着說：「法國南部的主教們是平信徒的笑柄。」

然而，在這段黑暗時代中，也不是沒有眞誠的基督徒，從中世紀許多詩歌中，可以看到深度靈命的流露；其中很熟悉的一首是克勒窩的伯爾納（Bernard of Clairvaux）所寫的「至聖之首今受創傷」。伯爾納寫信給教皇說：「誰能讓我在離世之前，看到教會恢復舊日的秩序？當日使徒撒網，是爲得人，不爲得金銀！」有些伯爾納的著作，後來幫助馬丁路德尋得心靈的平安。

越來越多虔誠的信徒感到教會需要革新，這種感覺興起許多新的修道院及團體。這些新團體强烈地定罪那股漸漸滲入教會的腐化潮流。這些新團體包括：迦馬道里會（the Camadoli）、卡都新會（the Carthusians）、西篤會（the Cistercians），最重要的是方濟會（the Franciscans）和道明會（the Dominicans）。

修道士和修女的數目增加得很快，克呂尼修道院院長彼得說：「修道士不計其數，幾乎充滿全地，不論在市鎭、城堡或設防之地，基督的軍隊穿着不同的裝束、採用不同的習慣，他們甘願奉信心與慈善之名，立誓過紀律的生活。」

在巴勒斯坦則有聖殿武士團（The Templars）、慈善武士團（Hospitalers）及條頓武士團（Teutonic Knights）三個修道組織。他們的目的是保護到聖地的朝聖者，並照顧病患；前二團至今仍在羅馬天主教中。條頓武士團在公元 1291 年前，一直以亞克（Acre）爲總部；他們早於 1226 年遷徙到匈牙利及普魯

圖中右方爲聖法蘭西斯在亞西西城所創立的修道院及教堂。該修道會稱爲方濟會。

亞伯拉德（Abelard）（1079-1142）是法國的著名哲學家兼教師，後來做了修道士，經常有許多人到他所建的修道院聽他講述神學。

士，曾與斯拉夫人與韃靼人交戰，並且努力在波羅的海區域傳揚福音。到改教時期，他們的領袖成爲復原派信徒，而解散了這個武士團。

7. 道明會（the Domincan Order）　聖道明出生在西班牙，也在那裏受教育；他與主教同赴法國之時開始講道，要把那些冷淡退後及傳播異端的人帶回羅馬教會。據傳說，他行了幾件神蹟。他爲入羅馬教會的人設立了一所女修道院，也讓一些有貴族背景的可憐女子在那裏受教育。

公元1215年，拉特蘭會議期間，他要求教皇依諾森三世認可他所創立的修道會，當時該會只有十六名成員，教皇依諾森頒賜了認可。

道明會採用「講道僧侶」之名，此名說明他們的理想，因爲他們的目的就是要講道。爲了達到這個目的，他們不像一般修道士，住在修道院中與世隔絕，乃是處於忙碌的日常生活中。

道明會的發展非常快，道明本人於差派人出去後四年去世，那時該會已經在八個省有組織，並且另外設立了六十個修道院。

道明會修道士立誓過貧苦的生活，後來他們發展成募緣會（Mendicant Order），募緣會是一種「托缽乞食」的修道團體。

在這段時期，道明會修道士以博學著稱，大學城都是他們活動的地點。過不久，道明會修道士逐漸成爲西歐著名學府的教授，其中最出名的有亞伯特馬格納斯（Albertus Magnus）及多馬阿奎那（Thomas Aquinas）。由於他們的博學，道明會後來控制了「異教裁判所」（Inquisition），專司根絕異端的工作。

8. **方濟會**（The Franciscans）　亞西西的法蘭西斯（Francis of Assisi）於1182年生在義大利。父親是個富商，自幼過享樂的生活；20歲時，因一場危險的疾病而歸向基督，從此以後，獻身過貧窮、慈善的生活。與他有同樣看法的人，也加入他的陣營，到他們有12個人時，與道明會一樣，在1215年的拉特蘭會議中，請求教皇依諾森三世的認可，教皇准許了他們的請求，認可了他們的修道團體——方濟會。他們謙虛地自稱爲「少數人」（Minorites）或「小僧侶」（Friars Minor）。

法蘭西斯堅持過貧苦生活，僧侶們必須親手做工，不計酬勞，也不可爲明天憂慮，除了當天的必需品以外，其餘全部賙濟窮人。

法蘭西斯酷愛一切被造之物，他甚至向小鳥講道，並以「貧窮女士」爲他的情人，爲她歌頌。他的口才極佳，藉講道，他感動了無數人心。

9. 募緣會　道明會和方濟會所演變而成兩個募緣會，非常相似，都非常出名。

修士們冒着暴風、烈日，走遍整個歐洲。他們拒絕金錢的施捨，却以感恩之心接受食物的供應，只要能不挨餓便行。他們毫不倦怠地，將人自撒但手中搶救出來，也把人們從日常生活的憂慮中救拔出來。

修士們在異教徒中宣教，並在東方分裂的教會、傳異端者及回教徒中工作。

他們强調「雙手做工」的高貴品格、基督徒對缺乏者的關懷及聖職人員生活的革新。這兩個修道會一直存到今天，仍然强大，而且活躍。

10. 文藝復興的開始　十字軍東征時代，成千上萬的西歐人有機會旅行到遠方。東羅馬帝國、東方各國及回教徒手中的西班牙，都比西歐更加文明。藉着十字軍東征，使西歐人有機會接觸到近東地區，而刺激了西歐許多人的思想生活。

十二世紀後，中世紀西歐的黑暗漸被驅散。在義大利、德國、法國、英國興起許多大學；這些大學以擁有博學及思想敏銳的老師爲傲，如：安瑟倫（Anslem）、亞伯拉德（Abélard）、彼得倫巴（Peter the Lombard）、亞伯特馬格納斯、多馬阿奎那、敦司蘇格徒（Duns Scotus）等人，均被稱爲「中世紀敎授」；他們所敎的稱爲「經院哲學」（Scholasticism），是將神學與哲學混合的一種學問。多馬阿奎那的鉅著「神學總論」（Summa Theologica）就是一本古典文學與基督敎思想的綜合，它成爲今天天主敎敎育的基本敎材。

中世紀也建築了許多偉大的敎堂，其中最著名的分別在米蘭（Milan）、萊姆斯（Rheims）及科倫（Cologne）。

文藝復興對教會也產生影響，因爲教會存在世上，世界所發生的大改變，遲早要在教會裡感受到。

研討問題：

1. 解釋下列名詞：少數人、中世紀教授、禁令。
2. 將中世紀教皇列出，找出他們平均在位年數，並說明爲何在位都這麼短暫？
3. 拉特蘭會議的成就是什麼？
4. 聖法蘭西斯有什麼獨特之處？
5. 拉特蘭會議以及會議所做的決定顯示當時教會的情形如何？
6. 列出募緣會修道士的活動，並說明這些活動如何反映出當時教會的情況？
7. 從那些事上可以看出這時期的文藝復興？
8. 查考有關資料，研讀聖法蘭西斯的一生。

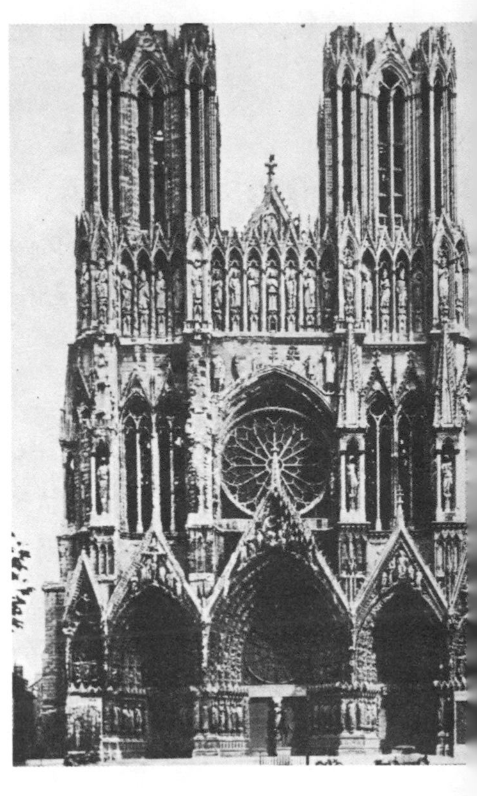

幾座有名的大教堂：上圖在德國科倫城，右圖在法國萊姆斯城，下圖在義大利米蘭城

第十九章

教會權勢衰微
（1294–1417）

1. 教皇波尼法修八世
2. 一個新紀元
3.「巴比倫被擄」時期（公元1309–1376年）
4.大分裂時期（公元1378–1417年）

1. 教皇波尼法修八世（Boniface Ⅷ） 一般而言，整個十三世紀，從依諾森三世到波尼法修八世，教皇都能保持教會的屬世權威，但到波尼法修八世時代，教皇的權勢開始快速地衰微。

一個領袖的個性可以大大影響歷史，波尼法修就是一例。他是個博學而自大的人。他就任教皇職位的典禮極其壯觀，甚至在上馬之際，左右各有一位國王爲他扶着馬鐙。他在位自公元1294至1303年。

然而，過不久，波尼法修就爲了聖職人員繳稅的事和法王美男子腓力（Philip the Fair）發生衝突。因爲腓力在法國向聖職人員徵收重稅；教皇下令不准聖職人員繳納；法王即刻以禁止金、銀、寶石出口法國作爲報復；這樣便切斷了教皇自法國來的歲入。

於是教皇一連發佈了幾道教諭（bulls），用拉丁文書寫，而且蓋上圓形鉛璽。每個教諭都以開始的幾個字爲名。

中世紀教會所在重要城市公佈圖

在「一聖教諭」（Unam sanctam）中，教皇說：「……教會有兩支寶劍：屬靈和屬世的……它們代表教會的權柄，前者由教會和教皇的手運用，後者由國王和軍士運用，但必須用在教會和教皇權柄的統管之下。一支寶劍必須順服另一支寶劍，也就是說，屬世權柄必須服在屬靈權柄之下，屬靈權柄有權建立屬世權柄，並在屬世權柄犯錯時，施行審判……。世界上每一個人得救的必要條件是順服羅馬教皇。」教皇又引耶利米書一章 10 節的話：「看哪，我今日立你在列邦列國之上」作爲他要求統管全世界的聖經根據。

像教皇貴格列七世一樣，波尼法修也憤怒地革除了法王腓力的教籍。貴格利的這一招雖曾有效，波尼法修依樣而行，却得不到果效。

爲什麼手段相同，結果却不同？因爲時代改變了。貴格利在位時，盛行封建制度，有許多強大的貴族，時常反叛皇帝；亨利被革除教籍，給貴族們機會脫離皇帝的轄制，在這種局勢下，皇帝變成極其無助，不得已要向教皇低頭，以保持自己的權位。但到波尼法修在位時，時代不同了，由於十字軍東征的影響，封建制度崩潰，貴族失去權勢，代之而起的是強烈的民族意識，尤其是在法國。當教皇革除法王教籍時，法國百姓不但不因此放棄對法王的效忠，反而更團結起來，支持法王，在這種局勢下，法王美男子腓力可以公然地蔑視教皇波尼法修。

在教皇與國王的摩擦過程中，「革除教籍」所產生的效用，全看當時百姓的態度。如果百姓支持教皇，這個武器幾乎具有不可抗拒的威力，但若百姓支持國王，這個武器就毫無作用。

公元 1177 年時，在義大利的阿南宜，德皇腓得利巴巴若沙曾降卑在教皇亞歷山大三世面前。然而，到公元 1303 年，在同一個地方（阿南宜），教皇波尼法修却遭到奇恥大辱。法王腓力派遣兩位代表，帶着一隊軍人，前往阿南宜捕捉教皇。阿南宜的百姓起而保護教皇。當時波尼法修已是個 87 歲的老人，兵丁竟將他拳打脚踢。但他們並不能拘捕他。這次和法王腓力之爭的慘敗，以及肉體所受的創傷，對波尼法修實在是太大的打擊，因此，返回羅馬幾天之後，他便帶着破碎的心靈去世。

2. 一個新紀元　從來沒有一位教皇像波尼法修一樣傲慢，他狂妄地以許多教諭

公元 1309 年，教皇革利免五世決定離開羅馬城，將教廷遷居到法國的亞威農。圖中顯示在亞威農教皇的巨大城堡，裡面包括豪華住宅、禮拜堂、庭院及花園。

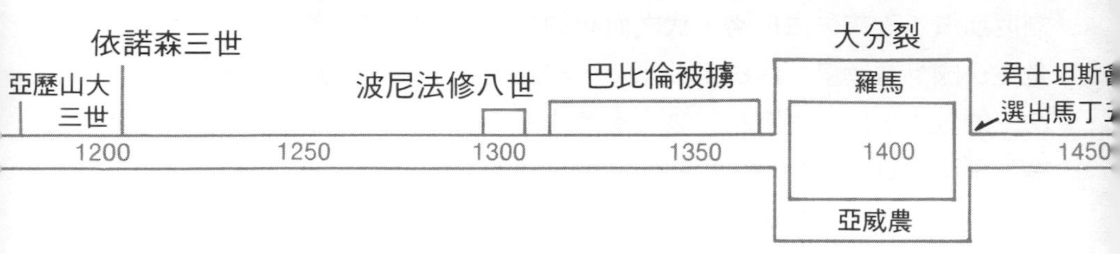

宣稱教皇的權勢；也從來沒有一位教皇像他這樣受苦、降卑，以致一敗塗地。這不僅是他個人的失敗，也代表教會權勢衰微的開始，同時爲歷史引進了一個新的紀元。 波尼法修完全錯估了新興民族意識的力量。以法國全國而言，共有三個社會階層——貴族、聖職人員及一般百姓。他們宣稱教皇無權干涉國家內政；除上帝以外，沒有任何權柄可以超越國王。

3.「巴比倫被擄」時期（Babylonian Captivity）（公元1309－1376年） 公元1309年，教皇寶座從羅馬被遷到靠近法國的亞威農（Avignon），教廷留在該地，直到1376年，這段時期在歷史上被稱爲「教皇巴比倫被擄時期」。「被擄」是因爲這時期的教皇都在法王控制之下；「巴比倫」是因爲前後持續約七十年之久，正如舊約時代的以色列人被擄到巴比倫一樣。這段時期，所有教皇都是法國人。

繼法王美男子腓力給教皇制強烈的打擊之後，「巴比倫被擄」更進一步削弱了教皇的特權。因爲在亞威農的教皇們，完全聽命於法國國王，其他各國人民不再尊重教皇。這時期的教皇制正如第十世紀，教皇受義大利貴族控制之時的情形。

除此之外，民族意識也在其他國家滋長。在德國的一些王族有權選舉國王，他們宣稱德王的權柄是來自上帝而非來自教皇。在選舉及行政權柄上，德王完全不受教皇控制，這一原則成爲德國的憲法。公元1366年，當英王愛德華三世在位時，國會宣佈

施那的迦他林（Catherine）懇求教皇從亞威農回到羅馬

終止英國與羅馬教會間臣屬的關係，並拒絕繳納英王約翰在位時向教皇依諾森三世所應允的貢金。

在巴比倫被擄時期的教皇，大部份都花用龐大的經費，過奢靡腐敗的生活，亞威農教廷成爲奢侈宴樂的中心。爲了獲取更多錢財，教皇們以無恥卑鄙的手段，出賣主教職位及贖罪券，或向信徒抽取重稅，成爲西歐各國無法背負的重擔，以致當時許多人稱教皇爲「敵基督」。

巴比倫被擄時期的種種事件，已使教皇權勢大爲衰微。

但，更糟的事即將發生！

4. **大分裂時期（The Great Schism）（公元 1378－1417 年）**　義大利人對教廷遷往亞威農之事，非常不悅，他們欲使羅馬再度變成爲教皇寶座所在地。結果於公元 1378 年，義大利與法國公開斷絕關係，雙方各選出一位教皇；於是出現了兩位教皇，一位在羅馬，一位在亞威農；這段時期（公元 1378 至 1417 年）被稱爲「大分裂」時期。

兩位教皇彼此咒詛，彼此開除對方教籍；對當時一般眞基督徒而言，實在是一幕令人心痛的景象；教皇制的尊嚴受到重大打擊，從此再無法完全恢復。

公元 1409 年，在比薩（Pisa）舉行了一次會議以解決這個大分裂。會議決定廢除雙方教皇，另選亞歷山大五世爲教皇，但沒有一位教皇願意讓位，結果造成三位教皇同時存在的局面。

在這樣混亂的情勢下，這三位教皇，沒有一位得到所有人的認可；最後，公元 1417 年，君士坦斯會議（Council of Constance）中，又選了一位義大利紅衣主教爲教皇，稱爲馬丁五世（Martin V）；其他三位教皇爲怕引起更大的難處，一致支持馬丁五世。這樣，才使西歐教會再度恢復只有一個「頭」的情況，也終止了這個「大分裂」。然而教皇制所受的創傷，以及教會由於「巴比倫被擄」及「大分裂」所受的苦難和打擊，又繼續了一段相當長的時間。

研討問題：

1. 解釋下列名詞：亞威農、阿南宜、教皇教諭、1417。
2. 波尼法修引用耶利米書一章10節來要求權柄，你會怎麼回駁他？
3. 試解釋爲什麼教皇將法王腓力革除教籍，卻毫無效用？
4. 是什麼事造成「巴比倫被擄」？
5. 「巴比倫被擄」時教皇制的影響是什麼？
6. 「大分裂」指什麼？它對教皇制的影響是什麼？
7. 「巴比倫被擄」如何導致「大分裂」？
8. 列出爲解決「大分裂」所開的各次會議及結果。

自利奧一世以後各任教皇年代表

（羅馬天主教在利奧一世以前尚有四十八位教皇，打●者爲本書中提及之教皇）

註：*代表反教皇
　†貴格利一世又稱大貴格利
　§貴格利七世又稱希爾得布蘭
　‡西維斯特二世又稱加貝

年代	教皇
440～461	●利奧一世
461～468	希拉流
468～483	辛普立修
483～492	費力斯三世
492～496	格拉修一世
496～498	亞拿斯大修二世
498～514	辛馬庫
498	羅仁廸*
514～523	何米斯達
523～526	約翰一世
526～530	費力斯四世
530～532	波尼法修二世
530	第歐斯可路*
532～535	約翰二世
535～536	亞加比多一世
536～538	西維路斯
537～555	維吉流斯
555～560	伯拉糾一世
560～573	約翰三世
574～578	本尼狄克一世
578～590	伯拉糾二世
590～604	●貴格利一世†
604～606	撒比尼安奴
607	波尼法修三世
608～615	波尼法修四世
615～618	丟斯得廸
619～625	波尼法修五世
625～635	何挪留一世
640	瑟佛利奴
640～642	約翰四世
642～649	狄奥多諾一世
649～655	聖馬丁一世
654～657	歐革紐一世
657～672	威他連奴
672～676	阿德奥達徒
676～678	多納斯一世
678～681	亞加多
682～683	利奥二世
684～685	本尼狄克二世
685～686	約翰五世
686～687	可農
687～692	帕斯迦*
687	狄奥多諾*
687～701	賽奇一世
701～705	約翰六世
705～707	約翰七世
708	西西尼斯
708～715	君士坦丁一世
715～731	●貴格利二世
731～741	貴格利三世
741～752	●撒迦利亞
752	司提反二世
752～757	司提反三世
757～767	保羅一世
767～788	君士坦丁二世
768～772	司提反四世
772～795	亞得良一世
795～816	●利奥三世
816～817	司提反五世
817～824	帕斯迦一世
824～827	歐革紐二世
827	華倫提奴
827～844	貴格利四世
844～847	賽奇二世
847～855	利奥四世
855～858	本尼狄克三世
855	亞拿斯大修
858～867	●尼古拉一世
867～872	亞得良二世

872～882…………約翰八世
882～884…………馬利努
884～885…………亞得良三世
885～891…………●司提反六世
891～896…………福摩斯
896…………波尼法修六世
896～897…………司提反七世
897…………羅馬努
897…………狄奧多諾二世
898～900…………約翰九世
900～903…………本尼狄克四世
903…………利奧五世
903～904…………基渡甫
904～911…………賽奇三世
911～913…………亞拿斯大修三世
913…………蘭度
914～929…………約翰十世
928～929…………利奧六世
929～931…………司提反八世
931～936…………約翰十一世
936～939…………利奧七世
939～942…………司提反九世
942～946…………馬利努二世
946～955…………亞加比多
955～964…………●約翰十二世
963～965…………利奧八世
964～965…………本尼狄克五世
965～972…………約翰十三世
973～974…………本尼狄克六世
974～983…………本尼狄克七世
983～984…………約翰十四世
984～985…………波尼法修七世
985～996…………約翰十五世
996～999…………●貴格利五世
997～998…………約翰十六世
999～1003…………●西維斯特二世‡
1003…………約翰十七世
1003～1009…………約翰十八世
1009～1012…………寧奇四世
1012～1024…………本尼狄克八世
1012…………貴格利六世＊
1024～1033…………約翰十九世
1033～1045…………●本尼狄克九世
1045～1046…………●西維斯特三世
1044～1046…………●貴格利六世
1046～1047…………●革利免二世
1048…………達瑪蘇二世
1049～1054…………●利奧九世
1055～1057…………●維克多二世
1057～1058…………●司提反十世
1058～1059…………●本尼狄克十世
1059～1061…………●尼古拉二世
1061～1073…………●亞歷山大二世
1061…………何挪留二世＊
1073～1085…………●貴格利七世§
1080～1100…………魏布特
1086～1087…………維克多三世
1088～1099…………●烏爾班二世
1099～1118…………帕斯迦二世
1100…………狄奧多理可＊
1102…………亞爾伯特＊
1105～1111…………西維斯特四世＊
1118～1119…………格拉修二世
1118～1121…………貴格利八世＊
1119～1124…………加歷斯都二世
1124…………色勒斯丁＊
1124～1130…………●何挪留二世
1130～1143…………依諾森二世
1130～1138…………安納克都二世
1138…………維克多四世＊
1143～1144…………色勒斯丁二世
1144～1145…………路西二世
1145～1153…………歐革紐三世
1153～1154…………亞拿斯大修四世
1154～1159…………亞得良四世
1159～1181…………●亞歷山大三世
1159～1164…………維克多四世＊
1164～1168…………帕斯迦三世＊
1168～1178…………加歷斯都三世＊
1178～1180…………依諾森三世＊
1181～1185…………路西三世
1185～1187…………烏爾班三世
1187…………貴格利八世
1187～1191…………革利免三世
1191～1198…………色勒斯丁三世
1198～1216…………●依諾森三世
1216～1227…………何挪留三世
1227～1241…………貴格利九世
1241…………色勒斯丁四世
1243～1254…………依諾森四世

1254～1261……亞歷山大四世
1261～1264……烏爾班四世
1265～1268……革利免四世
1271～1276……貴格利十世
1276……依諾森五世
1276……亞得良五世
1276～1277……約翰廿一世
1277～1280……尼古拉三世
1281～1285……馬丁四世
1285～1287……何挪留四世
1288～1292……尼古拉四世
1294……色勒斯丁五世
1294～1303……●波尼法修八世
1303～1304……本尼狄克十一世
1305～1314……●革利免五世
1316～1334……約翰廿二世
1334～1342……本尼狄克一二世
1342～1352……革利免六世
1352～1362……依諾森六世
1362～1370……烏爾班五世
1370～1378……貴格利十一世
1378～1389……烏爾班六世
1378～1394……革利免七世
1389～1404……波尼法修九世
1394～1423……本尼狄克十三世
1404～1406……依諾森七世
1406～1415……●貴格利十二世
1409～1410……●亞歷山大五世
1410～1415……●約翰廿三世
1417～1431……●馬丁五世
1417……革利免八世
1431～1447……歐靜四世
1439～1449……費力斯五世
1447～1455……尼古拉五世
1455～1458……加歷斯都三世
1458～1464……比約二世
1464～1471……保羅二世
1471～1484……西克斯都四世
1484～1492……依諾森八世
1492～1503……●亞歷山大六世
1503……比約三世
1503～1513……●猶流二世
1513～1521……●利奧十世
1522～1523……●亞得良六世
1523～1534……革利免七世
1534～1549……●保羅三世
1550～1555……猶流三世
1555……馬爾克路二世
1555～1559……保羅四世
1559～1565……比約四世
1566～1572……比約五世
1572～1585……貴格利十三世
1585～1590……西克斯都五世
1590……烏爾班七世
1590～1591……貴格利十四世
1591……依諾森九世
1592～1605……革利免八世
1605……利奧十一世
1605～1621……保羅五世
1621～1623……貴格利十五世
1623～1644……烏爾班八世
1644～1655……依諾森十世
1655～1667……亞歷山大七世
1667～1669……革利免九世
1670～1676……革利免十世
1676～1689……依諾森十一世
1689～1691……亞歷山大八世
1691～1700……依諾森十二世
1700～1721……革利免十一世
1721～1724……依諾森十三世
1724～1730……本尼狄克十三世
1730～1740……革利免十二世
1740～1758……本尼狄克十四世
1758～1769……革利免十三世
1769～1774……●革利免十四世
1775～1799……比約六世
1800～1823……●比約七世
1823～1829……利奧十二世
1829～1830……比約八世
1831～1846……貴格利十六世
1846～1878……比約九世
1878～1903……利奧十三世
1903～1914……比約十世
1914～1922……本尼狄克十五世
1922～1939……比約十一世
1939～1958……比約十二世
1958～1963……●約翰廿三世
1963～1978……保羅六世
1978～1978……約翰保羅一世
1978～……約翰保羅二世

教會內部的困擾
（1200–1517）

1. 掙扎與改變　中世紀末期，呈現在我們眼前的是一片腐化與混亂；這期間，摩擦與掙扎的最高峯是教皇和皇帝之間的權力鬥爭。而現在，神聖羅馬帝國已經衰微，在許多歐洲地區，代之而起的是新興的民族意識；因此，在政治結構上還是一片雜亂無章的情形。

在權力鬥爭過程中，教皇制本身受到嚴重的創傷。原來中世紀教會是個龐大而有力的架構，它象徵着全面的合一，但這合一的標誌，却被污穢的「大分裂」所粉碎，這是一般百姓所無法瞭解的事。

十字軍東征不但破壞了封建制度，也刺激了西歐的經濟和文化。有些人開始散佈一些看法，反對教會所教導的教義，不滿教會組織。

因此，教會不但外面受到搖撼，內部也產生騷動，影響遍及整個教會生活。

2. **亞爾比根派**（The Albigenses）　我們仍記得，摩尼教源自於波斯，後來傳遍羅馬帝國，甚至有一段時期，連奧古斯丁也深受影響。但後來奧古斯丁放棄了摩尼教信仰，並且極力反對他們；他的努力，使摩尼教在西方完全根除，然而在東方它却繼續存在。十字軍東征時期，摩尼教又沿着十字軍新拓的貿易路線，自保加利亞傳回西歐。

摩尼教的觀念滋長迅速，在法國南部尤然，亞爾比城（Albi）成為其溫床。接受這些觀念的人就稱為亞爾比根派；這批「新摩尼教徒」有一個更廣的稱呼——迦他利派（Cathari）。

迦他利派正如摩尼教徒一樣，相信二元論。他們相信有善、惡二神，凡屬有形的、物質的世界，均為惡神的工作。靈魂雖來自善神國度，却被囚於這個物質的世界。

有些亞爾比根信徒不接受全本舊約聖經，因他們認為舊約是惡神的作為；另一部份人，則接受詩篇和先知書；所有亞爾比根派的人都相信新約是來自善神。他們既然相信物質是惡的，便認為基督一定不會有眞正的身體，因此，基督沒有經過眞正的死亡；他們不尊敬十字架，因爲它是屬物質的；他們拒絕聖經，因爲也是屬物質的；他們沒有教堂建築，因爲教堂都建在物質上；亞爾比根派全然是異端。

彼得瓦勒度

3. **瓦勒度派**（The Waldenses） 亞爾比根派與教會對敵，瓦勒度派却不然。原來有一批人跟隨里昂一位富商彼得瓦勒度（Peter Walds），他相信聖經，尤其是新約，認爲新約是基督徒生活信仰的準則。大約公元 1176 年，他變賣所有的家產，分給窮人，他和他的門徒把大部份新約背下來，兩個、兩個地，穿著簡單的衣服，赤着足，到處傳道。他們每個禮拜一、三、五都禁食；他們不起誓、不打仗、只用主禱文；他們不信煉獄，也不接受爲死人禱告和彌撒；他們深信在房子裡或馬廄中祈禱和在教堂裡祈禱一樣有效；他們篤行信徒證道，而且不分男女。

4. **教會訴諸逼迫** 亞爾比根派和瓦勒度派發展得非常迅速，吸引了無數信徒，造成對羅馬天主教會的强烈威脅。因他們的影響太大，教會便宣告他們是異端。爲了反對他們所傳的道，道明會及方濟會的修道士們便組織了傳道部（Orders of Preaching Friars）。這兩個修道會，到中世紀末期已經發展成舉足輕重的

教皇依諾森三世發動對付亞爾比根派之戰

團體，他們成爲教皇的軍隊。

然而，道明會和方濟會修道士們的傳講，只有一些作用，挽回了少數被異端迷惑的人。於是教會召開數次會議，決定根據奧古斯丁的教導，訴諸武力。從此，教會開始逼迫信異端者。異教裁判所也設立了起來，由道明會掌理大權。

異教裁判所是羅馬天主教的法庭，它的使命是剷除異端，任何人若有異端嫌疑，就被帶到這個由道明會修道士掌權的法庭中。修道士先對嫌犯加以問話，若發現果然有異端思想，就要他公開撤消或否認異端信仰；假如犯人撤銷了信仰，就可以自由離開法庭；如果不肯撤消，反而堅持他的信仰時，則被教會棄絕，並送交屬世政府，加以刑罰，因爲「教會是不流人血」。一般對異端的刑罰是將犯人綁在火刑柱上燒死。（注意：不要把中世紀

威克里夫差派他的門徒（羅拉得派）出去工作

的異教裁判所和後來的西班牙異教裁判所相混。）

如果一個嫌犯不能清楚回答道明會修道士所給的問題，修道士往往用嚴刑拷問，直到對方認錯，或被折磨至死。

無數亞爾比根派及瓦勒度派的信徒，成爲異教裁判所的犧牲品。但是法國南部，信異端的人太多，異教裁判所無法面對這麼大的工作，教皇便改用別的方法，發起對付異端的「十字軍」征討。一些貴族們響應教皇的號召，他們帶軍進入法國南部，大肆殘殺，血流成河，達二十年之久，使法國這片原本美麗的省區，變成了荒野廢墟，亞爾比根派終於被剷除。

瓦勒度派則在阿爾卑斯山高處的深谷中，找到避難之所，他們一直存留至今。在改教運動時期，他們接受了改教信仰，而成爲復原教徒。中世紀與羅馬天主教會決裂的所有團體中，只有他們存到今天，而且仍在義大利一帶佈道，並有相當的成效。

5. **威克里夫**（John Wycliffe） 中世紀末期，興起不少勇士，敢於公開批評羅馬天主教的教義及組織。其中最重要的兩位是威克里夫和胡司。

威克里夫於公元 1320 年生在英國，受教於牛津大學，後來成爲該校教授。公元 1376 年，他開始批評聖職人員；他說：「政治與財富已經腐化了教會，這個教會需要澈底革新。」對於教會，他說：「教會必須回到使徒時代的貧窮與單純。」對於教皇，他稱教皇爲「敵基督」。他宣稱：「只有聖經是信仰的根據，教會不是信仰的準則。」但是天主教會所用的聖經，是拉丁文寫的，一般百姓無法閱讀。因爲當時教會所採用的譯本是武加大（Vulgate），這是耶柔米自聖經原文（希伯來文及希臘文）譯成的拉丁文譯本。爲了使英國的基督徒能夠自己讀聖經，威克里夫將聖經譯成英文，他也寫了好些書。

威克里夫的門生將他的教導及新譯的聖經帶到英國各地，當然教皇和聖職人員對這件事非常不滿，他們用盡方法要摧毀威克里夫；但英國大部份人民及許多貴族都全力支持威克里夫，貴族們並保護他，使他不至落入逼迫者手中；公元 1384 年的最後一天，威克里夫平安地離世。

威克里夫死後，他的教導繼續在英國散播，藉着他的著作，也透過門徒的努力，這批人後來被稱爲羅拉得派（Lollards）。

胡司主持聖餐，
信徒同領餅與杯

胡司被火焚而死

他們反對教皇和聖職人員，過貧窮的生活，以聖經爲信仰的唯一標準。

當威克里夫門徒的影響越來越大時，從聖職人員而來的反對勢力也越來越大。最後，主教們通過一項法律，規定燒死傳異端者。於是，英國全地從南到北，都有羅拉得派的人在火焰中殉道。然而，要將他們連根剷除，並非易事，這股火焰一直延燒到十五世紀，才總算能逐漸抑止羅拉得派的發展。他們的人數越來越少，連最後一批也被逐消失。但，「羅拉得主義」却默默存留，直到改教運動時期。

6. 胡司（John Huss）　威克里夫的事蹟，遠揚到英國以外，在波希米亞（Bohemia）的胡司，熱切地接受他所有的報導。胡司大約生於公元 1369 年，曾經接受祭司訓練，後來成爲波希米亞首都布拉格大學神學部主任，最後成爲該大學校長。

胡司讀完威克里夫的書後，開始大膽地指責聖職人員的腐敗。事實上，在胡司出生以前，波希米亞早就已經發展出一股強烈反羅馬教會的意識；瓦勒度派在波希米亞特別昌盛，因此，胡司一講道，立刻獲得一般民衆及貴族們熱烈的反應，他幾乎贏得全波希米亞人的心。

公元 1453 年，土耳其人在君士坦丁堡聖蘇菲亞教堂內殘殺無助的基督徒

胡司的許多言論，後來成爲改教運動的主要教導。他說：「神聖教會包括所有預定得救的人。」他將「在教會裡」及「屬於教會」這兩種人加以分別，他說：「一個人可以在教會裡，但並不眞正屬於教會。」「在宇宙教會中，唯獨基督是頭。」「教皇和紅衣主教不是教會組織的必要人物。」

這時教會正處於「大分裂」時期，教會內部的摩擦紛爭達到巔峯，在位的兩個教皇是亞威農的約翰廿三世及羅馬的貴格利十二世。教皇約翰廿三世被教皇貴格利的保護者拿坡里王逼得很緊，爲了和拿坡里王對抗，約翰廿三世將贖罪劵頒給所有願意幫助他的人。過去，胡司非常相信贖罪劵，他有一次甚至花盡所有的錢，爲了購買一張贖罪劵，現在，他大大譴責出售贖罪劵的行爲，認爲這是違反聖經的可憎之舉。

教皇約翰廿三世立刻將胡司革除教籍，後者不但輕視這個革除教籍的宣告，甚至宣佈它無效，胡司轉而向教會的大公會議請訴。

公元 1414 年底，由皇帝西基斯門（Sigismund）召集，在君士坦斯開了一次大公會議，目的在終止教會的分裂局面，並改革腐敗的教會。皇帝邀請胡司出席，並應允安全保證；胡司在得到皇帝安全保證之後，慨然應邀動身前往。但是，幾星期後，就被教皇約翰廿三世捕捉，以異端罪名關進監牢。

波希米亞人及皇帝本人都激怒起來，抗議胡司的被捕。然而，教皇却聲明他的行爲完全合法，因爲根據羅馬天主教條例：「傳異端者已失去所有權利，凡出賣他們、欺騙他們的行爲都是敬虔的表現，所有向異端者給的應許，都可不必遵守。」

經過八個月牢獄的折磨，胡司極其憔悴、羸弱，他們完全不給他申辯的機會，於公元 1415 年七月六日，將他自獄中提出，帶到君士坦斯座堂，站在衆主教和皇帝面前，首先給他穿上全套祭司禮服，然後一邊咒詛他，一邊將禮服從他身上一件件脫掉，最後，爲他戴上一頂紙製的尖帽，上面畫着三個醜陋的魔鬼，又寫着說：「這是異端之魁。」

羅馬的聖彼得教堂是全世界最大的教堂，佔地六英畝，長七百呎，寬四百五十呎，可容納八萬人站立。爲名建築家拉斐爾及米開蘭基羅所設計。

聖彼得教堂內景

他們將胡司自座堂帶到城門口，這時火刑柱早已架起，木柴也堆滿四周，胡司被綁在火刑柱上，柴火點燃了起來，在熊熊烈焰中，火舌吞沒他的全身，終於，胡司以「殉道者之死」結束他的一生。

「十字軍」再度組織起來，征討胡司的從衆，以至波希米亞歷經戰火蹂躪，達數年之久。然而，改革精神並不因此熄滅，當改教運動在德國掀起時，這塊屬於胡司的土地，仍然强烈地反對羅馬教會。

7. 三次大公會議　從公元 1409 年到 1449 年間，教會舉行了三次大公會議：比薩會議（1409 年），君士坦斯會議（公元 1414 至 1418 年），巴塞爾會議（公元 1431 至 1449 年）。這些會議有三重目的：⑴彌合教會的分裂。⑵改革教會的腐敗。⑶

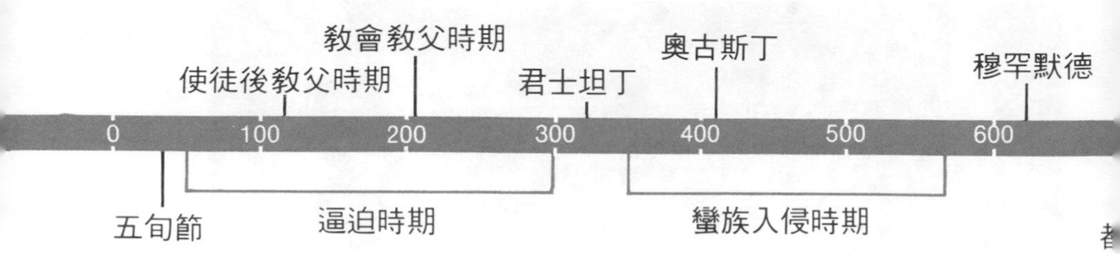

平息異端。在這段時期，大公會議被公認是「絕對無誤」，是教會的「最高權威」。

比薩會議毫無成就。君士坦斯會議以選馬丁五世爲合法教皇，成功地彌合了教會的大分裂。此外，又決定除了燒死胡司外，還把威克里夫的屍體自墳中挖出，將它和威克里夫的著作，一同焚燒。

巴塞爾會議的目的之一是恢復波希米亞教會的合一。因爲在波希米亞使用恐怖殺戮仍無法平息胡司派運動。終於公元 1436 年，與胡司派達成協議，根據此協議，他們可以獲得某些傳道的自由。該會議也答應嘗試改革聖職人員的生活，並且准許所有波

薩沃那柔拉在義大利佛羅倫斯城講道，攻擊社會的奢靡生活。

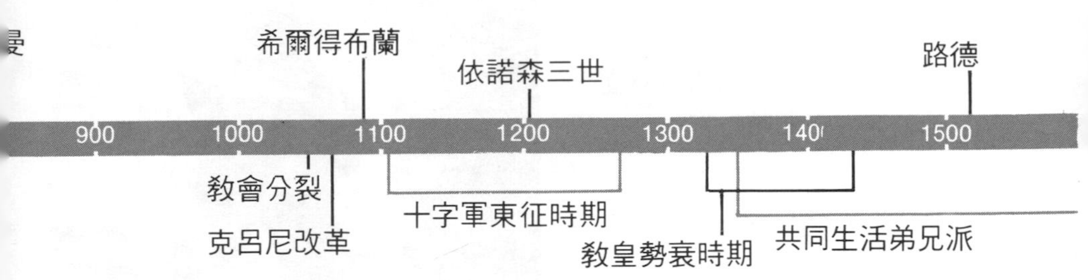

希米亞教會信徒，在領聖餐時，不但可以領受「餅」，也可以有份於「杯」的領受。此次會議以平等地位與異端者交涉，並給予那些「公然反抗教會權威者」某些優惠。

會議中也與東方教會代表們簽訂同意書，這份同意書似乎治癒了公元 1054 年以來東、西方教會分裂的創傷。東方教會代表們同意接受西方教會之教義，以換取西方對東方的援助，幫助東羅馬帝國及東方教會面對回教土耳其人的威脅。

當同意書簽定的消息傳到東方後，引起强烈的反對，東方教會派去開會的代表們，被指責爲異端。十年之後，公元 1453 年，土耳其人攻取君士坦丁堡，終於結束了所有使東、西方教會再度合一的努力。

8. **文藝復興**　當日耳曼蠻族征服羅馬西部省份時，古希臘羅馬文化幾乎被踐踏殆盡。但蠻族並未征服帝國東方各省，有一千年之久（公元 476−1453 年），也就是整個中世紀時期，當西歐籠罩在無知和野蠻氣氛之下時，古希臘羅馬文化却在東方（拜占庭帝國或東羅馬帝國）得以保存。

當然，這期間西方的學術之燈，偶然也會得到一些燈油的供應，例如查理曼時期，曾有過一度學術的復興。從十字軍東征回來的人，由於接觸到東方的希臘人或西班牙的亞拉伯人，爲西歐

伊拉斯姆雕像矗立在鹿特丹市

帶回一些古典文化。

但眞正的文藝復興，却如下述：十字軍東征以後，商業與貿易有了快速的發展，歐洲一時興起許多城鎮。在忙碌喧囂的城市生活中，出現了一批熱愛學術文化的人，資本家們以金錢支持這些學者，經過學者們的努力，恢復了許多古代的珍貴文件。這些文件，原爲希臘羅馬文化的一部份，却一直未被中世紀之人所認知。

學術的復興爲歐洲帶來深遠的影響，「學習希臘文」和「以高雅拉丁文寫作」成爲時尚，古典著作的出版，亦成爲衆人矚目的大事。

在義大利，文藝復興的早期人物，均以不敬虔、不道德著稱，整個文藝復興精神是反中世紀禁慾主義的，人們從壓制和無知中掙脫，尋求新的自由。

但當文藝復興傳到北歐後，它原來的特性更改了，轉而進入宗教敬虔的層面。人們開始關心聖經的原文：希伯來文與希臘文。初期教會教父們的著作，也以新的印刷方式出版。這些新的文字裝備以及新的研經資料，使聖經的研讀，獲得更多新的亮光。

文藝復興時期的學術研究，對改教運動領袖們有極重大的影響，它爲改教運動者提供了整個教會背景的資料，使他們看淸自己所處的教會已經與教父時期單純的教會大相逕庭，而教會裡所堆滿的各種宗教儀文、習慣與禮儀，都是使徒教會所沒有的。

十五世紀後半期的教皇們也熱衷於文藝復興，他們用錢支持希臘、拉丁文學的學者、作者、畫家及建築師，使他們可以專心於文學藝術的創作，梵諦岡教廷就是於文藝復興時期在羅馬建成的，是教皇的豪華住處，裡面包括漂亮的花園、有名的梵諦岡圖書館、西斯丁教堂及宏偉的聖彼得教堂。

這時期，許多致力研究古希臘及拉丁文學的學者們都是異教徒，他們的研討和著作導致異教信仰的大復興。而這段時期的教皇們，對異教文藝復興比對基督教更熱衷，他們多半是相當卑劣的人，亞歷山大六世尤然。教皇們住在堂皇、奢侈的宮廷中，由於他們對藝術、文學、大建築的愛好，需要許多開銷，就利用各種不正當的手段，使黃金從西歐各國流入教皇的銀庫。他們奢靡、不道德的生活及對各國的苛捐雜稅，引起許多人對教會與教皇制的不滿，尤其是阿爾卑斯山以北的國家。

在義大利的佛羅倫斯，有一位名叫薩沃那柔拉（Savonarola）的修道士，大膽地在講道中指責當時的敗壞，教皇亞歷山大六世也被他斥責。他不是教會的改革者，他並未攻擊當時的天主教制度，只是指出當時道德的低落。公元 1498 年，他被絞死，屍體還用火焚燒。

9. **共同生活弟兄派** 約於公元 1350 年，在荷蘭及德國一帶興起另一種改教運動，稱爲共同生活弟兄派（Brethren of the Common Life），由革若特（Gerhard Groote）所創，他向許多渴慕的聽衆講道，帶起了偉大的宗教復興。

共同生活弟兄派的信徒們，强調基督徒宗教教育，他們希望藉教育之法，帶出全教會的改革。從他們的學校中，造就了許多推動宗教教育的敬虔信徒。馬丁路德曾在他們設在馬得堡的學校就讀一年。另外幾位曾接受過共同生活弟兄派學校造就的偉人有：韋索的約翰（John of Wessel）、伊拉斯姆（Erasmus），及多馬肯培（Thomas à Kempis）。

韋索的約翰是他那一代最偉大的學者及思想家。從公元 1445 到 1456 年，他執教於德國耳弗特（Erfurt）大學。四十九年以後，馬丁路德就是在這個大學拿到文學碩士的學位。許多人稱韋索的約翰爲「世界之光」，因爲他攻擊贖罪劵，淸楚地教導「因信稱義」的眞理。他說：「一個人若以爲自己可以靠善行得救，他就根本不明白什麼叫得救。」他也教導「惟獨因信得救」的眞理，他寫着說：「上帝要拯救的人，即或所有祭司都革除他、定他罪，上帝也會親自賜他得救之恩。」韋索的約翰不接受羅馬天主教的「化質說」（transubstantiation）。所謂「化質說」，是相信當祭司用聖禮的詞句宣告後，聖餐的餅和酒就變成基督眞正的身體和血。馬丁路德後來說：「如果我曾讀過韋索約翰的著作，則我的觀點，看起來眞像全部抄自他的著作。」

當然，羅馬天主教教會不會贊同韋索的約翰。他被帶到買音慈大主教前，以異端罪名受審。爲了保全生命，他只得撤銷所有說法。但他仍被下入監牢，於公元 1489 年十月，死於獄中。

共同生活弟兄派學生中，最出名的是伊拉斯姆，他與馬丁路德同時代。伊拉斯姆以其廣博的學識及尖銳的筆鋒，訕笑當時修道士的無知及教會的弊端。雖然他在改教運動中，一直未和馬丁路德在一起，但一般人都認爲：「是伊拉斯姆下了蛋（改教運動），馬丁路德將它孵出來！」

另外一位深受共同生活弟兄派影響的人是多馬肯培，他住在荷蘭，寫了一本偉大的書：「效法基督」（The Imitation of Christ），這本書至今仍在屬靈文學著作中名列前茅，被譽爲世界名著之一，教導人研讀聖經，逃避世界的虛浮。

10. **跨進改教運動的門檻**　三百多年之久，教會在許多方面遭到强烈摧殘。有亞爾比根派與瓦勒度派；也有十四世紀波尼法修八世的被辱；七十年的「巴比倫被擄」；又有教皇制「大分裂」。在英國，有威克里夫及羅拉得派所造成的騷動。在波希米亞，有胡司及胡司派所掀起的振盪。道明會及方濟會掌握教會大權；異教裁判所的設立；異端者被焚，他們的家產被毀。十五世紀前期，連開三次大公會議。土耳其人征服東羅馬帝國，攻取君士坦丁堡，使偉大的聖蘇菲亞教堂變成回教寺，教堂頂上的十字架被回教的半月標誌所取代，希臘東方正教被迫淪入假先知的軛下。十五世紀後期，教皇們沈迷在異教化的文藝復興之中；同時，共同生活弟兄派栽培了韋索的約翰、伊拉斯姆這批人。

從五旬節教會誕生以來，教會的習俗和崇拜儀式經過多次變遷。有些改變是基於自然的趨勢，例如禮拜儀式等；有些改變則具關鍵性，如：教義的改變，以及對教會使命和地位的看法等。

一般人開始把教會看成是一個聖品人員的階級組織，從駐堂神甫到主教，到紅衣主教，再到教皇，層層相屬；而且是一羣統治者不但統治整個「教會組織」，也統治整個世界。他們自認是上帝和人的居間者，由前者指揮，讓後者遵命。

從這樣的立場，他們不但擔任這個組織的行政人員，也假定

多馬肯培畫像
他的名著「效法基督」已經出了 3000 多種版本。

自己有權更改或創立新的教義。於是產生了許多聖經中找不到的教導，這些教導只是根據所謂的「神聖傳統」及教皇所宣佈的信條，其中包括化質說、贖罪劵、教皇是使徒彼得直接繼承人等。

文藝復興時代，人們開始回顧歷史，研讀早期教父的著作，他們發現早期教父根本沒有接受過這許多額外的教導。研究聖經原文的結果，也發現有許多教會所宣佈的基要眞理，竟然與聖經本身完全抵觸。於是許多人心中產生強烈的懷疑，特別是那些大學的學者。他們經常表達對教會無法苟同的看法；但這種行爲，往往需要冒相當的危險，因爲教會有一支鋒利的寶劍，並非作爲裝飾，乃是眞正用來殺伐；凡持異議的人，不一會就可以感受到異教裁判所的劍鋒。

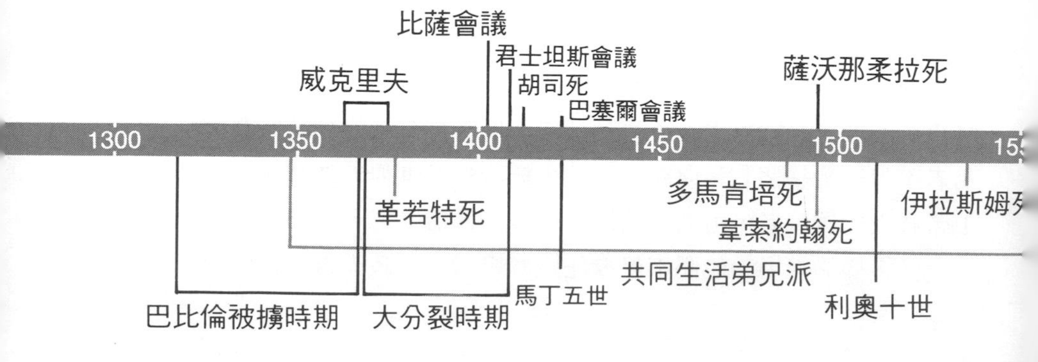

改教運動爆發之際，正是歐洲在社會、政治、文化各方面都預備好接受改變的時機。就在這關鍵的一刻，馬丁路德躍上了舞台，掀起了風潮雲湧的運動，把教會從根基震撼起來。

研討問題：

1. 解釋以下名詞：異教裁判所、羅拉得派、文藝復興、梵諦岡、薩沃那柔拉、韋索的約翰、伊拉斯姆、多馬肯培。
2. 爲什麼羅馬天主教認爲亞爾比根派及瓦勒度派是異端？你也贊同嗎？
3. 列出改教運動以前的改革家們，以及影響過他們的學校。
4. 這些改革家對聖經的態度如何？當時有那些聖經譯本？羅馬天主教怎樣看這些譯本？
5. 爲什麼商業貿易的發展會影響文藝復興運動？
6. 參考大英百科全書，搜集有關文藝復興運動的資料，並認識文藝復興時期的藝術作品。
7. 閱讀「效法基督」一書，並寫出心中的感想。

第叁部

改教時期的教會

第叁部

改教時期的教會導論

——在這一部中，我們進入教會歷史的高潮。公元 1517 年及往後的數年中，一連發生了許多事情，把世界歷史推進一個新的世紀。這期間，羅馬教會的權威，受到嚴重的挑戰，人們掙脫了專制暴政，基督徒終於恢復自由。

——領導改教運動的偉人們，是一批擁有堅强信心、高度信念、學問淵博、品德高尚，而且英勇果敢的人。爲了基督教會的純正與自由，他們甘冒生命危險，放棄世上享受，不眠不休地勞碌工作。

——改教運動時代是個令人振奮的英雄時代，當代的信徒們並不亞於他們的領導者，戰火、逼迫不能使他們屈服。那是一個思想高度發展、生命極度危險的時代。

——儘管羅馬天主教會反對，改教運動仍如燎原之火，燒遍了德國、瑞士、法國、荷蘭、英國、蘇格蘭、挪威及瑞典。以迷信和恐懼捆綁信徒的枷鎖，終被折斷，信徒們終能以「心靈和誠實」敬拜眞神。

第廿一章

教會開始動搖
（1517年10月31日）

1. 一個新紀元
2. 告解禮的重要性
3. 贖罪劵
4. 路德的早年
5. 路德的歸正
6. 九十五條
7. 路德是博學之士
8. 路德是天主教好信徒
9. 張貼條文本爲常事
10. 九十五條廣被傳閱
11. 九十五條的眞正意義
12. 改教運動的基本觀念

1. 一個新紀元 改教運動在「時候滿足」之時來到。它的開始並非由於一個名叫馬丁路德的人反對教會而來，乃是經過長期醞釀，直到各方面條件成熟，才發展出來的運動。我們已於前章中，介紹了這個大運動前的種種預備工作。

德國名畫家霍爾斑所繪馬丁路德讀書圖

2. **告解禮的重要性**　中世紀教會非常强調罪，以及罪所帶來在地獄和煉獄中的刑罰。當時教會和今日天主教均認爲煉獄是在人死後，上天堂以前，靈魂被火煉淨的地方。在世期間，一個信徒越忠心遵守聖禮，將來死後在煉獄所受的苦刑也越短。

根據羅馬天主教的規定，有四個聖禮是有關赦罪、除罪及免刑的。它們是洗禮（baptism）、聖餐禮（the Eucharist）、告解禮（penance），和抹油禮（anointment of the sick）（原稱臨終膏油禮 extreme unction）。

在路德的時代，告解禮是教會最重要的聖禮。這項聖禮的重點，在於神甫的宣赦（包括罪的赦免及永恒罪刑的解脫）。犯罪之人若要得赦罪，必須做三件事：⑴痛悔（contrition）。⑵向神甫認罪（confession）。⑶因功補罪（satisfaction）。

神甫在看見悔罪者的痛悔又親聽他的認罪後，就可以宣赦。赦罪文的內容是：向悔罪者宣佈罪得赦免、永刑得解脫及恢復蒙恩的地位。

然後，神甫就要決定悔罪者當行之善功，以期能「因功補罪」。善功的方式很廣，也看所犯之罪的大小而定。大體上善功包括：念誦數遍禱告文、禁食、捐項、朝聖、參加十字軍及苦刑。

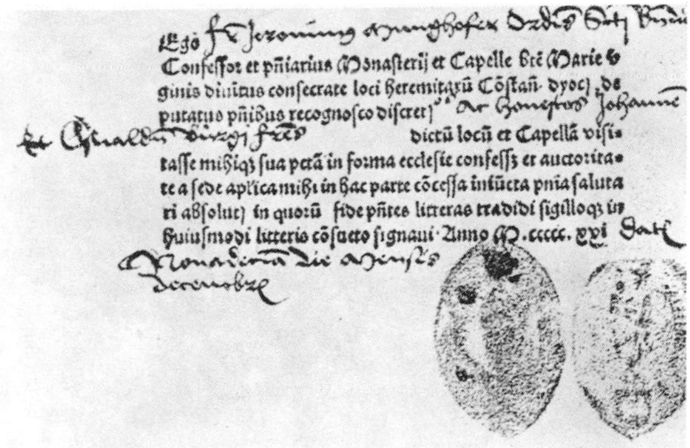
Ego
Confessor et pñiarius Monasterij et Capelle btē Marie
ginis diuinitus consecrate loci heremitarũ Cõstañ. dyoc) de
putatus pñibus recognosco discret)
dictũ locũ et Capellã visi-
tasse mihiq3 sua petã in forma ecclesie confessz et auctorita-
te a sede ap̃lica mihi in hac parte cõcessa iniũcta pnia saluta
ri absolut) In quorũ fide pñtes litteras tradidi sigilloq3 in
huiusmodi litteris cõsueto signaui. Anno M.cccc.

這是一份用中世紀拉丁文所寫的贖罪卷，右下角的印鑑使它成爲正式的官方文件。

3. **贖罪券**（Indulgences）　經過一段時期後，告解制度有了新的發展。教會開始准許悔罪者，以償付某種款項來代替苦刑或善功。教會則開出一張正式的聲明書，宣告該悔罪者已藉付款方式，從刑罰中釋放。這樣一張公文，或「教皇票」（papal ticket），被稱爲「贖罪券」。

這種取代刑罰而付的錢，漸漸演變成所謂的「罰款」（fine）。一個人不但可以爲自己買贖罪券，還可以爲已故的親友購買贖罪券，以減少他們在煉獄中受苦的時間。

天主教頒發贖罪券乃是根據「分外善功」（works of supererogation）的教義而來。這種善功是指超過律法規定而做的額外善行，而且這些善行可以賺得賞賜。耶穌基督因爲有完全聖潔的生命，已經做了超過拯救世人所需的善功，因此，基督在天上積聚了一個豐富的「功德庫」。

歷代聖徒們也在這庫中加入了功德基金。教會教導信徒們說：「福音不但給人當守的誡命，也要人成爲完全人。」這種教導是根據馬太福音十九章21節耶穌對那位已經遵守所有律法的青年官所說的話：「你若願意作完全人，可去變賣你所有的，分給窮人，就必有財寶在天上」。教會教導說：「如果這個官遵照耶穌的勸勉而行的話，他就可以做到「分外善功」，並且因他的

帖次勒售賣贖罪券

德行，得到報償。歷代聖徒們已經這樣做了，因爲他們變賣了家產，送給窮人或教會，所以他們的功德積蓄在天上。」

這個由「分外善功」積成的功德庫，已經交給基督在地上的代表——教皇所管。正如我們開支票從銀行提款一樣，教皇也可以爲缺少功德的罪人，開出贖罪券，從天上的功德基金中，支取功德。

這種制度推行下來，眞是皆大歡喜。因爲付錢總比受苦刑容易。人們寧可爲死去的親人付錢，以減少他在煉獄中逗留的時間，而不願意爲死人一遍又一遍地念誦禱告文。教會方面更加歡喜，因爲贖罪券帶給教會龐大的進項，金錢滾滾而來，流進教皇的財庫。

漸漸地，教皇的贖罪券越開越多。雖然贖罪券不斷漲價，購買的人卻更多。贖罪券「行業」越發達，所產生的弊端也越多。有一位道明會修道士帖次勒（Tetzel），善於辭令，是個高壓推銷員。他在薩克森邊界的威登堡城（Wittenberg）附近，以不正當手法，販賣贖罪券，他誇大地說：「看哪，當你將金幣投入錢箱的一剎那，你母親的靈魂就跳出了煉獄」

就因爲帖次勒的行爲，才使馬丁路德對贖罪劵開始批評。這件事如何發生？以及馬丁路德如何成爲改教運動的引火者？且等我們先認識他本人後再詳述。

4. 路德的早年　馬丁路德於公元 1483 年十一月十日生在德國埃斯勒本城（Eisleben），在他襁褓時，全家搬到曼斯非（Mansfeld）定居。雙親都是敬虔信徒，父親是個辛勞的礦工，刻苦渡日，積蓄錢財，爲了使他聰明的兒子可以受較高的教育。

馬丁受完小學及中學教育後，進入耳弗特（Erfurt）大學就讀。公元 1505 年，獲得碩士學位，使他父親非常高興。爲了迎合父親的願望，他繼續攻讀法律；半年後，一些事情的發生，使他突然放棄學業，進入耳弗特奧古斯丁修道院。

路德的父親是個頑固而暴躁的人，他一生最大的願望就是看到自己兒子有一天成爲有名的律師。現在，這個他所愛的兒子，竟然忘恩負義，使他多年的期望幻滅。他不僅失望，更是光火。

然而，馬丁和他父親一樣，個性頑強；父親越生氣，他越堅持。半年考驗期過後，他正式宣誓爲修道士。這時的他，一心認爲自己將終身做個修道士。

以後，他改攻神學。公元 1507 年被按立爲神甫；第二年，被派到威登堡擔任該大學教師。在那兒，他拿到第一個神學學位——聖經學士。

一年以後，路德又被調回耳弗特。在那兒，他拿到第二個神學學位——修辭學碩士。以後，他被派教授當時的神學標準課本「彼得倫巴的句語」（Sentences）。這樣，路德以一個廿六歲的年輕人，在神學界佔一重要地位。

在耳弗特教書期間，他奉派陪同一位年長的修道士，到羅馬辦理一些修道院事務。這次旅行，使他有機會訪問所有著名聖地。他跪着攀登有名的聖梯（Scala Santa）。這列階梯相傳是耶穌在被彼拉多審問前所攀登的殿階，後來被人自耶路撒冷搬到羅馬。又據傳說，當馬丁路德在聖梯上跪爬到一半時，他聽到心中有聲音說：「義人必因信得生。」於是，他站了起來，走下台階。因此有人說，這是馬丁路德蒙恩得救的一刻。但事實並非如此。路德的歸正發生於公元1512年，在威登堡黑色修道院的個人斗室中，而非發生於公元1511年羅馬的聖梯上。

當時羅馬的宗教與道德情況極其敗壞。路德在羅馬所見所聞，大大震撼他的道德觀。數年後，羅馬之行的記憶，加强了他對聖品階級的反對。然而，此時他對羅馬教會的信念仍未動搖。回到耳弗特後，他仍然是個忠實的天主教徒。

過不久，威登堡成爲他的長居之地，在往後的年日中，他一直在威登堡大學講授聖經課。他也開始講道，並得到神學博士學位。從1512至1517年間，路德像其他教授一樣，一邊教學，一邊研究。

5. 路德的歸正　簡而言之，路德在表面上的成就，一直發展到1517年。然而，這段期間，他內心的發展又如何呢？

路德生長在基督教環境中，自幼吸收教會的教導，塑造成非常敬虔的個性。他對自己靈魂的得救極其關切。根據教會的教導，他得到的結論是：人要得救的最佳途徑是逃避這個世界。這也就是爲什麼他會如此不顧父親的忿怒與憂傷，毅然埋進修道院的原因。

在修道院中，他過着最嚴格的禁慾生活。他竭盡己力，爲了賺取靈魂的得救。他樂意承擔最卑下的工作，禱告、禁食、鞭打自己，甚至超過修道院最嚴格院規的要求，使他看起來形同一付骷髏。就是在最冷的寒冬，他的斗室也不設暖氣，他經常徹夜不眠，偶然或在蓆子上睡一下。

他被自己極度的罪惡感及失喪的情況所壓，時常落入最深的幽暗和失望之中。不管作怎樣努力，他總覺得還賺不到自己的救恩。在歸正以後，他寫信給教皇說：「我經常忍受强烈的、類似地獄般的痛苦，如果這些魔力再延長一分鐘，我會就地死去。」

然而，間或也有幾道光芒，射進他靈魂的暗處：他從克勒窩伯爾納的作品中，得到不少安慰，因爲伯爾納强調基督白白的救恩；修道院的助理施道比次（Johann Von Staupitz）也常常鼓勵他；奧古斯丁的著作幫助他很多；更重要的是，他開始研讀聖經。

約於公元 1512 年年底，他坐在威登堡的斗室中，展開聖經，開始研讀保羅寫給羅馬教會的書信，當他看到羅馬書一章 17 節「義人必因信得生」時，他一邊讀，一邊揣摩、深思。突然間，一股無法言喻的喜樂，充滿他的心中，靈

路德出生的房子

路德在耳弗特的斗室中勤勉苦讀

魂的重擔剎那間完全脫落。在這以前，他一直努力行善，想賺取救恩，却始終沒有「做夠」的感覺。現在，神親自告訴他：「人得救非藉善行，乃藉信心。」羅馬書一章 17 節成爲路德的「天堂之門」。

這就是路德歸正的經過。

6. *九十五條*　現在我們終於明白爲什麼帖次勒的行爲會引起路德對贖罪劵的攻擊。因爲現在路德靈魂裡充滿了喜樂、平安與盼望，他開始用新的眼光來看他周圍的人、事和教會。他開始看到教會的許多錯誤，他越來越明顯地、大膽地說出他心中的不滿。

贖罪劵交易早已產生許多醜行。現在帖次勒竟然在威登堡城門口，以無恥方式，叫賣贖罪劵，而路德親眼看見人們在受騙。

他立刻走回黑色修道院的小室中，拿起筆來，寫下他對贖罪劵的九十五條看法。公元 1517 年十月卅一日，約當正午時分，他將九十五條釘在威登堡教堂的門，使所有人知道他對贖罪劵的看法。

路德此舉並不代表改教運動，這只是帶進改教運動一連串活動中的第一個行動而已。

7. *路德是博學之士*　有人說，當時的路德不過是個簡單純樸、藉藉無名的修道士。其實錯了，他雖然只有三十四歲，但已經有豐富的經歷，他的成就早已超過同時代的年輕人。他住過馬

路德將九十五條釘在
威登堡教堂門上

得堡、埃森納、耳弗特，他去過科倫、來比錫，也曾越過阿爾卑斯山，到過羅馬。他見過許多人物，也在羅馬親見教皇猶流二世。他也閱讀及研究過許多偉人的著作。

他除了擔任自己修道院的副院長外，也擔任其他十一間修道院的區助理。他必須任命或解僱副院長。他必須教訓、輔導、安慰受試的修道士；責備、管教行爲不檢的修道士。他必須管理建築的修繕；也要負責帳目的核查；還需要照顧修道院的法律事宜。

他是文學碩士、神學博士，又是歷代最偉大的講道者之一。這時，他已經教書九年，在教學方面獲得崇高聲望。他是德國最先根據聖經新舊約原文授課的神學教授之一，也是德國最早用德文而不用拉丁文教學的教授之一。

路德被選侯智者腓勒德力（the elector Frederick the Wise）所愛護，路德也與當時名人保持聯絡。

誰說他是一個簡單純樸、藉藉無名的修道士？

8. **路德是天主教好信徒**　我們必須記住，當路德公佈九十五條時，他仍是羅馬教會中一位標準的信徒。

他在天主教中受洗、長大、堅信；他參加聚會、彌撒；經常地告解、購買贖罪券、朝聖、崇拜遺物；他向馬利亞及聖徒禱告，深信他們會為他代禱，並且深信他們會行神蹟。

路德是羅馬天主教會中：一個修道士、一個被封立的神甫、一個講道者、也是一個教授。

9. 張貼條文本為常事　以當日習俗而言，路德把九十五條釘在威登堡教堂的門上，並非不尋常之舉。威登堡教堂的大門，就像大學的佈告欄一樣，因此，張貼條文在上面，本是一件常事。路德這樣做，是為要引起一些神學博士們的注意，說不定他們願意公開為贖罪券辯論，這樣，他可以達到澄清眞理的目的。

10. 九十五條廣被傳閱　當路德公佈九十五條時，他根本沒有意思說：「我要開始宗教改革！」沒有一個人比路德本人更驚訝於此舉所帶出來的後果。當時，沒有人出來接受路德的挑戰，直到兩年後，才出現對手。

到底當時發生了什麼事？這却是一段有趣的故事：威登堡城屬於撒克森郡，當時的選侯是智者腓勒德力，他是一個非常敬虔的天主教徒。他從世界各地收集了不下五千件遺物。為了放置這些遺物，腓勒德力蓋了這座威登堡教堂。

路德將九十五條釘在威登堡教堂門上的那一天，正是萬聖節。按照慣例，要將教堂裡的神聖遺物展列出來，給來自遠近各地的人觀賞，並從其中獲得恩助。這些來賓很自然地看到教堂大門上張貼的大紙。他們駐足而讀，回家後，報告給鄰里四坊的人；這些人又傳給別人，於是這件新聞像野火般地傳開了。

當時印刷術剛發明不久，這九十五條以拉丁文寫成的條文，立刻被譯成各種語言，付印，傳送，以令人無法置信的速度，傳到西歐各國。不到兩個禮拜，全德國都知道了路德的九十五條。四個禮拜後，全西歐的人都讀到了。這九十五條即時而巨大的影

有名的威登堡教
堂是一座城堡的
一部份

響是：幾乎停止了贖罪劵的出售。

買音慈大主教對這件事非常不悅，因爲他可以從帖次勒所賺的錢中，分到一部份。他立刻送了一份九十五條的抄本去羅馬，給教皇利奧十世（Leo Ⅹ）。教皇起先並不看爲嚴重，只是叫威登堡修道院院長勸路德安靜下來。

帖次勒和他的一些朋友們，另外印了一套爲贖罪劵辯護的論著。曼受利尼（Mazzolini）是一位道明會修士兼異教裁判所裁判員，他在羅馬寫了一本書，大大批判馬丁路德的結論。神學教授厄克（Eck）也著了一本小册，回駁路德。路德立刻出版另一本小册，再反駁他。路德的朋友們並不支持他這一點，因他們認爲他對別人的批評，態度太過份；這件事令路德相當不舒服。

公元 1518 年四月，所有奧古斯丁派修道院，在海得堡（Heidelberg）召開年會。在會中，路德發現反對的勢力比他預期的要强得多。無論如何，討論還是在坦誠和友善的氣氛中進行，把路德帶到較樂觀的境界。

在回威登堡的路上，路德向所有反對者，寫了一本書，書名是「剖析」（Resolutions），該書一開頭是以教皇爲受書人。

在書中，路德很謹慎地，把他的九十五條，逐條解釋分析。

11. **九十五條的眞正意義** 路德的九十五條並未攻擊贖罪券本身，他所攻擊的是銷售贖罪券時所帶出的弊端與惡習。對這些弊端，威克里夫和胡司早已提出抗議，然而路德的抗議所帶出的衝擊，遠超過前人所作的。路德靠着聖靈的引導，提出對贖罪券的質問，他的手指，大膽地指向羅馬天主教最敏感的焦點上。

教會和它的首腦人物教皇，因贖罪券的售賣，可以獲致大筆進項。尤有甚之的是：這時期，整個教會系統已經腐化到一個地步，把聖禮和聖職人員抬舉到最重要的地位上。羅馬天主教規定，只有神甫可以主持聖禮；若沒有告解禮、宣赦及贖罪券，就沒有救恩。一個人的得救與否，全操在神甫手中。因此，教會對信徒產生了一種奇特的控制力量。

這就是爲什麼當路德提出對贖罪券的質疑時，他着實震撼了教會。九十五條所表達的意義，有將信徒自神甫手中釋放出來的意向。這一下，教會不但只是略受震撼而已；事實上，路德所搖動的，正是當日教會的根基。

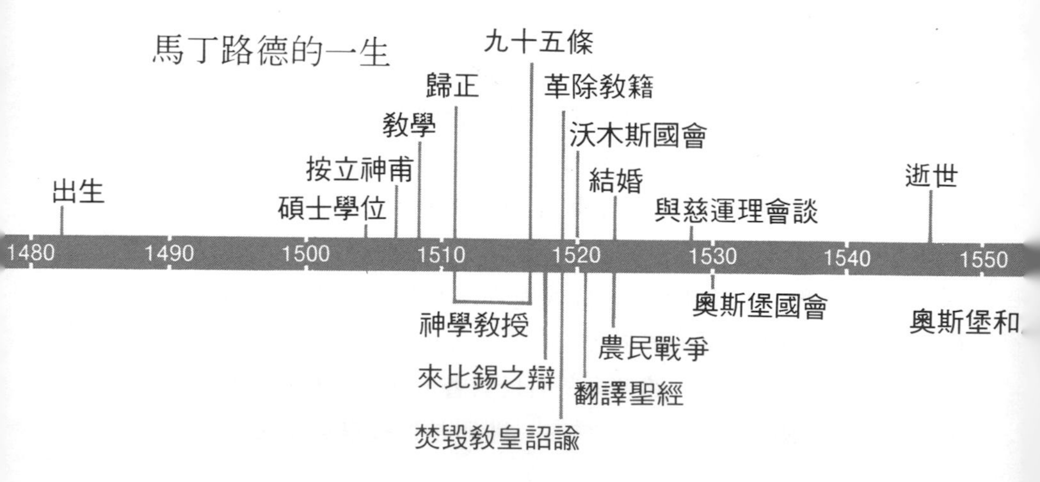

教皇需要大量金錢建設宏偉建築，右圖所示為梵諦岡圖書館內景

12. **改教運動的基本觀念**　在敍述改教運動時期所發生的重要事件前，讓我們先認清改教領袖們所强調的基本內容：

⑴改教領袖們主張回到使徒教會形態。他們深信使徒教會才是教會當有的形式與屬靈光景。初期教父們如耶柔米、居普良、俄利根、亞他那修的著作，重新出版，給改教者們很大幫助；奧古斯丁的著作，尤受偏愛。從這些聖徒的著作中，他們認識了早期教會的單純，和他們當日充滿繁複儀式的教會，截然不同。因此，改教領袖們致力於減少教會的儀式、習俗及傳統，而强調傳揚「眞道」及「因信得救」的福音。

⑵他們也强調「信徒皆祭司」的看法。意思是：每個人可以直接與神交通。人得救不是藉着教會，只因信基督便可成為教會的一份子。羅馬天主教以祭司稱呼聖職人員，表明他們像祭司一樣站在神和人中間，代替人說話。改教者則著重每個信徒都是祭司，每個人都可以與神面對面交通，不需經過教會所扮演的「中保」的角色。

⑶改教領袖們認為教會是信徒的集合，而不是「聖品人員的階級組織」。這種觀念早於一百年前胡司時代就已提出。他們把教會看成一個「有機體」（Organism），信徒們在這個活的身體中彼此相屬；他們絕不認為教會是由聖品人員組成的「機構」

（Organization）。在行政的功用上，改教者也承認教會「組織」是必要的，只是在救恩的獲得上，卻不需要經過這個組織。

⑷改教領袖們强調聖經是信仰與生活的最高權威。早在改教運動以前，已經有許多教會領袖主張將聖經分給一般信徒。威克里夫將大部份「武加大」譯成英文；丁道爾（Tyndale）也翻譯了聖經。但羅馬天主教嚴禁非官方的翻譯，以致丁道爾付出生命的代價，被火焚而死。路德翻譯了全本聖經；慈運理（Zwingli）將伊拉斯姆的希臘文聖經中的保羅書信手抄下來；賴非甫爾（Lefèvre）將新約譯成法文，加爾文（Calvin）也翻譯了聖經。每一項改教原則是否被接受，全看這原則能不能從聖經中找到支持和印證。因此，聖經成爲當日的試金石；聖經的研究和精讀，也成爲一切宗教教育的基礎。

研討問題：

1. 列出路德所反對的事，並說明他反對的原因。
2. 參考有關馬丁路德的書籍，找出他產生改教思想的不同階段，並解釋爲什麼他的觀念是逐漸形成的？
3. 爲什麼改教運動是經過長時期醞釀出來的？請將前後有關的事件、年代、人物列出，以茲證明。
4. 列出並解釋羅馬天主教在罪的告解上所規定的必經手續。
5. 贖罪券是怎麼來的？人們爲什麼相信贖罪券可以償付罪？
6. 「功德庫」是什麼意思？
7. 改教運動所主張的基本內容是什麼？
8. 解釋以下名詞：帖次勒、分外善功、聖梯、威登堡、彼得倫巴的句語、九十五條。

第廿二章

教會大大騷動
（1517–1521）

1. 路德被傳到羅馬
2. 迦耶坦無法對付路德
3. 米爾提次較有成就
4. 厄克向路德提出挑戰
5. 來比錫之辯
6. 風暴雲集
7. 革除教籍
8. 三份偉大的改教論著
9. 路德焚毀教皇詔諭
10. 皇帝傳喚路德
11. 沃木斯國會
12. 政治問題解決
13. 路德第二次出席國會
14. 路德被帶到瓦特堡

1. 路德被傳到羅馬　從此以後，路德好像住在玻璃屋中，他的一言一行，均在敵人和朋友嚴密的監視之下。路德善於演講，又正處感情激動、脾氣暴烈的年齡；每當和對手爭辯到高潮時，雙方都易於誇大；因此，在對他們的言行加以評論時，必須格外愼思明辨。路德在餐桌上所講的話，有許多被他的學生記錄下來，後來出版成爲「桌上談」（Luther's Table Talk）。

路德所做的事，正好打擊到教皇的兩個要害：他的權威和他的錢包。當教皇發現奧古斯丁修道院院長無法制服路德時，他決定自己來處理。公元1518年七月，他發出了傳票，將路德傳到羅馬，到他本人面前。路德假如眞的去羅馬，必定是死路一條；因爲在當日，傳講異端是極嚴重的罪，何況路德是其中的罪魁，火刑必定是難免的。

然而，路德有一位忠實而有大權的朋友——選侯腓勒德力。多年來，德國人對「教廷官史」早已不滿，選侯腓勒德力不許帖次勒在撒克遜境內販賣贖罪券，因他不願自己國家的錢流進教皇的財庫。腓勒德力最寵愛威登堡大學，而路德是大學中最出名、最負衆望的教授。因此，腓勒德力盡他最大的影響力，要羅馬取消對路德的傳票。

當時局勢剛好有利於腓勒德力，因爲神聖羅馬皇帝馬克西米

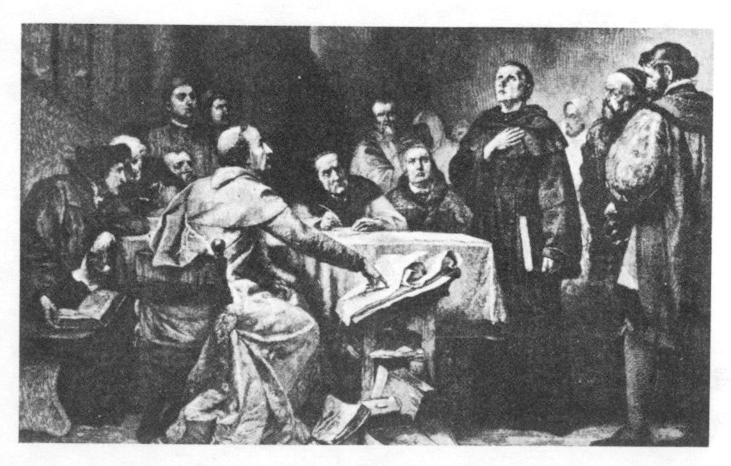

路德站在紅衣主教迦耶坦前

艮（Maximilian）已經又老又病，顯然需要選一位新皇即任。當時有三位可能的人選：一位是西班牙王查理，一位是法王法蘭西斯，第三位就是撒克遜選侯腓勒德力。教皇盼望腓勒德力能成為皇帝，因為他認為腓勒德力比其他兩位容易操縱。為此，教皇聽了腓勒德力的話，取消了對路德的傳票。

拉斐爾所繪教皇
利奧十世像

2. 迦耶坦無法對付路德

這時，教皇的代表迦耶坦（Cajetan）正在德國奧斯堡參加國會。教皇寫信給迦耶坦，特別授權給他，命令路德到奧斯堡。迦耶坦的職責是審問路德，並且要他公開撤銷言論。假如路德不肯撤銷，他將被解送到羅馬。假如迦耶坦捉不到路德，他會把路德及其附從者都逐出教會。在此以前，教皇只說路德有可能是異端；現在，他宣佈路德是個惡名昭彰的傳異端者。

對路德而言，前往奧斯堡是非常冒險的事。還好他的王族朋友再度出馬相助，幾經周折，終於獲得年邁老皇帝馬克西米艮對路德的安全保證。

公元 1518 年十月，路德和迦耶坦在奧斯堡見面三次。他們的討論，好幾度進入火爆情況。路德的朋友們勸他放棄，以便能平靜地解決事情，但路德絕不撤回他的看法。最後，他在夜間秘密地離開了奧斯堡。

迦耶坦發現自己毫無能力處理這個局勢，便要求教皇對爭論的各點發佈正式宣告，以求一勞永逸。於是，教皇下了一道公開的詔諭，詔諭中沒有提到人名，只說：「某修道士所發表有關贖罪券的言論，實爲異端之說。」這樣一來，路德就不能說，教會沒有正式處理這些問題了。

3. 米爾提次較有成就 教皇的下一步，就是派一位特使，前往德國捉拿路德。到這時候，教皇利奧終於看清，除非他得到撒克遜選侯智者腓勒德力的合作，他絕對捉不到路德。因此，他挑選一位自己認爲是最能被腓勒德力接受的人，這人名叫米爾提次（Charles Von Miltitz）。此人與選侯的私人秘書施巴拉丁（Spalatin）非常熟，施巴拉丁也是腓勒德力派駐羅馬的代理人。

米爾提次尚未向腓勒德力呈遞薦信之前，已經尋機會要見路德及帖次勒。他沒有見到帖次勒，却和路德有一次私人會晤。這次晤談的結果，路德答應只要他的敵手不開口，他就不再講贖罪券的事；路德也答應給教皇寫一封屈服的信。這封信使教皇極其歡悅，公元 1519年三月廿九日，教皇給路德回了一封非常友善的信，不但稱路德爲「我親愛的兒子」，並答應負擔路費，邀請路德到羅馬認罪。

4. 厄克向路德提出挑戰 假如教皇支持米爾提次，假如雙方都保持緘默，路德和羅馬之間的和好，也許可以延續。

然而，這時教皇的注意力，却從與路德之間的歧異轉到別的事上，而且這件事深深地吸引了他。公元 1519 年一月，神聖羅馬皇帝馬克西米艮逝世，必須選出一位新皇帝。教皇極其關心這次選舉，他竭力要使腓勒德力當選。選情佔據了他整個心思，使

在來比錫辯論會中，路德與厄克針鋒相對

他忘却所有其他事情；因此，有十四個月之久，他完全沒有推動控告路德是異端的事。而這同時，在德國方面，路德和反對者，雙方都不肯保持緘默。

路德在威登堡大學的一位同事迦勒斯大教授（Carlstadt），挺身而出，寫了一套反對厄克（Eck）的論文；因爲厄克寫過一本反駁路德九十五條的小册。而厄克又寫了一些駁回迦勒斯大的論文；在論文中，他進一步對教皇的至高權柄提出極端的看法。於是路德再寫了十二篇論文，極力爭辯；在第十二篇論文中，路德宣告說：「羅馬教會超越其他教會的要求，只是根據近四百年來教皇的頒令，在這以前的一千一百年間，教會中根本沒有這種至高無上權威的存在。」

這種對教皇的攻擊，過去從未聽說過，因此引起了激動的情緒。厄克無法容忍，他向路德提出挑戰，要和他辯論「教皇的至高權柄」。

事實上，路德自幼就相信教皇是至高無上的。在孩提時代，他母親教導他說：「教會是教皇的家，在教會裡，教皇是一家之父。」與厄克辯論的日期為 1519 年七月，在九個月的準備中，路德拚命研究，他必須找到有力的論點，以反對那些他過去一直以為是眞理，而於最近才發現是錯誤的事。他鑽研「教會歷史」及「教會律例」（教會律例包括歷年教皇與大公會議的決定與教諭），研讀之下，路德很沉痛地發現，有許多教諭是偽造的。這一來，他看到羅馬天主教中，另一個支柱在崩裂。

5. **來比錫之辯** 整個來比錫（Leipzig）都籠罩在緊張的氣氛中；辯論會場（公爵宮廷）中有武裝的衞隊；在旅店中，用餐時間每一張桌子都有衞兵守住，以防止威登堡學生與來比錫學生打架。

公元 1519 年七月，厄克與路德彼此面對；以學識和辯才而言，這次辯論差不多可以造成平手。但厄克用巧計對付路德，把路德逼進死角，使他不得不在最後宣稱：君士坦斯會議對胡司的某些教導作了不公正的定罪。這樣，厄克便達到了目的，因為他使路德公開承認，自己與一位被教會正式指責為異端的人站在一邊。當路德宣稱胡司並沒有什麼錯時，聽衆激動了起來，撒克遜公爵喬治大聲喊着說：「上帝啊，幫助我們，這眞是可怕的瘟疫」！

路德的論點都是根據歷史：他提醒大家，東方希臘教會本是基督教會的一部份，但他們從未承認羅馬主教有至高權威。此外，基督教歷史中，許多早期大公會議也根本不知道所謂教皇至尊的事。然而，由於路德已經和被定罪的異端者胡司站在一邊，他便得不着任何支持。

來比錫之辯的一個結果是：路德與他的附從者更加團結，他們深信自己的立場是正確的。路德同時贏得更多跟從者，其中的一位是布塞珥（Martin Bucer），這人後來成爲改教運動的主要領袖，也幫助加爾文建立他的觀點。

恰如一般情況一樣，沒有一位辯者可以改變對方的看法。無論如何，這場辯論倒使路德本人更清楚自己的理想，這點無疑是來比錫之辯最大的收穫。

此外，這次辯論在整個改教運動的過程中，扮演了很重要的角色，因爲經過辯論後，所有人都看清，要使路德與羅馬天主教會再度和好，是絕對不可能的事。

6. **風暴雲集**　藉着反對「教皇的至尊」及反對「會議的無誤」，路德正式和羅馬天主教的聖品階級制度一刀兩斷。現在，他捲入了戰爭的火力中心；從此以後，路德和羅馬教會之間的衝突，進入了生死攸關的嚴重局面。來比錫之辯以後，厄克立刻赴羅馬，要求教皇利奧發出革除路德教籍的詔諭；教皇對此事當然再樂意也不過了！

在路德方面，他第一件事是，出版一份「來比錫之辯的報告」。接下來，又發行大量的小册與書信。公元1520年五月，他出版一本小册，題名爲「論善行」，雖是一本小書，却帶來遠大的影響。在書中，他很實際地將「義人唯獨因信得救」的眞理，應用在日常生活中。他說：「在所有善行中，最尊貴的一件，就是相信耶穌基督。」他也强調信徒必須在自己每天的崗位上，忠心地事奉神。鞋匠、管家、農夫、商人，若在自己的工作中榮耀神，比修士、修女更能討神喜悅。

這是路德最基本、也是最重要的教導之一：這個觀點使信徒脫離了古代及中世紀的禁慾主義；同時，這也成爲後來復原教最明顯的特點之一。

自公元1519年七月來比錫之辯，到公元1521年四月沃木斯國會期間，是路德最興奮的時期。這段日子中，每一件發生的事、每一位他結交的朋友以及每一本他閱讀的書，都把他從一個境界帶進另一個境界。

這期間，有兩本書影響他很大：在辯論會中，來了幾位胡司派的人，其中兩位於事後寄給他一本胡司的著作。當時路德沒空閱讀，直到公元1520年初才開始讀；路德發現他所講的和胡司所寫的完全一致。從此，路德以波希米亞門徒自居。

另一本影響路德很深的書，是義大利傑出人文學家瓦喇（Lorenzo Valla）的作品；該書揭發了「君士坦丁御賜教產諭」爲贋品的事實。這項發現，大大激怒路德，以致使他不再懷疑教皇就是「敵基督」。

7. 革除教籍　公元1520年六月十五日，教皇利奧簽署了革除路德教籍之教諭。教諭一開頭寫着說：「主啊，興起！爲祢自己而辯；請紀念愚昧人如何每日玷污祢，狐羣如何破壞祢的葡萄園，這園早已賜給祢的代理人彼得；然而森林的野豬踐踏了它，田間的野獸吞吃了它」。

教諭中提出四十一點路德的教導，並斥爲「異端、邪說、誹謗、虛假、冒犯敬虔的耳朶、引誘簡單的頭腦、攔阻教會的信仰……」

教諭中也呼籲所有人焚毀路德的著作，並要路德及他的跟從者於六十天內公開撤銷看法，否則，他們都將以異端定罪。教諭中也命令地方政府捉拿路德及其跟從者，把他們一一下監。所有窩藏路德派的城鎮，都將遭到「教會禁令」的處置。

此教諭在德國的頒佈工作交由厄克全權辦理。但他立刻發現，寫教諭比頒佈教諭容易多了，因爲只有很少地方准許他頒佈。在耳弗特，學生們盡力去搜教諭的印本，把它們統統投進河裡。

路德則又出版一份單張，題名爲「駁敵基督可咒之教諭」，以示對抗。

8. 三份偉大的改教論著　全德國的百姓都屏息恭聽路德所說的每一句話。路德的著作在各地廣傳，人們如饑如渴地搶購閱讀。當時還沒有報紙，因此，他大量發行的小册及小本書籍，就像文章或社論一般流傳。路德以文字塑造衆人的看法，藉文字工作，他得到廣大羣衆的支持，不但在自己的國家，甚至遙遠的國外地區也有支持者。

爲了減低教皇教諭所造成的震撼，並爲了發動全德人民反對羅馬的聖品階級制度，路德於公元 1520 年下半年，出版了三份論著，這三份著作，被稱爲「三份偉大的改教論著」。

第一份名叫「致德國基督徒貴族書」，文中呼籲他們遠離羅馬所助長的惡習。第二份是「教會被擄到巴比倫」，在此文中，

路德焚毀教皇詔諭
以示對抗

路德揭露教會宣稱必須經由神甫及聖禮才能得救的錯謬。第三份叫「論基督徒的自由」，雖然只是一本三十頁的小書，內容却包括了基督徒生活的各層面。

9. **路德焚毀教皇詔諭**　僅僅寫書反對羅馬還不能滿足路德的心願，既然教皇下令焚毀所有路德的著作，路德也決定燒毀教皇所寫的東西。

公元 1520 年十二月十日，成羣的學生、教授與市民，聚在威登堡城外；一位教授將薪柴點燃，路德把教會法令集放在燒着的柴上；然後，他嚴肅地將一份教皇詔諭投入火中，說道：「你既毀棄神的聖者，願永恒的火也將你毀棄。」直到火焰將法令集和詔諭焚燒成灰，他才和朋友及同道們回到城內。

數百位學生仍留在現場，在肅穆的氣氛下，他們圍着火爐同唱「神啊，我們讚美祢！」年輕淘氣的一羣則在那兒大唱輓歌。

10. **皇帝傳喚路德**　這時教皇幾乎走到盡頭，他用盡所有的權柄要使路德屈服，都沒有成功；最後只剩一條路可走，就是向屬世的最高權位人物——皇帝求助。

教皇在促使腓勒德力當選皇帝的努力上，遭到敗績；而腓勒德力本人也認爲他無法擔負皇帝職任的龐大開銷，因此使西班牙王查理在競選上佔了優勢。在來比錫辯論會期間，查理被選爲神聖羅馬帝國的皇帝。

　　這位查理，就是歷史上有名的查理第五（Charles V）。他承繼了奧國與西班牙的領土，又統治荷蘭、義大利的大部份，及剛於廿九年前才發現的美洲的一部份。現在，他被選爲整個神聖羅馬帝國的皇帝，使他成爲繼查理曼大帝後，領土最大的一位君王。

　　教皇利奧就是向這樣一位有能、有勢的皇帝聲援，請求他設法將路德屈服，不然就將他置於火刑。查理第五是虔誠的天主教徒，因此，利奧佔了優勢。皇帝立刻下詔，傳喚路德，出席第二年在沃木斯（Worms）召開的國會。

這棵在德國沃木斯的「路德榆樹」，據傳說曾於 1512 年當路德前赴沃木斯國會爲其遮蔭。該樹死於 1949 年，後來被雕刻家刻成三十六呎方型浮雕，紀念這位偉大的改教者。

　　11. 沃木斯國會（The Diet of Worms）　在皇帝的「安全通行保證」下，路德於公元 1521 年四月二日首途前往沃木斯。他知道此行是面向死亡，因此在臨行前，對他的同道墨蘭頓（Melanchthon）說：「親愛的弟兄，如果我不能回來，如果我的敵人將我置於死地，你必須繼續努力，在眞理上堅定不移。只要你能活着，我的死就算不得什麼了」！

路德在沃木斯國會

一路上，路德的行程好像凱旋的遊行。凡他所到之處，羣衆夾道而立，瞻仰這一位敢於爲德國人民站出來反對教皇，且正爲着他的信仰堅毅地面向死亡而行的人。

四月十七日，禮拜三下午四點，路德出現在國會。在壯觀、華麗的情景中，在最高權位的皇帝寶座前，站着一位貧窮無助、出身農家的神甫。這是查理第五和馬丁路德第一次面對面相會。

這時的查理第五是一位廿一歲的青年人，而路德則爲卅七歲的壯年人。路德穿着奥古斯丁會黑色修士長袍，在路德身邊，站着他的法律顧問耶柔米謝夫（Jerome Schurf）。一位官員指着桌上的書，質問路德說：「這些書是你寫的嗎？你要收回這些書，還是繼續維護？」

路德回答時，先很正確地重複這兩個問題。然後以肯定的口氣回答了第一個問題。至於第二個問題，他懇求皇帝開恩給他時間思考，使他的答案不至傷害到神的話，也不使自己的生命處於險境。

國會議員們經過一段磋商，然後宣佈皇帝批准路德的請求，只是他必須在廿四小時內提出他的答案。於是，國會暫時休會。

12. *政治問題解決*　路德第一次在國會出現，雖然簡短，對歷史卻有重大的意義。

過去二百年中，教皇和屬世權柄相爭，教皇制遭到嚴重敗績。如今，教皇利奧十世提請沃木斯國會處理路德案件，使早期教皇「屬靈權柄超越屬世權柄」的宣稱，再度被肯定。換句話說，教皇利奧十世所努力的正是「一箭雙鵰」的目標，他利用沃木斯國會對付路德，平息異端的同時，將教皇的權勢提升到皇帝的權勢之上。

教皇已經革除了路德教籍，他希望國會（其實就是皇帝）也能毫不費力地定路德爲異端，並把他置於刑罰之下；他希望屬世統治者（皇帝）成爲屬靈統治者（教皇）的工具；他希望皇帝毫無異議地執行教皇的命令。從另一方面說，假如國會審問了路德，就算路德後來被定罪，這還是國會自己的判決，並非出於教皇；所以，教皇決不希望皇帝給路德聽審的機會。

路德要求皇帝給他時間思考，看起來合情合理，也非常單純；其實並不單純，因爲他的要求，事實上包括了第二天在國會前的聽審，所以這是一項極具重要性的請求。在路德出現之前，國會已經開了很久，教皇這一邊的人，在能幹的亞良德（Aleander）領導下，日夜辛勞，防止路德從國會獲得聽審的機會。當國會決定批准路德的請求時，教皇輸了！

從政治的角度來看，這個問題的癥結是：「到底是教皇優

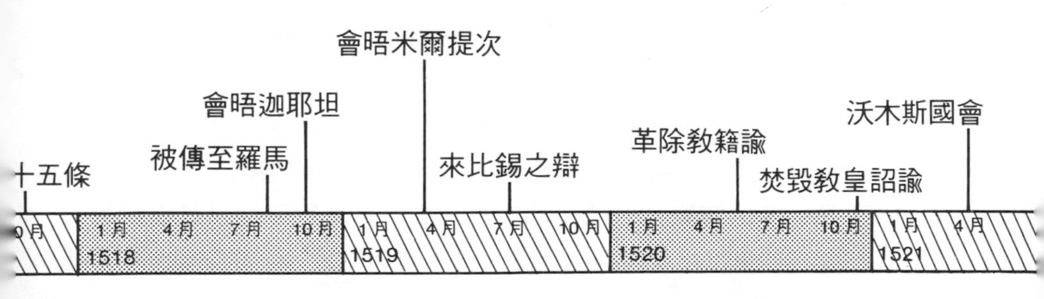

越，還是皇帝優越？」於是，皇帝、德國君王及貴族們都站到路德這一邊來反對教皇。因此，這位默默無聞、被革除教籍的貧民路德，在那短短的一刻，成爲皇帝與全德國反對教皇權勢的鬥士。

路德被劫持

當路德第一次出現在國會的那一天，政治問題就已成定局，所餘只是宗教問題。

13. **路德第二次出席國會**　第二天，四月十八日禮拜四，路德第二次出席國會。日近黃昏，火炬點燃，在昏暗的大廳中，投射出怪異的影子。

現場多數人都記筆記，但所記的都是路德演講的綜論，沒有一份是完全的記錄。首先，路德用拉丁文講，後來他們要他以德文重複一遍。

整個大廳都擠滿了人，巨焰增高了室內的溫度，加上通風不良，空氣悶熱到無法忍受的地步。

當路德演講完畢，官員說他並沒有講到問題的重點，這問題是「到底要不要撤銷所說的話？」而且皇帝所要的，只是一個簡單明瞭的答案。於是路德說：「如果皇帝所要的只是簡明的答案，我可以給他。對我而言，決不可能撤銷，除非聖經證明我錯了，我的良心持守神的話，昧良心的行爲既不誠實，也不安全。我站在此，神啊，幫助我，我無其他選擇！」

火炬燒盡了，廳裡越來越黑，皇帝示意會議結束，他步下寶座，回到私人住處，其他與會者也陸續散去。

路德轉身離開法庭之際，有些西班牙人叫囂起來，霎時間，許多德國貴族及鎮代表們，將路德團團包圍，把他護送到下榻之處。

接下來幾天中，一連開了好幾次會議，最後發現，雙方永不可能達成協議。

14. 路德被帶到瓦特堡（Wartburg Castle）　後來路德被命令離開沃木斯回到威登堡，而且不准再講道。他們計劃，等到皇帝的「安全通行保證」失效後，就將路德逮捕，以異端罪名處死。

在沃木斯城有一個小門，四月廿六日夜間，路德從這個小門離開了沃木斯。這門就是今天觀光客所看到的「路德之門」。

幾天以後，謠傳路德失踪，沒有人知道到底路德出了什麼事。他的敵人非常高興；朋友卻極其驚恐。當日一位名畫家杜勒耳（Albrecht Durer）在日記中寫着說：「路德被教皇和神甫們殺害，正如當日主耶穌在耶路撒冷被祭司殺害一樣。神啊，如果路德去世，誰來將神聖福音向我們解說？」沃木斯城內羣情激昂，皇廷之中喧囂動盪。教皇大使亞良德被人警告說：「即或你躲進皇帝懷中，也會遭人謀殺！」

而路德失踪的眞象，却是這樣：四月廿八日，路德來到法蘭克福；五月一日抵達赫斯非得，並在那兒講道；五月二日進入埃森納，第二天在城中講道；五月三日他騎馬馳騁在美麗的莫拉森林；五月四日上午他露天講道，晚餐過後，繼續行程。這時，在

位居今日東德的瓦特堡
是當日馬丁路德的避難所

森林深處，突然跳出五個蒙面騎士，將他自馬車中拉出，挾持着往埃森納方向飛奔。

原來這是路德的朋友，智者腓勒德力的命令。他下令騎士們將路德劫持到他安全的藏身之所——瓦特堡，這是一間俯瞰美麗小城埃森納的古堡；在堡中，路德不再受到風暴的攪擾，寫作佔據了全部的時光。

路德好像一座火山，在公元 1517 到公元 1521 年間爆發，引起强烈地震，震撼整個教會，首先在德國，後來很快地，西歐所有國家均被波及。

研討問題：

1. 根據本章的內容，繼續研討第廿一章第 1、2 兩題。
2. 當時有什麼政治問題，影響教皇與馬丁路德間的關係？
3. 來比錫之辯的結果如何？
4. 解釋以下名詞：迦耶坦、米爾提次、瓦特堡、路德的「桌上談」。

5. 路德爲什麼用文字來達到目的？百姓對教皇制的態度如何？
6. 列出路德三篇偉大的改教論著，並說明每一篇的主要思想。
7. 路德焚毀教皇詔諭的意義爲何？
8. 沃木斯國會本該討論什麼事？到底這是個宗教會議還是個政治會議？
9. 爲什麼路德向皇帝請求「給他時間考慮」這件事如此重要？
10. 爲什麼智者腓勒德力認爲必須劫持路德並將他隱藏？假如這件事公開出來，會有什麼牽連？

第廿三章

德國教會的改革

1. 改教運動
2. 路德恢復基督徒的自由
3. 教會管理制度的發展
4. 研讀與崇拜的材料
5. 路德的得力助手們

1. 改教運動　到目前爲止，我們所看到的事件都以路德爲中心，但這些還不是眞正的改教運動，只不過是舖路事件而已。

到底什麼是改教運動？首先，它是指教會的改革，包括所有使教會進入更完善的各項改變。每個教會都有教義、行政、崇拜與生活等層面；所謂改革，就是將教會的各層面加以改善，使它更臻完美。

然而這種改變並不止於教會內部的改革，也帶出教會以外的改革。因爲教會教導信徒把信仰應用在生活中，結果便把教會內部的改革原則，應用到教會以外的政治、經濟、社會、文化、生活各方面，以致影響到整個國家。因此，造成今日天主教國家和復原教國家之間極大的差別。

2. 路德恢復基督徒的自由　路德的性格是由兩個相反的特徵揉合而成的。他可以同時非常激進又非常保守。他雖給教會帶來巨大改革，但在除舊佈新的工作上，他却採取緩慢的步調。開始時，憑着他的聰明與機智，只做了些微改善。

但路德的跟從者就大不如他。當他隱居瓦特堡時，有些跟從者便在威登堡開始激進式的變革，造成混淆、衝突、紊亂的局面。以致路德不聽智者腓勒德力之勸，也不顧死刑的宣判，毅然離開瓦特堡，回到威登堡；一連講道八天，總算恢復了秩序。

許多重大改革被逐步地帶進教會：教皇制被棄絕；聖職人員和平信徒之間的差別也被摒除。路德宣稱：「所有信徒都是祭司；聖禮只有兩個，而非七個；聖禮不是得救的必要條件。」就這樣，路德敲響了羅馬天主教體系的喪鐘，他折斷了數世紀來羅馬加給信徒的重軛，而恢復了基督徒的自由。這份自由對當日基督徒的意義，是我們今天這些從未負過「羅馬之軛」的人所無法瞭解的。他們不再向聖徒及馬利亞禱告，也棄絕了拜像、拜遺物、朝聖、宗教遊行、聖水、外表禁慾、修道、爲死人祈禱及相信煉獄等事。

當路德進行各種改革之際，他「保守」的個性，使他仍保留那些沒有直接被聖經禁止的事。例如：路德會教堂中，雖然挪走了旁邊的祭壇及偶像，但仍保留中間的主壇、蠟燭與基督畫像。

羅馬天主教認爲聖餐就是獻祭；必須由祭司獻上。他們教導說：當祭司宣讀聖禮的詞句時，餅和酒就會奇蹟式地變成基督眞正的身體和血。這就是所謂的化質說（Transubstantiation）。只有祭司可以飲「杯」，因爲怕平信徒不小心把基督寶貴的血，濺出杯外。平信徒領聖餐時，只能領受「餅」；這餅非常薄，稱爲「聖餅」，領受時，由祭司將餅放在信徒的舌頭上。

路德否認聖餐是獻祭，他不承認每次聖餐就是將基督再度獻上。他教導說：基督已經在十架，一次獻上，永遠獻上；因此教會中不需要祭司。因此，從路德以後，復原教中只有傳道人，沒有祭司；而且在聖餐時，所有信徒都可以領受餅和杯。

雖然路德不承認「餅」變成了基督的身體，但他强調基督的身體眞正臨在聖餐之中，因爲當基督升天後，祂的身體是無所不在的。

3. **教會管理制度的發展** 路德對教會的形式、組織及行政管理，並不特別關心。他所採用的教會管理制度，不是根據聖經，而是根據當日教會的實際情況。

路德推行教會「訪問員」（Visitors）制度。當這些訪問員觀察了不同教會後，每個人都感到教會迫切需要改革。他們看到天主教聖職人員的失職，百姓和祭司對眞理的無知，而且無知到令人無法置信的地步；大部份祭司不會講道，只會喃喃地念誦彌撒詞句。這些訪問員參觀各教會後，寫出一套規條，作爲教會生活的指南。

路德派教會不設主教，只有監督（superintendents）。他們執行主教的工作。信徒是教會的基層份子，由教會議會（council）所管理。這個議會是由牧師及幾位當選的平信徒組成。

路德的教會管理制度，最獨特之處是：他給政府的地位。路德受環境影響，認爲政府應當高於教會。從人的角度來看，路德個人的安全，全賴撒克遜選侯的保護；而且，也只有在接受復原派信仰的君主治下，復原派教會才能生存。由於這種環境因素，路德勢必給復原派君主特權。有一段時期，路德深盼能在德國興起全國性復原派教會，將所有德國人包含在內。但這項期望始終未能實現。甚至在德國境內的教會也分裂成區域性的教會。

十六世紀中，在不同方法、不同情況下，教會改革也在丹

馬丁路德在家中書房

麥、挪威、瑞典各國展開，他們均採用路德的方式。

丹麥和瑞典的改教成功，成為後來宗教戰爭的決定性因素。

4. *研讀與崇拜的材料*　公元 1521 年四月至公元 1522 年三月，路德隱居在瓦特堡其間，將聖經譯成他同胞的語言——德文。羅馬天主教只許教會領袖及學者研讀聖經，路德則認為每個人都有權、也有義務自己讀聖經。在教會崇拜中，路德以德文取代拉丁文。

路德也積極從事教育工作。為了幫助一般愚鈍無知的百姓，他不遺餘力，在各地設立學校。為了使孩子們從小接受純正道理，他寫了「小本信仰問答」(Shorter Catechism)。雖然是一本小書，却是這位偉大改教家的重要著作之一；它成為後來信義宗各教會，世世代代的兒童最基本教義。這個新教會也需要新詩本。路德，這位不尋常人物的另一項偉大成就是：在他四十歲左右，正與羅馬教會力搏之時，他卻綻放出寫詩的能力，為新詩本寫了許多詩歌。路德的詩歌，大部份不夠典雅，但其中的一首「上主是我堅固保障」却成為永垂不朽之作。

路德堅信宇宙間只有一個有形的眞教會。他不認爲自己和跟從者是脫離教會，相反的，是羅馬教會離開了新約的教會。路德也不認爲自己是在建立新教會，他所作的，只是把一個走了樣的教會加以改革。

爲了將路德派教會的信仰正式公諸於世，他撰寫了一份信仰告白，提交公元 1530 年召開的奧斯堡國會。這份信仰告白就成爲後來有名的「奧斯堡信條」（Augsburg Confession），這也是初期教會制訂信經以來的第一份信條。

奧斯堡信條並未取代初期教會的信經（包括使徒信經、尼西亞信經、迦克敦信經等），乃是根據這些信經增補而成，包括這些信經的內容，並加以擴充。

5. 路德的得力助手　路德一開始就獲得許多的幫手輔助，其中最得力的一位是墨蘭頓（Melanchthon）。公元 1518 年，他年甫廿一歲，便擔任威登堡大學希臘文教授。改教運動一開始，他便參與；當路德在瓦特堡時，墨蘭頓出版了一本書，是第一本將路德神學思想加以系統化的書。他是當代最有學識的人，被譽爲「德國的教誨師」。這位「沈默的改教者」（The Quiet Reformer），對後來的「路德主義」（Lutheranism）具有緩和的作用。

另一位路德的好友及助理是施巴拉丁（Spalatin），他是撒克遜選侯的私人秘書。令人詫異的是，腓勒德力給與路德許多友誼及高度的關懷，但他們倆人却始終未見過面，全靠施巴拉丁扮演他們之間的中人。

公元 1525 年六月十三日，路德又獲得一位最獨特的助手。因爲在那天，路德與凱瑟琳（Catherine Von Bora）結婚。她本是一位修女，而路德原爲一名修士。

有三百年之久，根據羅馬教會的條例，神甫是不許結婚的。在一個人當修士或修女之前，必須先發誓永不結婚，這就是所謂的「聖品人員獨身制」（celibacy of the clergy）。

當路德結婚後，許多祭司、修士、修女都照他的榜樣而行，成為改教運動中，脫離羅馬天主教的另一步。

研討問題：

1. 羅馬天主教國家和復原教國家有什麼不同？
2. 為什麼路德派教會要有全面宗教教育計劃？
3. 為什麼路德式教會行政管理和屬世政府之間保持密切關係？
4. 路德寫了約五十首詩歌，除了「上主是我堅固保障」外，你還能找到那些？（注意：他不但寫歌詞，他也作曲。）
5. 解釋下列名詞：奧斯堡信條、小本信仰問答。
6. 研究墨蘭頓的一生，找出他對路德的影響。
7. 路德有一個快樂的家庭，請找出一些他寫給妻子和孩子的信，使你對路德有更深的認識。

第廿四章

瑞士的改教運動

1. 慈運理
2. 慈運理改革瑞士教會
3. 慈運理與路德的不同
4. 加爾文
5. 加爾文的青年時期
6. 加爾文成爲領袖與作家
7. 法惹勒將改教運動帶到日內瓦
8. 幾乎所有復原教徒都屬路德派
9. 加爾文與法惹勒在日內瓦同工
10. 三年平靜生活
11. 加爾文回到日內瓦
12. 在日內瓦的偉大事工
13. 加爾文與路德的異同
14. 信心偉人們

1. 慈運理　公元 1484 年一月一日，在瑞士德語區的威得赫斯城（ Wildhaus ）出生了一個男孩，這孩子長大後，成爲歷史上有名的慈運理（Ulrich Zwingli）。

慈運理的一生和路德完全不同。他從未在修道院中過修道士生活。他也不像路德，心靈經歷深處的罪惡感。他不瞭解路德尋求得救的屬靈掙扎。

路德出自於中世紀黑暗時代，接受經院派神學教育，讀過許多教父著作及中世紀教會色彩的作品；慈運理則在文藝復興的影響下受教，研讀的是早期希臘羅馬的著作。

慈運理在巴塞爾（Basel）、伯恩（Bern），及維也納（Vienna）各城受教育，於公元 1506 年得文學碩士學位，然後進入教會事奉，於公元 1519 年成為瑞士重要城市蘇黎世（Zurich）教會的牧師。

慈運理最先受伊拉斯姆很深的影響。他詳盡研讀全部新約及教父著作；他和伊拉斯姆的看法一樣，無意攻擊羅馬教會，只希望藉教育慢慢改善教會。最初，他個人的某些改教看法與路德無關，但後來他完全被路德影響，以致越來越遠離伊拉斯姆的看法。

2. **慈運理改革瑞士教會**　公元 1518 年，慈運理開始攻擊贖罪券。路德在來比錫之辯中的立場以及焚毀教皇詔諭之舉深深感動慈運理，使他對羅馬教會作有系統、有計劃的攻擊。

蘇黎世教堂中的圖像被搬走；彌撒被廢止；祭壇、聖人遺物及宗教遊行都棄絕不行；教會的行政管理、窮人的照應工作交給市政府來辦理；學校制度也改善了。

從蘇黎世開始，改教運動蔓延到好幾個瑞士的縣郡，但仍有不少縣郡維持原來的天主教。

3. **慈運理與路德的不同**　在對聖餐的看法上，慈運理和路德不同。路德對「這是我的身體」採「字面」解釋，他認爲基督升天後，祂的身體無所不在，所以基督的身體確實臨在聖餐的餅和杯中；慈運理則認爲基督的身體只在天上，把「這是我的身體」解釋爲「這預表我的身體」；因此，根據慈運理的觀點，聖餐是一項「紀念主」的儀式，「餅和杯」是「基督身體與血的象徵」。

公元 1529 年十月，路德和慈運理在馬爾堡（Marburg）會談，但這兩位改教領袖至終無法獲致一樣的看法。

有一段時期，慈運理的影響力遠及瑞士各地及德國南部。但他於公元 1531 年的一次戰役中陣亡，以致該區復原教信徒漸漸傾向加爾文。

4. **加爾文**　第三位改教者是加爾文（John Calvin）。他於公元 1509 年七月十日出生於法國北部靠近巴黎的小鎮諾陽（Noyon），父親是諾陽主教的秘書。在父親的幫助下，加爾文以十一歲幼齡便獲得教會職位，而且有機會換取更高的薪俸。（在當時，教會聘請男童爲成年神甫收集薪水，再從中抽取一部份工資，是很普通的事。萊姆斯大主教得到這職位時，才五歲。）

在瑞士蘇黎世的慈運理塑像

在馬爾堡會談中，路德與慈運理爲了對聖餐的看法不同，雙方無法達成協議。

由於母親的早逝，加爾文被送到附近的貴族人家撫養，使他吸收到貴族的風度和涵養。十三歲時，前往巴黎大學進修。

5. **加爾文的青年時期**　雖然路德在德國改教，但許多國家仍然處於多年混亂的情況。公元 1512 年，路德未成名前，巴黎的賴非甫爾（Jacquees Lefévre）教授已經出版一本拉丁文保羅書信註釋。在書中，他强調「靠恩得救」的眞理。他的學生法惹勒（Guillaume Farel）全心接受了老師的教導。

許多法國人也看見了神話語中的眞理，於是教會大爲改觀，連國王的妹妹瑪格麗特（Margaret）也信了主。新的信仰，遍傳全國。

然而，反對勢力接着興起。公元 1525 年，賴非甫爾的著作、路德的著作及瑪格麗特的小書都被定罪。任何人擁有這些書，都可能付上昂貴的代價。就在這樣的情勢下，加爾文於公元 1523 年，來到巴黎。

加爾文對所有學科都努力學習：包括古典語文學、邏輯學、教父著作、法律等。在巴黎進修三年後，他又在奧爾良（Orléans）學習一年；然後到部日（Bourges），受教於一位名法律

加爾文在法國
諾陽鎮的出生
地點

學教授門下。在每一個城市，他都獲得豐富的學識，也結交許多有影響力的朋友：諸如巴黎的柯布（Nicolas Cop），奧爾良的武爾瑪（Wolmar），部日的伯撒（Theodore Beza）。爲遵照父親的意思，加爾文從神學轉修法律。父親死後，他決定把這兩方面都放棄，而在巴黎過學者的生活。

公元 1533 年，柯布以巴黎大學校長身份，發表了一篇萬聖節演講。演講內容中充滿伊拉斯姆及路德的觀點。由於謠傳該講稿曾經加爾文的指導，以致他們倆人都必須逃命。趁着朋友們在前面與地方長官交談之際，加爾文趕緊從後窗潛逃。

6. **加爾文成爲領袖與作家**　到底加爾文何時得到這些看法？原來他早已從他的兄弟、表兄弟、希臘文老師武爾瑪及許多人那兒聽說了。他也親眼看到這些看法在房東家中及殉道士火中的實際表現。在他後期的一本書中，他寫道：「神藉着一次突然的歸正，將我的心征服……。」這次經歷到底發生在什麼時候、什麼地方？沒有人知道。

預格諾信徒
遭受酷刑

接下來，是一年的漂泊。加爾文從一城逃到另一城，而且必須經常化名。每到一處，就在秘密的地方教授一小羣人。當時，出了一種新刑具，把受刑者從火中送進送出，將他慢慢烤死，不像過去一次燒死。因此，復原教徒在法國找不到一處安全之所。

公元 1535 年，加爾文的亡命生涯總算在瑞士巴塞爾得到一段喘息的日子。這期間，他把全本聖經眞理作有系統的整理。於公元 1536 年春，出版了他的「基督教要義」(Institutes of the Christian Religion)。這本書是改教信仰最偉大的註釋書。在寫這本鉅著時，加爾文才廿六歲。

起先，這本書是專爲闡釋復原派運動的基本教導而寫。後來，加爾文認爲這本書也可以同時扮演向法王法蘭西斯一世解釋的角色，使法王知道那些在法國受逼迫的信徒並非激進份子，乃是堅守聖經的人。加爾文在書中，請求法王以這本書證明他的同道們在法國應受較好的待遇。

全書以優美的拉丁文寫成，後來被譯成典雅的法文。過不

加爾文所著「基督教原理」第一版的書名頁請注意其上的獻詞與日期

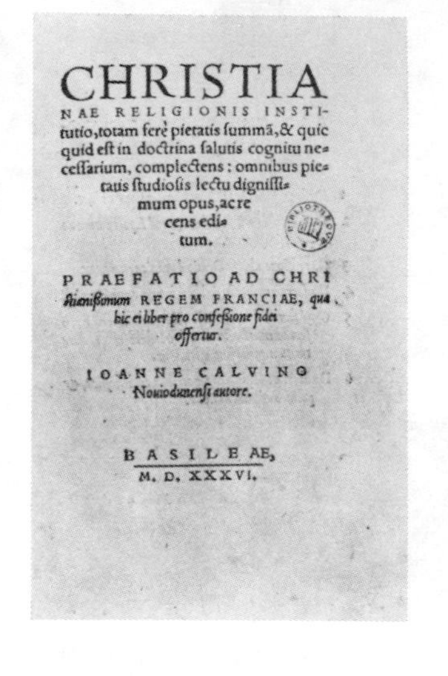
CHRISTIA
NAE RELIGIONIS INSTI-
tutio, totam ferè pietatis summã, & quic
quid est in doctrina salutis cognitu ne-
cessarium, complectens: omnibus pie-
tatis studiosis lectu dignissi-
mum opus, ac re
cens edi-
tum.

PRAEFATIO AD CHRI
stianissimum REGEM FRANCIAE, qua
hic ei liber pro confessione fidei
offertur.

IOANNE CALVINO
Nouiodunensi autore.

BASILEAE,
M. D. XXXVI.

久，就成爲福音派的主要信仰內容。因爲它把復原派運動的教導加以有系統的整理，並寫成合邏輯的形式。直到今天「基督教原理」仍被公認爲最偉大的解經書之一。

不久以後，加爾文決定到德國西南的斯特拉斯堡（Strassburg）過平靜的學者生活。但因戰火頻傳，只得繞道而行。公元1536年八月，在一個溫暖的晚上，一位羸弱的法國青年，面色蒼白、目光烱烱、充滿學者的氣質，步入了日內瓦城。他絕沒想到，神即將在該地呼召他，完成重大的使命。

7. 法惹勒把改教運動帶到日內瓦 日內瓦城位居美麗的日內瓦湖西岸，居於瑞士的法語區；附近有一條連結阿爾卑斯山和義大利、德國、法國的商業通道。

公元1532年，偉大的法國佈道家法惹勒來到日內瓦，他是一位熱誠而具影響力的改教鼓吹者。他曾去參加阿爾卑斯山區瓦勒度派的會議，使他們立時接受改教信仰。在這之前，他曾在伯恩、紐夏得爾及附近小城，推動改教運動。他第一次到日內瓦時，雖沒有建立根據地，却不灰心；又於公元1533年十二月，再度到日內瓦工作，這次比較成功。

法惹勒抵日內瓦時，天主教勢力仍佔多數。經過他數月的激烈講道後，整個宗教潮流被他扭轉過來，變成傾向於改教運動。公元 1535 年夏，法惹勒佔領抹大拉教堂與聖彼得座堂，掀起了全城的「毀像運動」。所有教堂的圖像都被搗毀；彌撒被棄；修士修女被逐。公元 1536 年五月廿一日，由公民組成的市議會投票贊成改教運動，於是復原派信仰正式成爲日內瓦市的宗教信仰。

這段時期，日內瓦一直在反主教及反首長的動亂中，使政治與宗教的動盪達到高峯。法惹勒脾氣暴躁、口才流利、聲音宏亮；然而他並不認爲自己可以平定這樣一個混亂的城市。當他聽說加爾文來到日內瓦時，立刻感到這個廿七歲的法國青年人就是這個空缺的人選。於是他趕到加爾文歇脚過夜的旅店。

在加爾文方面：他抵達日內瓦時，不相信這個城裡會有人認識他，因他完全是陌生人，對於日內瓦的現況也一無所知。因此，當法惹勒來見他時，加爾文極其驚訝，因爲他根本沒有期待會有任何訪客。原來，他所著的「基督教原理」一書，雖然第一版只是一本小書，却在出版後數月內，把這個青年人造成全歐洲的名人！

當法惹勒向這位陌生人道出來意時，加爾文很不自在地搖頭。法惹勒再把當時日內瓦實況及他要加爾文做的事講得更確切、詳盡，加爾文越聽越不想放棄自己原訂的計劃；他知道，如果他依法惹勒的懇求去行，無疑是把自己投入危險與困難之中。他個性膽小，自然會逃避這種可怕的混亂與長期的奮鬥；何況他早已下定決心要去斯特拉斯堡，在那個安全港裡安靜地沉潛在研讀與寫作中；他也不需要金錢，因他父親的遺產足夠供給他過簡單的生活。這次進入日內瓦，完全出於偶然，根本無意留下。他所需要的只是睡覺。

法惹勒堅持要他留下，因他需要加爾文幫他在日內瓦建立一個穩固的改教運動；加爾文則繼續拒絕這位老傳道人熱情的請求。

就在這個日內瓦的小旅店中，時當公元 1536 年的一個夏夜，一幕不尋常的戲上演了：兩個堅決的意志彼此衝突，而這衝突的結果，竟影響到整個人類歷史，直到世界的末了。

法惹勒

最後，加爾文請求法惹勒考慮他拒絕留下的各項理由：他太年輕；沒有處事經驗；根本不合適這種工作；他需要更多進修⋯⋯；他對法惹勒說，這些就是他最後的話，而且這場討論，就此結束！於是，這位老先生從座位上站了起來，挺直軀幹、長鬚及胸，用他銳利的眼光直瞪這個青年人，用如雷的聲音對他說：「假如教會在急需之時，你拒絕伸出援手，願神咒詛你的進修！」

加爾文聽到這些話，極其害怕，全身戰慄。在法惹勒如雷的聲音中，他聽見了神的聲音。到此，他不再掙扎，終於順服從了法惹勒的請求。

正如巴拿巴將保羅找出來一樣，這又是一個「一位平凡人將一位傑出人才帶進主的事工」的例子。法惹勒就這樣把加爾文帶進了教會的事奉。

「假如教會在急需之時，你拒絕伸出援手，願神咒詛你的進修！」

8. 幾乎所有復原教徒都屬路德派　正如威登堡是路德之城；蘇黎世是慈運理之城；日內瓦也成爲加爾文之城。

公元 1536 年，加爾文開始在日內瓦工作。當時所有歐洲北部的人，幾乎不是天主教徒就是路德派信徒。從路德把九十五條釘在威登堡教堂到如今，已經過了十九年；路德本人也已渡過了他事業的顚峯，只餘下十年的光陰。

這時期以後，德國的改教運動沒有更多進展。大體上說，德國南部保持天主教（雖然也有不少復原教）；德國北部接受復原教（雖然也有不少天主教）。慈運理去世後，他的跟從者（尤其是在德國南部的）有許多接受了路德的教導。挪威、瑞典、丹麥可以說全部接受路德的信仰。在其他國家亦然，早期改教運動都屬於路德派。

唯一的例外是：改教運動爆發之初，出現一批叫做「重洗派」（Anabaptists）的信徒；他們在歐洲許多國家傳佈他們的信仰。

9. 加爾文與法惹勒在日內瓦同工　加爾文的人生，自抵達日內瓦到去世期間，可分爲三個時期：公元 1536 年八月至公元 1538 年四月，爲第一次去日內瓦時期；公元 1538 年五月至公元 1541 年九月，爲斯特拉斯堡時期；公元 1541 年九月至公元 1564 年五月去世時，爲第二次去日內瓦時期。

加爾文在日內瓦開始工作之初，謙卑地擔任法惹勒的助手。第二年，被委任爲講道師。

加爾文和法惹勒給市議會三項建議，該建議是加爾文起草的：⑴每個月舉行一次聖餐。生活不檢點的基督徒，加以懲治。嚴重者，革除教籍。⑵採用加爾文所寫的「信仰問答書」（Catechism）。⑶每個市民均需要接受法惹勒所寫的「信經」（Creed）。

第一項建議是加爾文嘗試使日內瓦成爲模範城市——「上帝之城」的第一步。同時，要使教會從政府手中獲得自由。

以上所提三項建議，立刻遭到敵對。加爾文的反對黨在選舉中獲勝，他們決定採用鄰城伯恩的崇拜儀式，而伯恩也早已想使日內瓦採用他們的儀式。加爾文和法惹勒對崇拜儀式的不同並不看重，他們拒絕伯恩的儀式，是因爲此擧乃出於政府的强制執行，沒有事先徵得教會領袖的同意，顯然政府剝奪了教會的自主權。既然他們二人不肯低頭，於是被政府驅逐出境。時當公元 1538 年四月廿三日。看起來，加爾文被迫在日內瓦開創的事工，不到兩年就告結束，而且似乎是全盤失敗。

加爾文時代的歐洲

10.**三年平靜生活**　法惹勒回到他曾發起改教運動的紐夏得爾城（Neuchâtel），在那兒擔任牧師工作，直到離世。

加爾文

路德在來比錫之辯中得到同工布塞珥（Bucer），邀請加爾文去斯特拉斯堡（Strassburg）。加爾文欣然接受，因爲這是他當初最渴望想前往的一座城。

經過十八個月在日內瓦艱苦的奮鬥後，加爾文終能在斯特拉斯堡享受三年平靜的生活。在那兒，他和荷蘭來的范布蘭（Idelette Van Buren）女士結婚；也在該城中，結識許多路德和慈運理的跟從者；同時牧養法國路德派信徒在該城成立的難民教會。因此，這三年，可以說使加爾文得償宿願：一方面過平靜的學者生活，一方面牧養教會，得到實際經驗。

斯特拉斯堡的三年，是加爾文一生中最快樂的時期。他用許多時間進修和寫作，提高了他在學術界及神學界的地位。他把「基督教原理」加以擴充，又寫了羅馬書註釋，使他成爲第一流聖經註釋家。

在這同時，皇帝查理五世想使復原教和天主教合一；在皇帝指示下，舉行了一系列會議，斯特拉斯堡派加爾文出席會議；這些會議沒有任何成就，但對加爾文而言，卻在會中結識許多路德派領導人物。加爾文與路德從未見面，卻與墨蘭頓成爲至交。

11.**加爾文回到日內瓦**　加爾文離開日內瓦後，整個城陷入

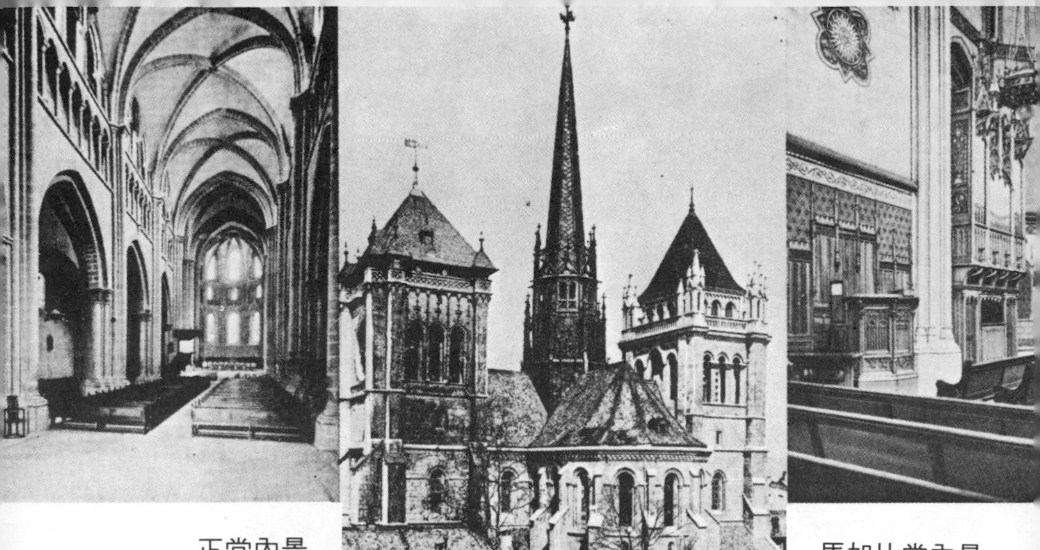

正堂內景

馬加比堂內景

日內瓦的聖彼得大教堂建於 1160 至 1220 年間，加爾文曾在此教堂講道達卅年之久。圖中二百二十三呎高的尖頂是於 1899 年加建的。

混亂局面。一位能幹的紅衣主教薩多雷托（Sadoleto）想利用這種混亂的情況，乃以高雅的拉丁文寫了一篇動人的講詞，勸日內瓦人回到母會（天主教）的羊羣中。爲了對抗這位紅衣主教，加爾文捐棄個人對日內瓦人的不滿，再以高級的拉丁文寫了一篇精彩的「駁薩多雷托書」（Reply to Sadoleto），這份反駁書，把日內瓦的改教運動穩定下來。

事情演變得越來越糟，驅逐加爾文出境的反對黨，又於公元 1539 年與伯恩訂立條約，大大損害日內瓦的自主權。因此，該黨於第二年被民衆推翻，並把簽定條約的人判爲賣國賊。於是，加爾文的友黨再獲政權，他們邀請加爾文回到日內瓦。

加爾文實在不願離開平靜的斯特拉斯堡回到風暴的日內瓦；最後，還是經過苦勸他才答應。公元 1541 年九月十三日，在羣衆的歡呼聲中，加爾文再度進入日內瓦。

從神把加爾文帶到日內瓦的事上，可以看見神自己奇妙的預備。因爲在當時，這個自由、獨立、民主的日內瓦城是全世界最適合加爾文推動改教事工的場所。加爾文的人生，到如今都在爲這項重大任務而準備。這偉大事工正在日內瓦城等着他，而且將帶出全球性的影響力。

12. **在日內瓦的偉大事工** 加爾文回來後，便提出「教會憲章」（Church Order），這是一套教會管理的規條；這憲章立刻得到採納。憲章內容是根據聖經教導，在教會內設立四個職份：牧師、教師、長老、執事。

在加爾文的制度中，長老居重要地位；長老們是從教會的會員中選出，他們與牧師組成「教會法庭」（Consistory）；長老們的職責是監督信仰的純正及信徒的生活。加爾文給「教會法庭」有懲治信徒及革除教籍之權；若一宗案件需要更進一步刑罰，則交給行政當局處理。

路德被情況所逼，給德國貴族權柄過問教會事務；而加爾文的理想是：教會完全獨立，不受政府管轄。以加爾文而言，教會的自由在於教會有權革除教籍，不受外來勢力的干擾。

曾有一次，一些被教會法庭革除教籍的日內瓦市民，拿着武器，衝進教堂，企圖以暴力領受聖餐；他們聲稱若加爾文不讓他們領聖餐，就要取他的性命。加爾文伸手護衞桌上的餅和杯，向他們宣告說：「你們只能從我的屍體下領到聖餐！」就這樣，藉

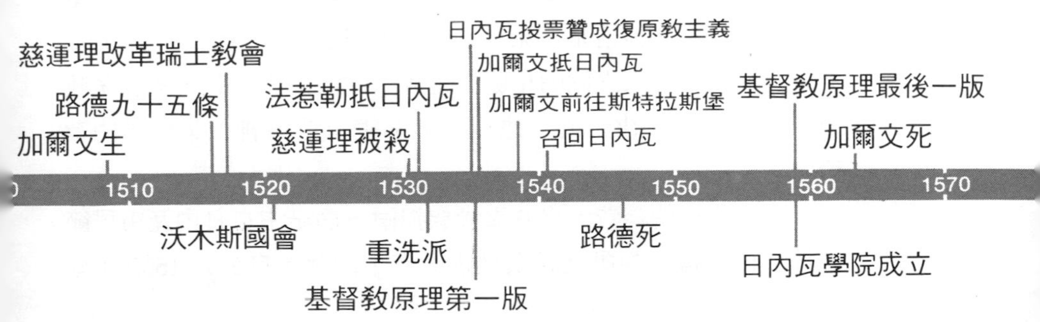

着他的勇氣和毅力，加爾文把他們屈服，放棄以暴力領受聖餐之舉。

經常有人對教會法庭嚴懲信徒之事感到不滿。加爾文不止一次幾乎被驅逐出境。幸有外國難民的大量流入，及瑟維特（Servetus）事件的發生，才挽回了危機。

瑟維特是一位學識豐富的西班牙醫師，出版了一本攻擊三位一體教義的書。他一來到日內瓦，就被逮捕；經過審訊，證實有罪，便以異端之名於公元1553年十月廿七日被焚而死。所有復原派神學家、甚至最溫和的墨蘭頓，以及羅馬天主教都贊同他的處死。而加爾文的對手們却要保護這位被衆人定罪的人，他們竭力攔阻瑟維特的審訊，使他們因此失去信譽；以致他們反對加爾文的勢力也隨之瓦解。

許多人爲復原派信仰遭受逼迫，因此難民潮從不同國家流入日內瓦；這些人成爲加爾文最勇敢的支持者。當他們成爲公民後，加爾文就有了一個忠於他的政府。公元1555年起，加爾文就做了「日內瓦的主人」（Master of Geneva）。

在加爾文帶領下，教會法庭訂立條規，可以完全管制日內瓦市民的生活，使日內瓦成爲基督化城市——一個「上帝之城」；地方政府則將教會法庭所訂的條規付諸實行。

加爾文晚年最大的成就，是創辦日內瓦學院（Geneva Academy），這是第一間復原教大學。加爾文深深體會教育的重要，從研經中，他清楚看見神的榮耀不只在拯救靈魂，全世界都屬乎神，連人與人之間的相處都是神所關心的；因此，無論是政府人員、醫生、律師或其他行業，都需有認識神、榮耀神的教育。

這所大學的經費，沒有靠貴族捐贈，而是來自日內瓦市民節衣縮食的奉獻。加爾文謹慎挑選師資，因此，自公元1559年學

加爾文在日內瓦市議會開會

校一開始，就擁有最高聲望。開辦後不久，就有九百名來自歐洲各地的男生註册入學。過不久，就收到法王給日內瓦的警告信，抗議所有傳道人都來自這間「復原教總部」。

伯撒（Beza）被聘爲日內瓦學院第一任院長。他是加爾文在部日讀書時，在武爾瑪門下結識的一位十二歲男孩。伯撒不但成爲加爾文的得力助手，而且在加爾文死後，擔任日內瓦改革宗教會牧師，達四十年之久。

公元1559年，加爾文出版了「基督教原理」第三次修訂版，這是該書的最後一版，內容是1536年第一版的五倍。

藉着日內瓦學院訓練出來的人、教會的行政制度、著作（尤其是基督教原理及聖經註釋），以及與歐洲各地領袖人物的書信來往；加爾文在到處都有跟從者，他的影響遠及義大利、匈牙利、波蘭及西德各地。

這位加爾文，本來不過是個傳道人和神學教授，却發揮了超國際的影響力；他使福音之光，從日內瓦小城照射到歐洲各角落，加爾文成爲唯一的國際改教運動者。

更令人吃驚的是：加爾文的身體羸弱，經常在病痛纏磨之中。他能完成這麼艱鉅的事工，主要是因爲神與他同工；而强烈的意志力，使他能超越所有的困難與殘缺。公元 1564 年五月廿七日，加爾文鞠躬盡瘁而死，享年不到五十五歲。

他的標誌是「一隻手捧着一顆火熱的心」；他的座右銘是：「主啊，我心爲祢而獻，快速地！至誠地！」（Cor meum tibi offero Domine prompte et sincere）；加爾文的一生，就是遵照這座右銘而活。

13. 加爾文與路德的異同　路德與加爾文在「預定論」的看法上一致。他們都相信神已在萬世之前揀選了承繼永生的人；兩人都根據奧古斯丁及保羅書信發揮這項教義。

在崇拜的儀式上，加爾文與路德不同：路德盡量保留羅馬天主教的崇拜儀式，只要是聖經沒有禁止的事，他都保留；加爾文盡量遠離羅馬天主教的崇拜儀式，他只實行聖經所吩咐的事。然而他們二人均以講道爲崇拜的主要項目；二人都爲會衆預備詩本，只是路德著重聖歌，而加爾文偏重詩篇。

在教會行政上，加爾文與路德不同：路德准許政府過問教會；加爾文不承認政府在教會中有任何權柄，他甚至使教會有權干涉政府；而且加爾文比路德更强調教會懲治。他們二人都顧念窮人，都在教會中安排執事，專做關懷貧民的工作。

加爾文所用的標誌及座右銘

他們二人都深信「每個人都有權自己讀經」。爲了達到這目的，路德將聖經譯成德文，加爾文將聖經譯成法文；他們二人都是語言文字的專家，他們的譯文對本國的文字架構有不少貢獻。

加爾文曾在這裡居住直到公元 1564 年去世之時。該屋今日是加爾文路十一號

他們二人都重視教育：路德本是威登堡大學的教授，同時也講道；加爾文本是日內瓦教會的傳道人，晚年時創辦了日內瓦學院，自己也成爲該院教授。他們二人都强調信仰必須奠基在純正教義上，因此，二人都爲信徒寫了信仰問答書（ Catechism ）。

在對聖餐的看法上：加爾文與路德及慈運理都不同。加爾文與慈運理都否認路德「基督的身體眞正臨在餅和杯中」的看法；但加爾文又不同意慈運理「聖餐僅爲紀念儀式」的看法；加爾文認爲：「基督的靈眞正臨在餅和杯中，信徒憑信心領受聖餐時，眞正領受了基督，不是屬體的（ bodily ），乃是屬靈的（ spiritually ）」。

加爾文和路德都堅信「唯獨因信稱義」的道理。對路德而言，「因信稱義」是教會站穩或跌倒的根據；對加爾文而言，「預定論」是教會的基礎。

路德强調「人的得救」；加爾文强調「神的榮耀」。

14. 信心偉人們　路德與加爾文都是教會的傑出人物。路德是一位勇敢的領袖，因着他的冒險犯難，開始了改教運動。雖然

國際改建運動紀念碑於 1909 年加爾文誕生四百週年紀念日奠基。此碑中心巨石高三百二十五呎，雕塑了四位 1559 年在日內瓦的改教偉人之像：法惹勒、加爾文、伯撒、諾克斯。

在他以前已經有許多舖路工程，然而他仍是天主教所定罪、復原教所稱譽的對象。我們可以列出許多他在改教運動上的偉大貢獻，例如：他堅毅的領導，他翻譯聖經，他為維護信仰所寫的著作等。讓我們引用他自己的話來進一步認識這個偉人，他說：「骰子已然擲出，因此，除了繼續已做之事，決不另謀別事；我要完全投靠聖靈，祂不會幫助偷懶的事工。」

加爾文的工作及領導，雖然和路德不同，但也極具意義。他是改教運動的第二代，已有前人為他奠下基礎（如路德、布塞珥等），因此，他可以繼續前往，進入基督教原理和聖經的闡釋。他是一位偉大的解經家，就算三百年後，在聖經研究方面，加爾文的著作仍被列入第一流作品中。

慈運理的短壽，使他不能在改教三巨頭中佔重要地位。但這三位改教領袖都是神所帶領的勇敢神僕，他們出來改革教會，回到基本信仰，回到聖經本身。如果因為他們的改革而使教會的組織分裂，這原非他們的本意。他們一生所追求的，是建立純淨的教會，回到使徒時代的教導，決不是革命和紛爭。何況，教會能遵行神的話比教會都在一個組織之下更重要。

研討問題：

1. 路德和慈運理在家庭背景及教育上有何不同？如何反映在他們改教的觀念上？
2. 說明路德和慈運理對聖餐看法的不同。
3. 為什麼慈運理在改教的影響上，不如路德和加爾文？
4. 法惹勒如何說服加爾文，使他留在日內瓦工作？
5. 「基督教原理」的內容是什麼？加爾文為什麼急於出版此書？
6. 加爾文被逐後，得到什麼結果？他為什麼又回到日內瓦？
7. 說明加爾文的教會行政制度。
8. 在加爾文的制度下，教會與政府的關係如何？
9. 從參考書中，查出瑟維特除神學以外的影響。他為何被處死刑？
10. 討論加爾文廣大的影響力。
11. 路德和加爾文在改教觀念上，有那些相同之處？有那些相異之處？
12. 解釋下列名詞：紅衣主教薩多雷托、柯布、毀像運動、1536年、法惹勒、賴非甫爾。
13. 自保羅起到加爾文為止，請列出十位你認為是教會歷史中最偉大的人。
14. 加爾文曾被稱為「日內瓦教皇」，你認為合適嗎？如果一個城市中的基督徒佔大多數，他們是否有權限制非基督徒的活動？
15. 為什麼伯撒在國際改教運動紀念碑上，也有顯著的地位？

第廿五章

重洗派

1. 格列伯
2. 政教合一的緣起
3. 政教分開
4. 重洗派對教會的看法
5. 凡物公用
6. 重洗派信徒受逼迫
7. 蒙斯特王國
8. 門諾派
9. 阿米胥派

1. 格列伯（Conrad Grebel） 重洗派源自瑞士，瞬即蔓延到許多國家，而成爲改教運動潮流中的一條支流。這些自稱爲「委身的一羣」的基督徒，專心研讀聖經，對於已寫成的信經及教會組織並不關心。他們認爲，改教運動者在潔淨教會的工作上做得不夠澈底，也沒有把聖經的教訓完全應用出來。

格列伯是蘇黎世教會中一位傑出的會友，曾因慈運理的帶領接受了福音派信仰，並全力支持慈運理的改革工作。但是，沒有多久，他和一批人就開始對慈運理和路德深表不滿。有數年時間，他們照慈運理的建議，在各人家中查經。公元 1525 年一月，在一次查經會中，有一位名叫布老若克（Blaurock）的弟兄請格列伯爲他重新施洗（因他曾受過嬰兒洗），格列伯應允了，並正式爲他施洗。後來，布老若克也爲其他人施行重洗。這件事發生在慈運理取消彌撒、改革瑞士教會的前幾個月。

由於他們實行重洗禮，而被稱爲「重洗派」。雖然他們明顯的特點是「重洗」，但他們最基本的特點却是對教會的看法，這一點牽涉到教會和政府之間的關係。

2. **政教合一的緣起**　重洗運動的一部份原因是爲反對政府和教會之間有親密關係。「政教合一」可以溯源到君士坦丁及克洛維時代的集體歸主與中世紀蠻族的大批歸主，以致造成全國公民都自認是教會會員的局面，也在無形中，把世界帶進了教會。

復原派教會也有很多集體歸主的情形：只要市議會決定參加改教運動，就可以把全城都變成復原派城，於是市民同時也是教會會員，使教會和政府之間產生密不可分的聯結。

這種「集體入會」方式給復原派教會帶來很大的憂患。表面上，天主教儀式改革了，但信徒的個人生活却未改善。許多人利用「因信稱義」的道理，不再「行善」，而過放肆的生活。無怪乎路德晚年時，曾爲復原教大多數信徒道德的低落，深爲嘆息。這是路德和慈運理在改教過程中失敗的一面。

重洗派的教導就是爲反對「政教合一」而引起的，他們强調教會會員必須限定是「眞正委身於基督」的人，他們反對藉政府之力，輕易地加入教會。

3. **政教分開**　當政教合一時，錯誤教義不但違反教會，也同時違反政府；因此異端成爲由政府嚴懲的大罪，而且天主教和復原教都採這種看法。重洗派由於主張政教分開，堅持宗教自由，竭力爭取一個「自由的教會」，所以反對經由法律訂立任何信仰。

早期重洗派教導信徒要盡力與世界分開，雖然他們承認在世上需要有某種形態的政府，但他們不能有份於其中，因爲在政府做事，難免會捲入「動用刀劍」的事上，因此，他們規定基督徒不可服公職，不可當兵，不可起誓，也不可在法庭起訴。

很明顯地，重洗派成爲當時的激進份子。

4. 重洗派對教會的看法　當路德與慈運理宣告他們的改教運動原則時，重洗派和他們的看法一致，甚至到今天，他們仍贊同基督教的主要教義，如：聖父、基督的神性、教會是信徒的集合、聖經是神的話及基督的再來。

然而，當改教運動擴大以後，這批人開始表示不滿。他們認爲改教運動沒有達到「恢復初期教會」的地步。他們堅持教會必須完完全全回到使徒教會時代的信仰和生活。

重洗派的人對基督以及基督的話、基督的教會和基督的命令特別看重，尤其是基督所強調的愛、聖潔、捨己、降卑、和睦。由於他們重視基督的大使命，使他們對宣教工作格外關心，這也是他們自稱是「委身的一羣」的原因。

他們從新約聖經中所看到的教會，是一個獨立自主、與政府分開的教會。教會的成員只有信徒，並沒有提到嬰兒洗禮之事。根據他們的看法，「嬰兒洗」及「政教合一」是使教會腐化最嚴重的罪。他們認爲，信徒的兒女在自己能對信仰負責前的幼齡時期，已經屬於神的國度，無需爲他們另外施行洗禮。

5. 凡物公用　重洗派以驚人的速度發展，遍及瑞士許多縣郡、奧國、波希米亞、德國南部，直到萊因河谷，抵達荷蘭。在瑞士，發展成瑞士弟兄派（Swiss Brethren）；在荷蘭，發展成門諾派（Mennonites）。

有些人非常羨慕初期耶路撒冷教會凡物公用的生活，尤其是在莫拉維亞（Moravia）的重洗派信徒們。公元 1533 年，一位瑞士弟兄派傳道人胡特爾（Jacob Hutter）加入奧國重洗派，後來成爲他們的牧師。於公元 1536 年被焚之前，胡特爾採用一種嚴格的公社生活管理，每一個單位稱爲一個「弟兄社區」（brother-estate）；直到今天，在加拿大的亞伯達省（Alberta）及曼尼托巴省（Manitoba）仍有上百個「弟兄社區」存在。

6. 重洗派信徒受逼迫　由於重洗派對教義、政治及社會的看法獨特，使他們同時遭到天主教與路德派的敵視。嬰兒洗禮已在教會中施行了數世紀之久，對天主教而言，嬰兒洗禮非常重要，甚至若一個嬰孩臨死前找不到神甫，他們會請任何人爲嬰兒施洗。所謂「拒絕爲嬰孩施洗，而爲成年信徒重洗」這種事，不但從未聽說過，而且應當受最高譴責。重洗派信徒不但拒絕與政府合作，他們對於社會的態度也令人懷疑；一般人都認爲他們是革命派，是社會中的危險份子。天主教因重洗派而怪罪路德派，以致路德派痛恨重洗派。

不久，慈運理派、路德派、加爾文派及天主教一起發動對重洗派殘忍的逼迫。他們被監禁、罰款、淹斃、燒死、折磨……舉凡當日所有違犯「政府教會」的罪狀，如：不繳什一捐、不聚會、不參加家庭查經、不肯傳道等刑罰，都加在他們身上；在當時，這些罪都列入反抗政府的罪行中，因此，數千重洗派信徒被置於死地。

古騰堡將印刷成品交給合夥人審視。
古騰堡住在德國緬因斯，爲歐洲活版印刷術發明者。馬薩林聖經（Mazarin Bible）是他的首次出品，又稱爲四十二行聖經（The 42-line Bible），因爲幾乎每頁均爲四十二行。全本聖經共分三卷，目前珍藏在國會圖書館中。

7. 蒙斯特王國（The Kingdom of Münster）　一些重洗派激進份子在德國韋斯發里亞（Westphalia）的蒙斯特（Münster）所成立的重洗派王國，可以說是教會歷史中最悲慘的插曲之一。

賀夫曼（Melchior Hofmann）是一位皮貨商，他起先熱心地跟隨路德；但經過一段時期後，他自己發展出一套奇怪的解經，使許多人迷惑；不但「政府教會」反對他，連瑞士重洗派也反對他。他預言基督將於公元 1533 年再來，荷蘭有許多人附從他，其中包括一位來自哈倫的麵包師馬提斯（Jan Matthys）。賀夫曼後來被關進斯特拉斯堡監牢，最後死於獄中。

馬提斯聲言自己就是賀夫曼所預言，基督再臨前要來的先知以諾（Enoch）。公元 1533 年，馬提斯的跟從者佔領了蒙斯特城，使馬提斯立刻掌握大權。他宣稱蒙斯特就是新耶路撒冷：他

蒙斯特

們凡物公用，沒有律法。於是，成千人潮自德國、荷蘭各地湧進蒙斯特城。

不久，天主教與路德派軍隊圍困蒙斯特城，在短暫的「准許離城恩典時期」過後，旋即展開對所謂「親敵者」的殘忍屠殺。馬提斯於公元 1534 年四月死於戰場，由雷登約翰（John of Leyden）繼任；他實行多妻制，並於公元 1534 年秋，自立爲「王」。

在這同時，圍城仍然繼續，超過一年之久，這些重洗派信徒拿出狂熱的勇氣，保衛自己的王國。到圍城末期時，他們所受的痛苦，是筆墨無法形容的。最後，在公元 1535 年六月廿四日，城終於被攻下，緊接着的是可怕的殺戮與殘酷的折磨。

8. 門諾派（The Mennonites）　一些激進份子過度的狂熱行爲，玷辱了重洗派的聲譽，以致有一段時期重洗派似乎全盤失敗。然而在一位荷蘭改教家門諾（Menno Simons）的領導下，一支溫和的重洗派，在十六世紀後半期興起。

門諾於公元 1524 年在自己家鄉弗立斯蘭被立爲天主教神甫。他事奉的第一年，便開始懷疑「化質說」的教義。許多事情發生，使他不得不在聖經上多下功夫，並研讀早期作者和路德等改教領袖的著作。直到公元 1536 年，他才脫離羅馬天主教，加入弗立斯蘭重洗派。他在荷蘭及德國各地旅行，每到一處，必將信徒組成教會，藉講道及寫作勸勉他們。

不久以後，這批信徒就以「門諾派」取代了「重洗派」。他們是一些和平、勤奮、興盛、被人尊重的公民。在改教時期到處被拒的重洗派信徒，現在却是一批被譽爲「敬虔的」基督徒。他們最大的貢獻，是强調政教分開。

9. 亞米胥派（The Amish） 公元 1693 年，瑞士弟兄派分裂；因爲亞們（Jacob Ammann）根據聖經認爲，應當與被革除教籍的人完全分開（林前五 11）；但其他人則認爲，這點只應用在聖餐上。瑞士弟兄派分裂以後，亞們的跟從者訂立了嚴格的教會懲戒方案；這方案使他們保持獨特的傳統生活形態。直到今天，在美國賓州、俄亥俄州、印地安那州、愛阿華州及加拿大安大略省，都可以找到亞米胥派的聚居區。

研討問題：

1. 重洗派運動所强調的信仰是什麼？
2. 重洗派與一般虔誠基督徒在那些教導上一致？
3. 爲什麼重洗派的基本教導之一是「政府與教會的關係」及「宗教自由」？
4. 將信仰內容寫成清楚的信條（Creed），對教會有何利弊？
5. 解釋下列名詞：門諾、賀夫曼、格列伯、蒙斯特。

6. 爲什麼重洗派要反對慈運理和路德？
7. 重洗派活動遍佈於那些地區？

第廿六章

西歐的改教運動

1. 在法國的預備工作
2. 路德在法國有廣大影響力
3. 加爾文發揮領導作用
4. 法國的改教運動成熟
5. 在荷蘭的預備工作
6. 加爾文成爲主要的影響

1. 在法國的預備工作　正如所有運動一樣，改教運動早已生根在歷史之中，它的預備工作可以追溯數世紀之久。

在西歐其他國家產生影響的各種力量，也在法國爲改教種子預備好土，其中包括教會的巴比倫被擄、大分裂、信徒對教會腐化的不滿、三次大公會議、文藝復興及伊拉斯姆的著作。

此外，在法國的預備工作中，尚有獨特的一項：法國南部亞爾比根派及瓦勒度派的影響仍然滯留着。

最後，是賴非甫爾、路德及加爾文在法國直接的預備工作。

賴非甫爾修習古希臘羅馬文學，也是聖經學者。公元 1512

年，他以拉丁文出版羅馬書註釋；在書中，他否認善行可以賺取救恩，而教導「因信稱義」的眞理。爲使所有人都能讀聖經，他將新約大部份譯成法文。他最關心平民，希望教會以淺顯簡明之法傳講基督，因此有人稱賴非甫爾爲「小路德」。

然而，賴非甫爾和他的門徒絕不發動改教運動；因爲他們不願脫離羅馬教會，希望保持舊日的形態與信仰，而將教會顯著的弊端加以改革。

2. **路德在法國有廣大影響力**　路德的著作先在法國帶出改教的衝力：一本包括路德在公元 1518 年以前所有著作的書，運進了法國。這本書引起了廣大的興趣，兩年之後，沒有一本書比路德的書更暢銷。路德的著作繼續自法蘭克福、斯特拉斯堡及巴塞爾湧入法國；雖然原文是用拉丁文寫的，但不需多久，法文譯本就問世了，以致一位主教說：「老百姓都被這異端的生動風格帶偏了！」

在法國的天主教神學家們驚慌了起來，他們開始出版單張以對抗改教運動，伊拉斯姆的希臘文新約及賴非甫爾的法文譯本均被斥爲反教會、反聖靈之作。

但改教運動無法停止，首先在城裡有許多跟從者，第一批投入改教運動的是商人及技工；中產階級及高階層份子則多花時間讀聖經及路德的著作。在法王姊妹瑪格麗特的鼓勵下，一個「小組讀經」在宮廷中秘密進行；許多宣傳路德信仰的單張，繼續不斷地發行。

「路德瘟疫」一直在擴散、流傳，除了貴族外，社會各階層中都有擁護路德的人。雖沒有確切統計，但據公元 1534 年的一項估計顯示，單單巴黎就有三萬路德的跟從者。

到目前爲止，路德是改教運動的主要影響力；慈運理及其他德國、瑞士改教者也有影響，但由於缺乏領導者與組織，使復原派信仰在法國仍然很弱，無力反對羅馬教會的腐化。

有一段時期，法惹勒似乎可以起來領導，因他有學識，口才好，又熱切。他鼓勵加爾文的親戚阿立威坦（Olivetan）把新約譯成法文，這譯本雖爲改教運動帶來很大的幫助，但法國的改教運動仍停在零亂的階段。

到公元 1536 年，情況突然有了轉變。

3. **加爾文發揮領導作用**　公元 1536 年，伊拉斯姆及賴非甫爾去世，他們的離開意味着基督教文藝復興運動的結束，該運動的宗旨是改善教會，而非改教運動。

公元 1536 年，加爾文也出版了「基督教原理」，並在日內瓦開始工作；因着這本書，這位在巴塞爾的法國難民，一躍而居改教運動的領導地位。也因著這本書，法國的改教運動接納了加爾文，成爲他們的領導者與組織家。

一個理想若要得到人的跟從，必須有完善的表達；這些跟從者若要成爲一股力量，則必須有完善的組織。公元 1536 年，法國的改教運動早已因路德等人的著作贏得無數跟從者；但唯有等到加爾文定居日內瓦，並開始以法文，依照法國人所能接受的方式表達改教運動的理想之後，這運動才發揮效力。加爾文比前人更會表達思想，他同時提供了確定的組織體系、清楚的教義內容、崇拜方式及教會管理制度。

加爾文天生是個領袖。他寫完書之後，緊接著寫了不少信：他與法國復原派信徒保持頻繁的書信來往，他極其用心，以技巧的文筆，把他的觀念堅定地灌輸在跟從者的心中。

4. **法國的改教運動成熟**　沒有多久，在巴黎就有了組織完善

預格諾派信徒
躲避搜捕

的教會；為了避免受逼迫，信徒們秘密地在私宅中舉行小組聚會。到公元 1559 年，法國全地出現了無數復原派教會。據可靠統計，當時將近六分之一的法國人是復原派信徒，甚至一些重要人物也加入了改教運動。

公元 1559 年五月，法國復原派教會在巴黎召開一次大會，議決採用加利亞信經（Gallic Confession）為信仰內容。

這次大會也將法國的復原教會依全國性規模組織起來；在這方面，加爾文再一次提供了組織的範本：全國被分成幾個區，在特訂的時間內，每個區內的各教會派牧師及長老聚在一起開會；全國性大會，則由全國各教會派牧師及長老出席。

過去法國的復原派信徒有時被稱為路德派，有時被稱為加爾文派，直到此時，才正式被稱為歷史上的名稱——預格諾派（Huguenots）。

5. 在荷蘭的預備工作　在德國、法國為改教運動舖路的各種力量，也在荷蘭進行。只是荷蘭本身有一個比較獨特的活動，稱為共同生活弟兄派（Brethren of the Common Life）。我們還記得這些弟兄如何改善教會，公開傳道，並設立好學校，提供基督教教育。韋索約翰出身於這樣的好學校，他攻擊贖罪券，宣講「因信稱義」之道，正如後來路德所做的一樣。

路德的著作及英勇的榜樣，早已在荷蘭家喻戶曉，許多人因此跟從路德。但荷蘭的改教運動却比法國的更零亂，時間上拖延更久；參加改教運動的，有些是路德派、有些是慈運理派、還有重洗派，經過相當長的時間仍沒有一位領導者。

6. **加爾文成爲主要的影響**　這位頭腦淸楚又有組織才幹的人物，爲法國的混亂局面帶來秩序，也在荷蘭做了同樣的事。當然，荷蘭感受到這位偉大改教者的影響，遠在法國之後。

公元 1536 年，當基督教原理一出版，法國幾乎立時有了轉變；但荷蘭却延遲到 1550 年，才開始感受到加爾文卓越思想的衝擊，而這思想立刻贏得勝利，使路德派、慈運理派、重洗派都退到後面。以前，荷蘭的學生們到威登堡去就讀路德的大學；現在，他們前往日內瓦就學。漸漸地，這些跟從慈運理及加爾文的復原派信徒被稱爲改革派（Reformed）；他們與路德在聖餐的看法上不同，同時認爲他們將改教運動帶到更高境界。所有持改革派信仰的復原教徒都極愛、也極尊敬路德，因他勇敢地開始這項脫離羅馬教會的奮鬥，但他們仍以加爾文爲屬靈父親，而非路德。

荷蘭教會也寫了一份信仰說明。公元 1561 年，基道（Guido de Brēs）擬定了一份信條，稱爲比利時信條（Belgic Confession），也叫「荷蘭信條」或「三十七信條」。兩年後，達斯諾（Dathenus）將「海得堡信仰問答」（Heidelberg Catechism）譯成荷文。這份信仰問答原來以德文寫成，由海得堡大學教授鄔新努（Zacharias Ursinus）和宮廷講道師俄勒維安奴（Caspar Olevianus）合寫而成，它也成爲荷蘭改革宗教會的信

畫家尼維爾(Neuville)筆下的「龍騎兵」，描繪復原派信徒被迫害情形。

條之一。達斯諾又將日內瓦詩篇集（Genevan Psalter）譯成荷文，在荷蘭改革宗教會內，廣被使用。

在這期間，荷蘭國王查理五世一直在逼迫復原教信徒。由於逼迫激烈，在荷蘭境內無法安全開會，他們只得離開自己的國家，於公元 1571 年，前往東弗立斯蘭靠近德國邊界的安姆丹城（Emden），在那裡舉行宗教會議，在會中採用日內瓦方式制訂了教會制度。

藉着信條、詩篇集及教會制度的採納，完成了荷蘭改革宗教會的大部份組織，並把教會穩固地建立起來。

研討問題：

1. 列出法國從瓦勒度到加爾文期間，即改教前及改教中所有領導人物，並簡單說明他們各人的影響。
2. 加爾文為法國教會做了什麼？
3. 為什麼採納了信條、詩篇集、教會制度後，荷蘭教會得以組織完成？被採納的各項資料源自何處？
4. 解釋下列名詞：賴非甫爾、預格諾派、基道、加利亞信條。

第廿七章

蘇格蘭教會的改革
（1557–1570）

1. 在蘇格蘭的預備工作
2. 諾克斯擴大加爾文的影響
3. 諾克斯在蘇格蘭的改革事工
4. 蘇格蘭教會組織起來
5. 教會建立穩固

1. 在蘇格蘭的預備工作　改教期間，義大利和法國在文化與文明上最前進；瑞士、德國中部及南部、荷蘭和英國，也不落後；唯有較偏遠的地區，如：西班牙、葡萄牙、匈牙利、波蘭、德國北部、愛爾蘭、蘇格蘭等地，尚未得到新時代的光輝，仍籠罩在中世紀陰影之下。

當時的蘇格蘭是個窮國，又在無能的國王及封侯管治之下；封侯之間經常交戰，教會聖職人員可能比任何其他國家更腐化。十五世紀中，雖然一些大學在聖安得烈、格拉斯哥及亞伯丁設立起來，但學術上仍無法與歐陸大學相比。

在德國所發生的新鮮大事，隨謠言傳到了蘇格蘭。一些年輕的蘇格蘭人開始前往威登堡訪問路德的大學；他們回去時，把路德信仰的種子撒在自己的國土上；也有人將路德的著作帶回分發；丁道爾與科威對勒（Coverdale）的英譯聖經，也流傳起來；就這樣，早期蘇格蘭復原派信徒在私人家中開始了崇拜與教導。

2. **諾克斯擴大加爾文的影響**　像在法國和荷蘭一樣，在蘇格蘭加爾文的影響也漸漸超過了路德。這段從路德主義轉向加爾文主義的過程，是藉着魏沙特（George Wishart）的影響而來，然而諾克斯（John Knox）却注定成爲蘇格蘭偉大的改教者。

諾克斯於公元 1505 至 1515 年間出生於蘇格蘭，他受完大學教育後，被封立爲神甫。公元 1547 年，法國艦隊佔領聖安得烈，諾克斯與其他人一同成爲俘虜。有十九個月之久，他艱苦地做軍艦廚房裡的奴隸，每天在又臭又熱的法國艦上忙碌工作，有時還遭到鞭撻，經常有人煩擾他，要他向馬利亞的像禱告。

諾克斯

諾克斯講道情形

被釋後，諾克斯前往英國五年。在那兒，他幫助大主教克藍麥（Cranmer）起草「四十二信條」（The Forty-two Articles），這就是英國復原教會所採用的信條。克藍麥又指派諾克斯與其他幾位擔任「御用牧師」，分別前往英國各地，教導聖職人員和百姓改教運動的目的和原則。

離開英國後，諾克斯前往日內瓦。在那兒，他深受加爾文的影響，而採納了加爾文的全套體系。公元 1555 年八月，他回到家鄉蘇格蘭一段短時期。他激動地在講道中攻擊彌撒，又寫信給當時蘇格蘭攝政洛林瑪利（Mary of Lorraine），勸她贊成福音。洛林瑪利是一位堅信天主教的人，她把這封信看爲笑話。但過不久，她就發現諾克斯不但不是開玩笑，反而更是嚴肅而迫切；那時，諾克斯已經離開蘇格蘭回到日內瓦。洛林瑪利生氣地宣判諾克斯死罪，並以焚燒諾克斯像洩憤。

蘇格蘭復原派漸漸成形，諾克斯不斷從日內瓦給他的同道們提供消息。公元 1557 年，復原派領袖們擬定了一份信約，叫做「蘇格蘭第一信約」（First Scottish Covenant）。他們發誓盡全力促進神的話。在信約的保護與約束下，改革派教會公開地建立起來。當時他們深感需要諾克斯的幫助，懇請他自日內瓦回來，諾克斯便於公元 1559 年五月二日回到蘇格蘭。

3. **諾克斯在蘇格蘭的改革事工**　諾克斯回到蘇格蘭後，改教運動就全面展開。諾克斯的講道非常有能力，他的風格是直接、活潑、簡明，經常在講道中運用充滿才氣的雋智和尖刻的諷刺，以致有人對他講道的評論是：「別人講道是砍掉樹枝，這個人講道是砍斷樹根。」在講台上，諾克斯精力充沛，講道時，他好像要把講台擊成碎片，從講台後飛躍出來。

諾克斯的講道，就像把火種投進彈藥庫中，無論在那裡，每次他講完道就爆發毀像行動，暴民們打碎偶像，搗毀修道院。他寫着說：「拜偶像的場所被夷爲平地，拜偶像的碑坊被火吞滅，祭司被勒令停止褻瀆神的彌撒。」

公元 1560 年，蘇格蘭國會宣佈改變宗教；以復原教取代天主教而爲國教；並採納大部份由諾克斯所寫的加爾文派信條；教皇權柄及所有天主教高級職員的管轄權，一概取消；並禁止舉行彌撒。

政府的首要任務是保守這個眞宗教；傳道人由政府付薪；教會不管政治，除非遇到有關宗教生活或儀式方面的事。

根據諾克斯的策劃，教會與政府的關係仍保持教皇時代的情形：在屬靈的事上，教會高於政府；在屬世的事上，政府高於教會。唯一的改變是，諾克斯取代了教皇的地位。過去是復原派信徒受壓，現在是天主教信徒被壓。這個「教會與政府關係」的觀念，也成爲比利時信條第三十六條的基礎。

許多國家的復原派信徒破除神像、祭壇及教堂中的象徵之物。此圖爲畫家尼維爾描繪荷蘭的「破除神像者」。

4. 蘇格蘭教會組織起來

第一次「蘇格蘭大議會」於公元 1560 年十二月召開，翌年一月，他們向國會提出「教會管理法規第一集」（First Book of Discipline）。

這本法規將加爾文在日內瓦所行的教會制度應用到蘇格蘭全國。在每個教會中，由一位牧師及數位從會友中選出的長老組成「集會」（session）；小地區的教會會議稱爲長老部（presbyteries），由各教會牧師代表及長老們組成；大區域的會議稱爲「議會」（synod），由各地區牧師代表及長老們組成；全國性的教會會議稱爲「大議會」（general assemblies），由來自全國各教會的牧師代表與長老們組成。

在崇拜方面，諾克斯又寫了一本「公用儀式書」（Book of Common Order）。這本儀式書是以日內瓦英國難民教會的禮拜儀式及加爾文所編的儀式爲藍本，崇拜內容包括：禱告、讀經、講道、唱詩與奉獻。書中也包括在各種情況的禱告文，但僅爲禱告的示範，並不強迫使用；在禱告上，仍給信徒許多自由。

加爾文在日內瓦組織的教會有極大影響力：它成爲法國預格諾教會、荷蘭改革宗教會及蘇格蘭長老教會的楷模。

5. **教會建立穩固** 蘇格蘭女王瑪利亞是個頑强的天主教徒，又美貌、又能幹，在位前三年時間內，她爲羅馬天主教光復相當多失土，但後來她犯了許多錯誤才挽回了改教運動的命運。她的不智之舉及不道德行爲，不但使蘇格蘭陷入混亂，也使羅馬天主教失去聲望，以致百姓和領袖們都傾向復原教。到公元 1570 年，蘇格蘭長老教會已經穩固地建立起來。

兩年後，諾克斯死於十一月廿四日。

諾克斯成就了轟轟烈烈的事工。他的一生證明他是一位偉大的戰士，是一個有大無畏精神的偉人。他不僅改革了蘇格蘭教會，也藉着改教運動，改善了蘇格蘭民族的品格。

研討問題：

1. 蘇格蘭改教運動開始時，與其他地區改教運動的開始有何不同？
2. 在蘇格蘭，教會和政府的關係如何？
3. 列表說明蘇格蘭的教會管理制度。
4. 解釋以下名詞：洛林瑪利、魏沙特、蘇格蘭第一信約。

第廿八章

英國教會的改革
（1534–1563）

1. 威克里夫
2. 丁道爾翻譯聖經
3. 亨利八世作教會元首
4. 亨利增加改革項目
5. 愛德華六世
6. 血腥瑪利統治下的天主教復甦
7. 克藍麥
8. 伊莉沙白時代的改教運動

1. **威克里夫**（John Wycliffe） 英國的改教運動和其他國家很不相同，過程不同、結果也不同；在四位統治者手下，經歷不同的階段：亨利八世（公元 1509–1547 年）；愛德華六世（公元 1547–1553 年）；瑪利（公元 1553–1558 年）；伊莉沙白（公元 1558–1603 年）。

十四、十五世紀時，教會的混亂腐敗也在英國爲改教運動鋪路；只是在英國另外出現了一顆改教運動的晨星：威克里夫（公元 1320－1384 年）。君士坦斯會議宣判威克里夫為最大異端，把他安息在墳墓裡的屍體挖出來，焚燒成灰，再把灰撒在西凡恩河上，讓河水把他的骨灰冲進大海。然而，却無法冲走他的思想；他所放下的酵，已經開始發酵。

威克里夫

君士坦斯會議也下令燒毀所有威克里夫著作，但無法全部毀滅。許多改教運動領袖都熟悉他的著作，當改教運動在英國爆發時，該運動某些部份就是沿着威克里夫所畫的路線發展。

亨利八世在位的早期（公元 1511－1514 年），伊拉斯姆在劍橋大學講學，他不但在英國結交許多朋友，他所寫攻擊教會的著作，也廣被閱讀。

英國也像其他國家一樣，直接受到路德著作的影響，路德出版他偉大的論著四個月後，伊拉斯姆便將它們寄給英國的朋友柯列特（John Colet）和摩耳多馬（Sir Thomas More）。從此以後，路德的作品不斷被輸進英國，路德的思想侵入了兩間英國最著名的學府：牛津大學與劍橋大學。在劍橋，一批年輕人每週都聚在一起討論路德的看法。數年後，在英國瞭解路德教導的人，越來越多。

2. 丁道爾（Tyndale）翻譯聖經　從教會歷史一開始，神的話和神的靈就是最重要的兩個元素。耶穌和使徒們的教導，奠基於舊約；後來新舊約聖經就成為基督徒眞理的源頭，也是生活行為的規範。

丁道爾翻譯聖經

教會歷史中，最具影響力的因素之一是將聖經譯成不同語言。直到今日，只要能作到，宣教士們就將聖經譯成宣教對象的語言。七十位學者在公元前三世紀左右，把舊約自希伯來文譯成希臘文，而成為七十士譯本（Septuagint）。耶柔米將聖經自希伯來文和希臘文譯成拉丁文，而成有名的武加大譯本（Vulgate）。聖經譯本是推動改教運動最具威力的力量：威克里夫將聖經譯成當時的英文；路德將聖經譯成德文；加爾文提供法文譯本；荷文譯本大大助長了荷蘭的改教運動；而丁道爾也開始將聖經譯成英文。

丁道爾（William Tyndale）先後在牛津、劍橋受教育。他首先接觸伊拉斯姆的觀念，然後是路德的，最後是慈運理的。因此，他定意要把聖經放在每一個人手中。一般百姓當然無法讀拉丁文聖經，至於威克里夫的英文譯本，一方面數量很少，一方面經過二百年後，英文本身有很多變遷，使威克里夫譯本中的英文不易瞭解。

丁道爾的譯本於公元1525年在德國出版，是直接由希臘文譯成英文的精彩譯本，（威克里夫譯本是自拉丁文的武加大譯成的）。第一版共出六千冊，在往後十年中，又出了七版。接下來，他又翻譯了舊約的一部份。在整個翻譯過程中，丁道爾都在强烈反對和恐怖逼迫的威脅之下。最後，他的敵人將他捉到，丁道爾終於在公元 1536 年六月於布魯塞爾附近殉道。他的譯本爲英國及蘇格蘭改教運動帶來極大的幫助，再一次證明神的話比刀劍更有能力。

公元 1535 年，另一本全部聖經的英譯本問世，它是由科威對勒（Miles Coverdale）翻譯的。

3. **亨利八世作教會元首**　英國的改教運動有許多獨特之處：一方面，在英國沒有一位突出的、偉大的領袖，諸如路德、慈運理、加爾文、諾克斯之類的人物。另一方面，英國教會的改革不是經由教會職員推動，而是藉着一位國王。

在這時期，英國已經發展了强烈的民族意識，人民反對所有外來的統治力量。文藝復興時期，教皇越來越趨向世俗，對世界的事比對教會的事更感興趣；因此，在英國人眼中，教皇不過比義大利貴族高一點罷了。雖然英國人還是忠實的天主教徒，但他們却越來越不滿意於教皇對英國教會的管轄，更不願將教皇規定的大筆獻金送到羅馬。

雖然如此，若不是英王有意離婚，可能英國教會仍然不會有太大改變。

英王亨利八世（Henry Ⅷ）請求教皇批准他與皇后迦他林（Catherine）離婚，因爲他計劃與波林（Anne Boleyn）結婚。教皇拖延許久都不給他答覆，英王不能再等，決定自己來處理這事。亨利八世本是個能幹的國王，善於控制國會；他使國會於公元 1534 年通過一項法案，宣稱英國國王是「英國教會唯一最高元首」，這法案被稱為「最高治權法案」（Act of Supremacy）。

「最高治權法案」為英國教會帶來重要的改變，這改變不是在教義上或崇拜儀式上，而是在教會的行政管理上。而且這項改變只是國王取代教皇的地位，成為教會元首。雖然是個大改變，但不能算是改教運動。

畫家霍爾斑（Holbein）所繪亨利八世像

亨利八世把路德看成異端，早於公元1518年寫了一本攻擊異端的書，題名為「論七聖禮」（The Seven Sacraments），教皇為此書特封他為「信仰的護衛者」（Defender of the Faith）。當他取代教皇做了英國教會元首時，他仍認為自己是忠實的、正統的天主教徒。

亨利雖有大能，但若不是有全民的支持，他仍然無法將教皇推開。天主教徒們和國王有同樣的看法，他們深信不管這種改變如何，他們仍是忠實的天主教徒。至於傾向路德的人，則認為這項改變是邁向改教運動的第一步。

並非所有英國人都願意接受「最高治權法案」，因此，亨利又使國會通過「叛國與異端法案」（Law of Treason and Heresy）。根據這項法案，「凡接受天主教以外教義的，就是異端；凡不承認國王是教會最高元首的，就是叛國」。

在「叛國與異端法案」下，許多人被處死刑，修道士們因不承認國王是教會元首而被殺，殉道者中包括兩位極有名望的人物：斐設爾主教（John Fisher）與摩耳多馬爵士（Sir Thomas More）。後者是英國最傑出的學者之一。他們兩位都拒絕宣誓接受最高治權法案。教皇由於斐設爾主教對該法案的反對，將他升為紅衣主教，來報答他。紅衣主教要戴一頂特製的紅帽，英王亨利八世在憤怒中宣告，將斐設爾主教的頭送到羅馬去戴紅帽；於是，這位七十六歲的老主教於公元 1535 年六月被斬頭而死。摩耳多馬爵士是非常熱心的天主教徒，曾把許多英國路德派信徒送上火刑柱；現在情勢改變，七月中，輪到他被送去斬首。

4. 亨利增加改革項目 國王成為教會元首後，教會其他行政制度還是保持教皇為首時的方式，因此，英國教會（也稱安立甘教會 Anglican Church）仍維持由主教治理的形態，而以國王為最高元首。從此以後，英國教會（安立甘教會）又稱為聖公會（Episcopal Church）。

過不久，亨利又在教義方面、崇拜儀式及某些信仰實踐上增加一些改革。修道院被關閉，聖徒遺物不再看為神聖，也不再展覽。在英國，有許多小修道院，也有幾間大修道院。這些修道院擁有許多財產，包括土地、珠寶、黃金。國王將它們的土地區劃起來，分配給他的心腹；這樣，他為英國開創了新的貴族制度，而且是忠於國王的一批人。

所謂聖徒遺物，純屬欺詐。遺物中，有的聲稱是彼得的頭髮和鬍鬚、打司提反的石頭、多馬的骨頭、馬勒古的耳朵等。在美斯敦城，有一個耶穌釘十字架的塑像，該像的頭部會轉、眼珠會溜、嘴唇會動、口中有沫、還會流淚，等到被毀時，才發現原來是神甫們所弄的機關。在英國全地散佈許多所謂「十字架的碎片」，加起來足夠裝滿三輛貨車。在亨利八世治下，聖徒遺物的掃蕩與毀壞，是對中世紀迷信的一次重大打擊。

直到亨利八世在位末期，英國還不是一個復原教國家。我們只能說，在倫敦及英國東南部的人屬於路德派。英國西部和北部，仍屬天主教，而且幾乎佔全國人口四分之三。

5. **愛德華六世**（Edward Ⅵ） 亨利八世於公元 1547 年去世，他的兒子愛德華六世即位；愛德華年僅九歲，便由舅父索美塞得公爵（Duke of Somerset）攝政。

亨利在位期間，贊成改教運動的情緒在英國普遍滋長。索美塞得攝政與他的新政府都傾向改教運動。因此，在愛德華短暫的在位時期，英國改教運動有相當大的進展。雖然在教會行政制度上沒有太多改變，但在教義與崇拜儀式上有不少變革。

公元 1547 年，國會通過准許信徒在聖餐時，不但可以領受餅，也可以領受杯。第二年年初，宣佈所有圖像都需從教堂中挪走。再過一年，又宣佈聖職人員不必守獨身，祭司以及聖品人員結婚視爲合法。

公元 1549 年，國會通過「教會統一條例」Act of Uniformi-

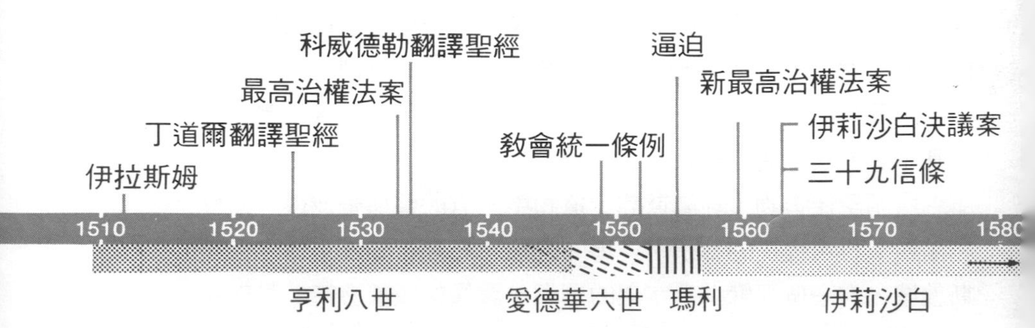

ty），這項條例規定，教會崇拜必須依照「公禱書」（Book of Common Prayer）進行。這本公禱書，也稱爲「愛德華六世初版公禱書」（First Prayer Book of Edward Ⅵ）。根據此書，聖公會在崇拜中以英文代替拉丁文；直到今天，英國教會原則上仍沿用這本公禱書。

「愛德華六世初版公禱書」沒有滿足任何人：保持天主教信仰的信徒不滿意這些改變；贊成改教運動的人，則認爲改得不夠。公元1552年，國會又通過一項新的「教會統一條例」，把公禱書加以修訂，幾乎取消了所有天主教的儀式。不再爲死人祈禱；用聖餐桌取代祭壇；聖餐時以普通麵包取代聖餐薄餅；驅鬼術與抹油禮都被拒絕；對於聖餐的看法則根據慈運理的看法，相信餅和杯只是基督身體和血的表徵。

教義方面也有改善，坎特布里大主教克藍麥起草了一份新的信經，有六位神學家幫他（其中一位是諾克斯），總算完成最後格式，而被全英國教會採用。這信經稱爲「四十二信條」，一般而言，這份「四十二信條」比公禱書更代表復原教精神。

在「血腥瑪利」之治下，未來女王伊莉沙白被拘在塔裡

到這地步，似乎英國改教運動即將大獲全勝。然而，忽然間，這輛「得勝列車」被迫停止；天主教勢力再度收復自亨利八世以來，所有失陷的地盤。

6. **血腥瑪利治下的天主教復甦** 愛德華於公元 1553 年因肺病去世，享年僅十六歲；他的姊姊瑪利（Mary）即位，登上英王的寶座。

瑪利是個堅定的天主教徒，她使英國改教運動至少倒退了廿五年。所有國會在前王任內通過的法案，都被撤銷，而恢復採用亨利八世最後幾年所用的崇拜儀式。凡贊成改教運動的主教或低級聖職人員，都被革職。許多改教領袖逃到歐洲大陸；在那裡，他們受到加爾文派的歡迎，却因不接受基督身體臨在聖餐中的看法，而被路德派疏遠。

曾於亨利在位期間，逃往歐陸的紅衣主教波爾（Pole），這時回到英國。國會再度過通恢復教皇在英國的權柄，並重新制定對付異端的法案，同時，撤銷亨利八世時代有關教會的法律。英國的改教工作完全被毁，教會又回到公元 1534 年以前的光景。只有一項例外：修道院的產業仍可保留在新佔有人的手中。

公元 1555 年是英國復原派教徒最恐怖的一年。這一年中，英國各地有七十五人被火燒死。在逼迫中，最出名的殉道者是兩位主教：喇提美爾（Hugh Latimer）和利得理（Nicholas Ridley）。當火焰吞滅他們之際，喇提美爾安慰一同殉道的同伴說：「感謝神，我們今天要在英國點起一盞永不熄滅的燈台！」瑪利並不以此爲滿足，她的下一個犧牲者是坎特布里大主教克藍麥。

7. **克藍麥（Thomas Cranmer）** 雖然英國改教歷史中，主

坎特布里大主教克藍麥走向殉道途中

要的角色都是政治人物，但其中有一位是教會聖職人員，這一位不遺餘力地宣傳復原教主義。公元 1532 年，亨利八世指派克藍麥擔任坎特布里（Canterbury）大主教；在此以前，克藍麥是劍橋大學的一位講道師；在歐陸旅行時，他遇到教皇、皇帝以及路德派領袖們，這些人都加強他對改教運動的傾向。

他對國家意識及改教運動兩方面都有強烈的感受，以致全力支持亨利八世切斷教皇對英國教會的統治。亨利八世死後，克藍麥成爲英國改教運動的推動力。在他的指導下，許多改革付諸實行，例如：聖餐時，信徒可以同時領受餅和杯；教堂裡取消圖像等。

爲了強化改教運動，克藍麥特別從德國請到復原教領袖馬特（Peter Martyr）和布塞珥（Martin Bucer）到牛津及劍橋執教。又因爲許多聖職人員仍然照傳統羅馬方式舉行教會儀式，克藍麥在國王特許下，派遣「御用牧師」到各地遊行講道，教導聖職人員，也教導一般百姓；我們記得，諾克斯就是被派的人之一。克藍麥同時也是「公禱書」與「四十二信條」的主要起草人。

公元 1555 年，他被羅馬革除教籍，而以紅衣主教波爾接他的空缺。到這地步，克藍麥屈服了，他公開承認教皇有權管轄英國教會。但，瑪利仍一心要把他置之死地，並希望他在死前公開表示放棄復原教主義，因爲這樣，就能大大破壞改教運動。在這以前，克藍麥已經被迫簽署了一份否認復原教主義的宣言。他的死刑訂於公元 1556 年三月廿一日在牛津執行。就在行刑之前，克藍麥再一次得回勇氣，他把以前所有翻供與否認的事全部撤銷，而以堅定的口氣宣告他的復原教信仰，同時戲劇性的道出自己在否認改教原則時的感受。在火焰中，他高擧那隻曾經簽署過否認宣言的手，直到燒成焦燼，火舌吞滅了他的全身。克藍麥終於以英雄之死殉道。

女王伊莉沙白簽署新最高治權法案

瑪利繼續血腥的逼迫，到公元 1558 年十一月七日她去世之時。在她統治下，大約有三百人被火燒死，她殘酷的逼迫，爲自己換來「血腥瑪利」（Bloody Mary）之稱。

8. 伊莉沙白時代的改教運動　瑪利死後，由妹妹伊莉沙白即位。當瑪利在位時，伊莉沙白的生命一直在危險中，因爲她受教於克藍麥，表面上遵行天主教禮儀，心中却歸屬復原教。登基以後，她終於可以使英國改教運動獲勝。瑪利逼迫的原來目的是要將復原教主義全盤消滅，但沒想到，竟造成全國反羅馬情緒的高漲，比過去任何時候更甚。這再一次證明了：「殉道士的血是教會的種子(the blood of the martyrs is the seed of the Church)」。

公元 1559 年四月廿九日，國會在強烈反對下，再度通過「最高治權法案」。這一次，也是最後一次，政府摒拒了所有教皇在英國的權柄。

接下來是修訂「愛德華六世公禱書」，將其中反教皇的禱告文刪除；至於天主教基督身體臨在聖餐餅與杯中的教義，則暫不討論。原來在公禱書中曾清楚說明，聖餐時下跪並非對「餅」的敬拜，但爲了討好天主教，在修訂時，把這一段删掉。這些妥協之舉，在當時看來似乎相當明智，誰知道却成爲後來許多不滿與衝突的根源。

公元 1563 年，又在教義上做了一點修改。把原來的「四十二信條」縮減到三十九條，而成有名的「三十九信條」(Thirty-nine Articles)，也是今天英國教會正式公認的信條。

這些在教義上、崇拜上、及教會行政上的改變，經過正式採納後，便稱爲「伊莉沙白決議案」(Elizabethan Settlement)。英國改教運動至此暫告一個段落：但從本書第卅四章以後，我們會發現，它不但繼續發展，而且更加激烈。

天主教徒在英國，從此變成了少數人。

從表面上看，英國的改教運動是由政府、國王、女王所推動；看起來，政治目的超過宗教目的；但如果沒有一股強大的宗教情緒滋長在英國國民的心中，這些國王、女王也是無法帶出改教運動的。

研討問題：

1. 既然羅馬天主教宣稱聖經就是權威，爲什麼要將翻譯聖經的人處死？

2. 民族意識如何影響英國的改教運動？爲什麼要訂立「最高治權法案」？
3. 亨利八世眞的想改革教義嗎？他爲什麼被教皇封爲「信仰護衛者」？
4. 亨利八世對修道院的態度如何與民族主義發生關聯？
5. 在瑪利統治之下，英國人必須如何調整信仰以便和女王的統治一致？爲什麼當時人們認爲國王、女王有權干涉他們的信仰？
6. 「伊莉沙白決議案」事實上是一個妥協，伊莉沙白所關心的是不是眞理的問題？
7. 解釋下列名詞：丁道爾、大主教克藍麥、三十九信條、公禱書、叛國與異端法案。
8. 英國改教運動與蘇格蘭改教運動有什麼不同？

第廿九章

羅馬教會從事改革
（1545–1563）

1. 改革是全民的期望
2. 西曼乃斯
3. 查理五世揀選亞良德
4. 教皇亞得良六世
5. 天特會議

1. 改革是全民的期望　教會巴比倫被擄（公元 1309–1376 年）的恥辱、大分裂（公元 1378–1417 年）的醜行，以及無數敗德行爲，使眞基督徒對羅馬教會感到無比傷痛，呼籲澈底改革的聲音，不斷地發自西歐各國。

這些呼籲改革的聲音，終於使教會召開三次大會，分別在比薩、君士坦斯及巴塞爾（公元 1409–1449 年）舉行。但對正直的基督徒而言，這三次大會令他們非常失望，因爲它們對改革教會毫無成就，相反的，情況却越來越糟。

所有敗壞教會的罪惡及弊端，都集中在「教廷官吏」

（curia）身上。在教會被擄巴比倫及大分裂之後不久，教皇制便進入異教文藝復興的影響之下。教皇們變成世俗化的義大利貴族、一批藝術與文學的愛好者。教皇利奧十世是一個高雅的紳士型人物，對異教文化的文藝復興有濃厚的興趣，他雖然生活檢點，卻很世俗，對屬靈的事毫無興趣；在他被封為教皇後，他說：「現在讓我們來享受教皇制吧！」；他最大的計劃是在羅馬建造一座雄偉輝煌的聖彼得教堂，這計劃需要龐大經費，為了得到這筆錢，他大量推銷贖罪券。

在西班牙塞維爾的基羅達塔是摩爾式建築的著名之例

就是在這時，路德發出了怒吼；由於全民都已感受到改革的必要，所以路德的行動立刻得到強烈的回應。二百多年來，期望改革的思想不斷提高，滙集成一股洪流。曾有相當長時期，羅馬成功地用水壩擋住這股洪流；但教皇越將水壩築高，水位却越往上漲。最後，路德爆破堤防，使改教洪流傾瀉在西歐各國。

2. **西曼乃斯**（Ximenes）　路德在德國改教前，西曼乃斯已經完成在西班牙的改革。

西班牙基督徒為驅逐回教徒而戰，達七百年之久。直到公元1492年，才將摩爾人（即回教阿拉伯人）在西班牙的最後一個據點格拉那達（Granada）收復。長期與回教徒的爭戰，使西班牙基督徒孕育了一股狂熱的宗教與愛國情操；這份情操在斐迪南與伊沙伯拉（Ferdinand and Isabella）在位期間，尤其强烈。

王后伊沙伯拉發起改革西班牙教會。她將改革工作交給三位教會領袖，其中一位是西曼乃斯，他是方濟會修士，後來成爲多列杜（Toledo）大主教，是眞正策劃改革、推動改革、並改革成功的人物。

這次改革主要是改善聖品人員與修道士。西曼乃斯爲所有修道院訂立嚴格規條，神甫人員强迫過道德生活。無知、無能的聖職人員都被革職；其他人則被送進他所設立的學校中學習神學。所有反對西曼乃斯的人都在王后之權柄下遭剷除。王后伊沙伯拉保護西曼乃斯，使他免受教皇的干涉。改革的結果，西班牙教會得到愛神而能幹的聖職人員。

教會的其他方面則保持原狀：教皇仍被尊爲教會元首；聖品階級仍然繼續；天主教對祭司與聖禮的觀念仍舊持守；一切聖禮、信條、禮儀、聖事都不過問；教義也毫無改變；修道院未被解散，也沒受到壓制。

西曼乃斯在西班牙所做的是「改革事工」而非「改教運動」。

3. **查理五世揀選亞良德（Aleander）**　公元 1521 年，沃木斯國會中的三位傑出人物是查理五世、路德、亞艮德。查理是斐迪南與伊沙伯拉的孫子，自幼在祖母嚴謹的天主教環境中長大，後來做了西班牙王，又成爲德國皇帝，而亞艮德則爲教皇的代表。

有一段很短的時間，查理五世曾想利用路德改善整個教會，正如他祖母用西曼乃斯改革西班牙教會一樣。查理知道路德激烈地攻擊教皇制、祭司制與聖禮；他希望路德放棄這種極端的看法。但是在沃木斯國會中，路德堅持教會大公會議會錯，而且他可以證明它們已經犯錯。聽到這點時，查理便揮手，示意會議結束；因爲路德選擇與羅馬斷絕關係，已到無法挽回的地步。

從那時起，查理堅決反對路德及改教運動；他決定與教皇代表亞艮德聯盟。第一步是藉教皇之助，推翻路德和改教運動；接下來是：背叛盟友，自己稱主；最後是將西班牙教會的改革運動，强迫推行於全教會中。

4. **教皇亞得良六世**（Pope Adrian Ⅵ） 沃木斯國會之後，教皇利奧十世去世，正好爲查理的計劃預備了良機。負責選擧新教皇的紅衣主教們進入長期停頓，打破僵局的唯一途徑，就是採納皇帝查理所提出的人選；最後，經過他們的接納，查理的人終於成爲教皇，名號是亞得艮六世。

教皇亞得艮來自荷蘭的烏特列赫城（Utrecht），曾擔任查理的家庭教師，是一位敬虔、嚴謹的天主教徒。由於他完全贊同西曼乃斯，而被譽爲「荷蘭的西曼乃斯」。

按照皇帝查理的期望，再加上個人的意願，教皇亞得艮的確將西班牙的改教運動帶到羅馬。然而，却一敗塗地。他的失敗有幾個原因：他在義大利人中，感到不自在。他不但不瞭解他們的生活方式，也不懂他們的語言。另一方面，這些義大利人也不瞭解他。亞得艮是一位單純、良善的人，他以爲把西班牙的改革推行在羅馬，是一件輕而易擧的事。直到抵達羅馬以前，他還不知道教皇制度的腐化，已經到了多麼深遠的地步。如果要對付贖罪劵的罪行，將會切斷教皇每年稅捐的數百萬收入。教廷本身就是個龐大的機器，有數千僱員及食客；若要推行西班牙教會的改革工作，就意味着把數千人的職業和收入剝奪。

他採取的每一步行動都遇到意外的攔阻和狡詐的反對，羅馬教廷朝臣們在這位敬虔、單純的荷蘭人背後暗笑。而在羅馬，又

教皇亞得艮六世

沒有伊沙伯拉的幫助，可以像當日西曼乃斯一樣剷除敵人的勢力。經過二十個月無效的奮鬥後，亞得艮終於公元 1523 年，心力交瘁而死。

在他的墓碑上，紅衣主教們請人為他刻了一行字，寫着說：「這兒躺着亞得艮，他一生最大的不幸是被封為教皇。」亞得艮是最後一位非義大利人的教皇。

教皇亞得艮在位時，做了一件很不尋常的事：他派遣一位使者到德國去，承認教會腐敗的主要根源就是羅馬教廷。果然不出所料，這個行動又被羅馬教廷朝臣們訕笑。然而對這位誠實、單純的亞得艮而言，這是一件大事。這件事深具意義，因為它是以教皇正式身份去行的事。

這項行動導致了羅馬教會改革的開始。在教廷中，有幾位較屬靈的人身居高位，他們看到了教皇的榜樣；他對改善羅馬教會的努力，喚醒了這批人，在他們心中挑起了改革教會的熱誠。

5. 天特會議（The Council of Trent）　在這同時，改教運動在各地展開、羅馬教會繼續腐化、皇帝查理急於使復原教與天主教合一。他安排了幾次會議，邀請復原派和天主教神學家前往參加；他們在會議中，研討雙方的不同看法，但始終無法獲致協議。羅馬教會中的熱心信徒繼續要求改革教會。

最後，教皇保羅三世（Pope Paul Ⅲ）召集了一次大會，地點在義大利北部山區的小城天特（Trent）。從公元 1545 年到公元 1563 年間，間歇性地舉行會議，其中有兩次長達數年的休會。天特會議是羅馬天主教史的里程碑，因爲它象徵教皇制的成功。

在德國、瑞士、法國、荷蘭、英國、蘇格蘭，復原派教會都擬定了信條，宣告他們的信仰。天特會議也爲羅馬教會擬訂一份信經，並採用了一本信仰問答書。許多教會的弊端糾正了；也爲羅馬聖職人員預備了更好的教育；教皇的最高權柄更堅定地肯定了。

雖然羅馬教會推行了很大的改革，但教會的本質仍然未改。爲對抗復原教，天特會議中更高舉、更肯定天主教體系。這次羅馬天主教的自我改革運動，被稱爲「反改教運動」（Counter Reformation）。

數年來，改教運動的熾熱爲羅馬教會提供了宗教上所需的條件，現在它凝固了，也正式定型了。

現在復原派教會所面對的，是一個經過改革和復興的羅馬教會，因此，復原教主義和天主教主義即將展開一場更激烈的鬥爭。

研討問題：

1. 爲什麼爲改革而召開的三次大會都失敗了？一般而言，教廷對改革的態度如何？
2. 西曼乃斯爲什麼能在西班牙改革教會？他的改革行動和路德有什麼不同？
3. 查理五世和教皇制的關係如何？關於改革，他個人的計劃是什麼？

4. 為什麼亞得良六世在改革羅馬教會的工作上失敗？
5. 天特會議帶出那些改革？為什麼到這時，這些改革就行得通，而過去卻行不通？
6. 天特會議如何影響復原教與天主教的關係？
7. 參考百科全書，列出所有大會議，並簡單說明每次開會的宗旨。

第三十章

復原派教會爲生存奮鬥
（1546–1648）

1. 查理五世致力剷除改教運動
2. 改教運動停頓
3. 天主教主義復興
4. 預格諾派爲生存奮鬥（公元 1562–1629 年）
5. 荷蘭的復原教徒（公元 1568–1609 年）
6. 德國的三十年戰爭
7. 雙方界限確定

1. 查理五世致力剷除改教運動　爲了瞭解復原教與天主教之間的艱苦奮鬥，我們必須先複習一些歷史：皇帝查理五世是個寡言的人，每次開口必先經過深思；但是有一次，也許在他一生中僅此一次，他直接說出了心中的話。那是發生在沃木斯國會中，當路德公然蔑視教皇與皇帝時，他起誓說：「我要以王位和生命作賭注，全力剷除異端。」他果然一生守住他的誓言。

皇帝頒布了沃木斯詔諭，下令逮捕及處死路德。若不是智者腓勒德力的保護，路德早已像許多被判爲異端的人一樣，燒死在火刑柱上。

沃木斯國會後的短期間，改敎運動還只是個幼小的樹苗，若不是當時皇帝被其他事情纏擾，他可以將它連根拔起。但是，那時他必須與法國交戰；後來又要爲自己的國家抵禦土耳其人。

打敗所有敵國之後，他終於有時間可以關注德國的路德派信徒。公元 1546 年，路德死後，查理便將他的攻擊對準復原教徒。然而從沃木斯國會到這時，已經過了廿五年，改敎運動已有足夠時間發展；這棵小樹苗已經長成大樹，需要强大的力量、揮動巨斧，才能將它砍倒。最初，皇帝贏得數度勝利，使改敎運動的前途黯淡無光，甚至連路德發動改敎的威登堡城也被查理佔領。

正當查理皇帝開始要對路德派作進一步攻擊時，他自己又遭到一次不幸的突變：撒克遜的摩里斯（Maurice）原是皇帝最强支持者之一，却突然背叛他。摩里斯本可將皇帝捉拿下監，却放他脫逃。有人問起原因時，摩里斯回答說：「我沒有一個夠好的籠子，可以關這樣一隻精緻的小鳥。」

公元 1555 年，皇帝發現自己處於困境，被迫與路德派簽訂「奧斯堡和約」（Peace of Augsburg）。根據這項和約，德國境內每個王侯，有權在復原教及天主教之間選擇自己的宗教，在他領土轄區內的人民，則全體接受王侯所選擇的宗教。

2. 改敎運動停頓　有一段時期，改敎運動所向披靡，因爲有路德狂暴的前鋒衝刺，加上慈運理、加爾文及許多改教者的援助；而另一方面，羅馬教會繼續腐化、教皇處事不愼，以致使這個巨大而古老的建築物，從根基開始搖動，甚至到一個階段，幾

這是 1584 年畫家提申（Titian）在奧斯堡所繪，神聖羅馬皇帝查理五世之畫像

乎全幢倒塌。然而，突然間，改教運動停頓了下來。有幾個原因使然：

第一個原因是：公元 1525 年路德在農民之戰中所採的立場。德國農民多年受到貴族與高級聖職人員的壓迫，因此，他們以「神的公義」爲名，憤然起義。路德起先同情他們，認爲他們有權抗議。但後來，當狂熱份子起來領導時，便肆行殺戮、破壞，路德就轉而反對他們，鼓勵政府用鐵腕鎮壓。這一來，下層社會份子便遠離路德和改教運動，使改教運動從此侷限於德國的中產階級與高階層社會人士中。

第二個原因是：重洗派的影響。早期重洗派多屬狂熱份子，他們反對天主教的行動遠超過路德或加爾文，他們不但聲言要摧毀教會制度，也說要摧毀政治和社會制度。羅馬教會立刻抓住這一點而宣告說：「改教運動的教義會破壞一切制度和權威，不僅在教會中，也在國家和社會中。」這種說法，使許多上層社會份子留在羅馬教會中。

第三個原因是：復原派本身的分裂，再度爲羅馬教會製造良機。因爲要在路德、慈運理和加爾文之間作選擇，必須經過許多思考和透徹的研究。羅馬教會說服這些懶惰、不關心、不會思考的人留在羅馬教會中，讓教會替他們思考。

第四個原因是：「因信稱義」教義的錯誤應用。許多人認爲「因信稱義」就是不必行善。這樣的誤用使道德低落到比羅馬教會時期更差。也有許多人將「基督徒的自由」變成放肆，他們以爲既然不是靠行善得救，就不必過良善的生活。羅馬教會的人，就用這點反駁路德的教義。這個可悲的發展，對路德本人而言，是個痛苦的打擊。

路德這邊的局面，使加爾文在日內瓦更堅定實行嚴格的教會懲治。一方面防範德國的情形在日內瓦重演，一方面堵住反對改教者的指責。

第五個原因是：復原教徒之間的隔離。法國、荷蘭、蘇格蘭的復原教徒，雖在教義上一致（均採加爾文信條），却在地理上隔離。路德派與加爾文派因教義不同而隔離。奧斯堡和約又將德國的路德派信徒因政治不同而分開。

3. **天主教主義復興**　羅馬教會本身的改革與復興，使這個教會再度站起來，而且奮力向前。這是改教運動減速的最大原因。這一次它預備了三樣有力的武器：禁書目錄（Index）、西班牙異教裁判所（the Spanish Inquisition）、及耶穌會（Order of Jesuits）。耶穌會是西班牙人羅耀拉（Ignatius Loyola）組成的。這時，「復原教主義」已因內部分裂而衰弱，它所面對的是從改教震撼中復元的、合一的「天主教主義」。

天特會議在許多成就之外，還編寫了一份禁書的書單，這份書單稱爲「禁書目錄」。目的在防止天主教徒閱讀天主教會認爲錯誤或有害的書籍。當改教初期，路德和加爾文的著作，可以自由在全國廣傳閱讀。現在天主教把復原派著作列入禁書目錄，使復原派看法的傳佈，大大縮減。

「異教裁判所」又叫最高宗教法庭（Holy Office），專司偵察及刑罰那些信仰不合天主教教義的人。異教裁判所所長就是最高裁判官，他直接向教皇負責。在他下面有許多調查員、公證

天特會議議場

人及法律顧問，同時也有許多僕人和獄卒。異教裁判所很快便撲滅了復原教主義在義大利及西班牙的微弱火花，凡加入改教運動的人，即刻下監、被殺或被逐。

羅耀拉是一個西班牙軍人，他在公元 1521 年的一場戰役中負傷；療傷期間，有人將一本「聖徒言行錄」給他讀，讀完該書後，他便決定放棄軍旅生涯，成爲基督耶穌的跟隨者。他在朝拜聖地巴勒斯坦後，便於公元 1528 年進入巴黎大學，爲成爲神甫，進修神學。

在巴黎大學，他認識了方濟沙勿略（Francis Xavier），他們兩人在公元 1534 年組織了耶穌會，宗旨在領人歸回天主教。由於耶穌會的努力工作，使波蘭、奧國及德國南部恢復了天主教。也使巴伐利亞、比利時及愛爾蘭保留在天主教範圍內。耶穌會也在北美及南美洲做了許多宣教工作。

天主教的「反改教運動」，廣義而言，是指阻止改教運動及恢復天主教失土的各種措施；狹義而言，是指天主教本身的改革與復興。

耶穌會之成立

一間耶穌會神學院中，學生們在內庭跪禱。圖片中央之塑像爲羅耀拉。

現在羅馬天主教已經預備好，要得回他們所喪失之地。奧斯堡和約只保護德國的路德派復原教徒，並未包括法國、荷蘭的加爾文派復原教徒。因此，這些人必須面對天主教强烈的攻擊。而這時，他們偉大的領袖加爾文又已經去世了。

4. **預格諾派爲生存奮鬥（公元 1562–1629 年）** 法國和德國一樣，也分成天主教和復原教。預格諾派復原教徒組織成堅强的團體，他們是一批成功的、有才智的人，其中有不少貴族，只是他們在社會上是一個小團體。

天主教與復原教徒都想控制政府，年輕的法王查理九世和他的攝政母親迦他林，有時親天主教，有時親復原教。公元1562年，這兩個宗教團體爆發內戰，在預格諾派勇敢抵禦下，獲得不少勝利。

在聖巴多羅買日大屠殺中，暴怒的查理九世協助射殺逃亡的預格諾派信徒。

公元1570年中，有一段短暫的和平，政府給預格諾派幾座城，使他們可以自由保衛自己。預格諾派領袖科利尼（Coligny）曾經擔任查理和他母親的總理；這時一位復原教徒波邦的亨利（Henry of Bourbon）即將與查理的姊妹瑪格麗特結婚，照情勢看來，這位亨利很可能成爲法國國王。天主教極端派立刻去警告迦他林說：預格諾派陰謀奪取王位。迦他林遂說服年幼無知的國王，策動一次狡詐的集體屠殺陰謀。

所有預格諾派的領導人物均被邀，前往巴黎參加亨利與瑪格麗特的婚禮。公元1572年八月廿四日正是聖巴多羅買日（Saint Bartholomew's Day），巴黎城所有的鐘都敲響了，其實這是大屠殺開始的暗號；三天三夜之久，大屠殺不斷進行着，單單巴黎

迦他林巡視聖巴多羅買日大屠殺的結果

城就有不止二千個復原教徒被殺；後來大屠殺擴展到其他城市，以致全法國超過一萬人被殺。第一個遇害的是預格諾領袖科利尼；波邦的亨利總算逃脫；這件事成爲歷史上最汚穢的罪行之一。

聖巴多羅買日不但沒有將內戰結束，反而爲內戰帶來新的衝力，雙方的鬥爭一直延續到查理的下一任國王亨利三世時代，而且變成「三個亨利」之間的「三角衝突」，這三個亨利是：天主教領袖——吉斯的亨利（Henry of Guise），復原教領袖——波邦的亨利，及採中庸路線的國王——亨利三世。

國王亨利三世下令謀殺了吉斯的亨利後，他自己也因敵手的報復而被刺身亡。因此，到公元 1589 年時，剩下來的波邦的亨利便可以名正言順地繼承王位。由於大部份國民是天主教徒，無法容忍復原教國王的統治，亨利便於公元 1593 年宣佈自己是天主教徒，並於公元 1594 年，凱旋地進入巴黎，成爲國王亨利四世。

法庭委員以酷刑逼囚犯俯首承認異端罪名

雖然不再是復原教徒，亨利還是沒有忘記他舊日的同道；便於公元 1598 年頒佈了南特詔諭（Edict of Nantes），宣佈賦予預格諾派信徒公民權並准許他們自由舉行家庭崇拜及公共崇拜。公元 1610 年，亨利四世遭刺去世，法國再度進入戰爭狀況，許多法國人民逃到其他國家及新大陸避難。

公元 1629 年，復原派在法國最後一個據點拉羅雪爾城（La Rochelle）失落，預格諾派在法國的政治力量也告崩潰；但是他們仍以一個復原教團體的形態，繼續存在。

5. 荷蘭的復原教徒（公元 1568–1609 年） 義大利、西班牙、法國、英國、蘇格蘭各地的復原教徒都被加上異端罪名而遭

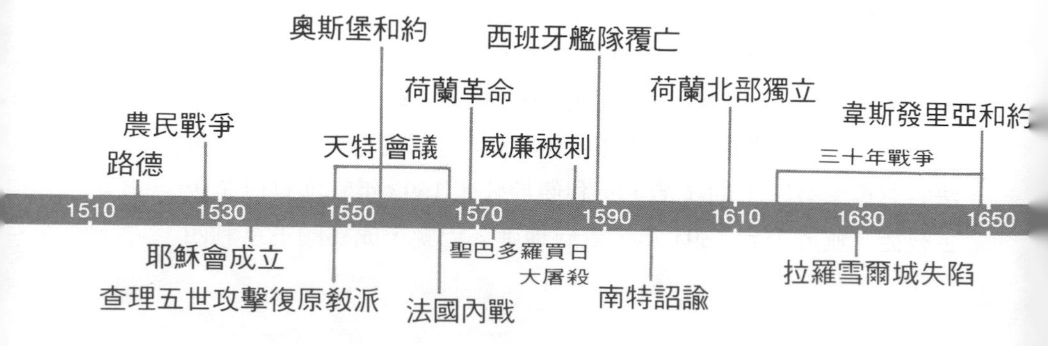

火焚處死；然而却沒有一個國家像荷蘭一樣，有這麼多人爲了信仰而殉道。

德皇查理五世身兼西班牙與荷蘭的國王，在他與他兒子西班牙王腓力二世（Philip Ⅱ）的治下，荷蘭有一萬八千多信徒成爲西班牙異教裁判所的犧牲者。爲了逼這些人承認自己是異端，無論男女，均施以慘無人道的折磨，然後將男人燒死，把女人淹死或活埋。

西班牙王腓力二世的暴政到令人無法忍受的地步；當日的西班牙是全歐最强的國家，而荷蘭只是一個小國。公元 1568 年，荷蘭人在一位偉大的改教運動英雄領導下，起來背叛西班牙，這位領袖人物是橙縣王侯沉默者威廉（William the Silent）。荷蘭的加爾文派信徒成爲全世界復原教主義的最佳鬥士，這些荷蘭人在漫長的黑暗的日子中奮戰不輟。可惜於公元 1584 年，沉默者威廉也成了刺殺者槍彈下的犧牲品。

英國伊莉沙白女王對復原派友善，爲這些荷蘭人提供大量軍援，以致天主教徒多次策劃要暗殺她，都沒有成功。

這時，西班牙的腓力國王開始了一項堂皇的計劃：他建立一支龐大的艦隊，號稱「無敵艦隊」（Invincible Armada）；計劃先以這支艦隊進攻英國，把英國征服後，便可輕易地平定荷蘭的叛亂。然而，英國在荷蘭的幫助下，却擊敗了西班牙無敵艦隊。這支自以爲傲的艦隊只有一小部份回到西班牙，剩下的殘骸在蘇格蘭及愛爾蘭岸邊可憐地遭風暴摧殘。

西班牙的威力受到强大的打擊後，荷蘭人在威廉的兒子摩里斯王侯（Prince Maurice）領導下，繼續與西班牙交戰。直到公元 1609 年，西班牙終於承認荷蘭北部獨立，建立荷蘭共和國。

6. 德國的三十年戰爭　自從公元 1555 年奧斯堡和約簽訂

沉默者威廉

後，德國享受了相當長的太平時間。但是到了公元1618年，奧斯堡和約被毀，致使復原教徒的奮鬥，看起來好像絕望。在這危急關頭，興起了另一位偉大的改教英雄——瑞典國王亞道夫（Gustavus Adolphus），他起來爲拯救復原原教主義而戰。經過三十年兇殘的交戰，直到公元1648年，戰爭才因爲韋斯發里亞和約（Peace of Westphalia）而結束。這項和約與奧斯堡和約相似，只是加上一點：在德國對復原教徒的宗教容忍，除了路德派也包括加爾文派。和前一次和約一樣，由每個封侯決定自己轄境內的宗教。這眞是一次毀滅性的戰爭，單單德國，經過三十年戰爭後，人口就由一千五百萬人減到五百萬人。

這幅「荊棘中的百合花」乃十六世紀復原派教會的標誌。周圍的題字選自所羅門的雅歌。

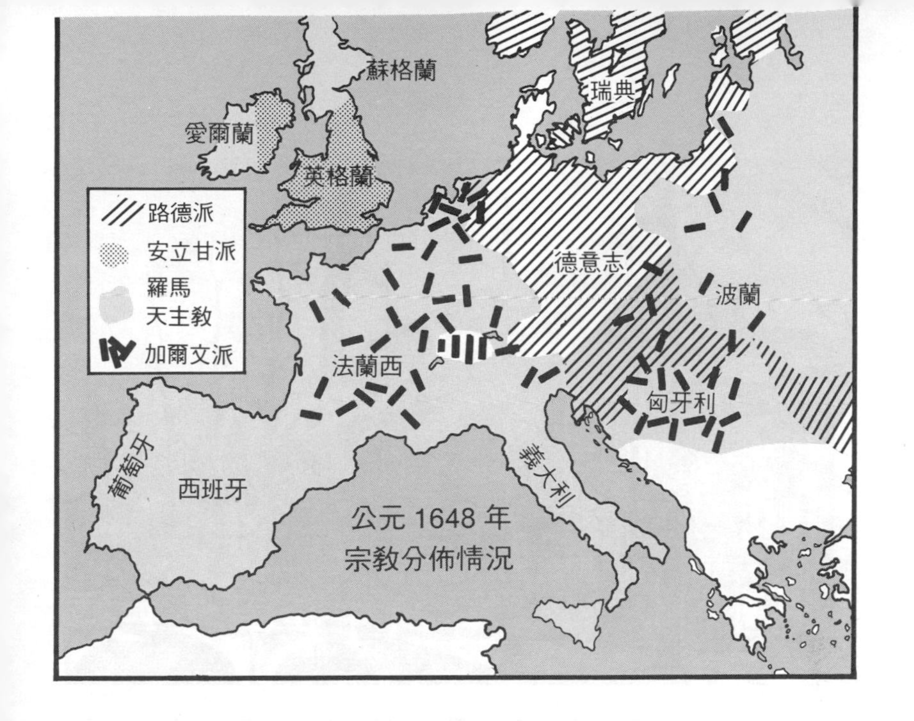

7. **雙方界限確定**　從過去歷史中，我們看到：自公元1520−1562 年間，改教運動經歷無數流血事蹟。自公元1562−1648 年間，復原教徒為自己的生存而奮鬥。這期間，從公元 1562−1618 年間，主要是加爾文派信徒與天主教之間的鬥爭，其間經歷無數感人的殉道事蹟；從公元 1618 年−1648 年間，路德派信徒也被迫投入戰場。這些年日中，德國、丹麥、瑞典的路德派信徒與荷蘭的加爾文派信徒都為了維護復原教而戰。

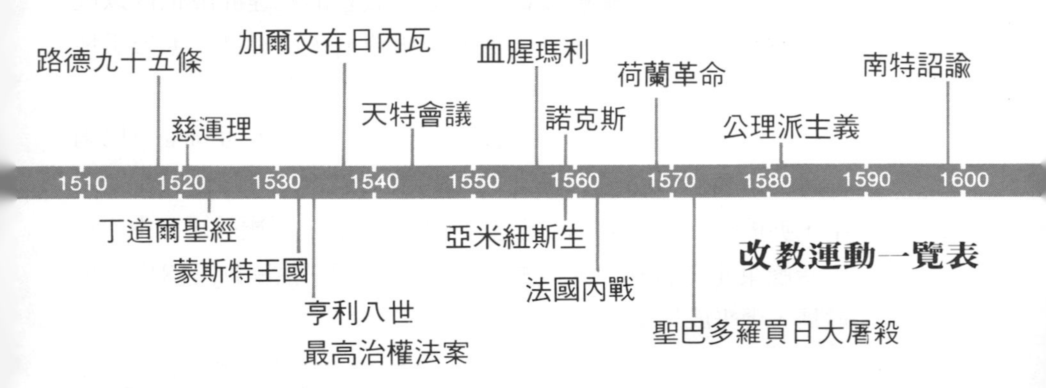

這是沉默者威廉爲紀念市民英勇抗戰所創設的萊登大學。公元1573年十月卅一日到1574年三月廿一日，萊登城被西班牙軍隊圍困。解圍後不久，又於1574年五月廿六日到十月三日再度被圍。雖然同時遭受饑饉與瘟疫的襲擊，該城決不投降，因爲該城的命運維繫整個荷蘭的命運。七月中，沉默者威廉下令決堤，再經數月奮戰後，才保住了萊登城。

公元1648年，韋斯發里亞和約簽署後，結束了復原教與天主教之間的爭戰。羅馬教會與復原派教會的地理界限也得以確定。從那時起，直到今天，這個界限沒有太大變遷。（參看地圖）

這期間，很少有東方教會的消息；只知道在小亞細亞及巴爾幹半島的希臘教會受到土耳其人的重大逼迫，而且他們在逼迫中，英勇堅持；歷經數世紀之久，仍然存在於巴爾幹國家中。雖然希臘東正教會在它的發源地受逼迫，却在俄羅斯境內穩定地發展，幾乎成爲全蘇人民的信仰。

莫斯科天使長大教堂

公元 1959 年復活節主日，蘇俄主教長亞歷西斯祝福信徒

研討問題：

1. 奧斯堡和約提供了些什麼？
2. 列出改教運動停頓的原因。
3. 復原教內部的分裂，是否至今仍產生不利的影響？
4. 爲了光復失土，天主教會做了些什麼事？
5. 西班牙爲什麼干涉荷蘭的宗教？
6. 三十年戰爭是一場最具毀滅性的戰爭，它純粹是宗教戰爭嗎？還是也有複雜的政治因素？
7. 解釋以列名詞：韋斯發里亞和約、1572 年、南特詔諭。
8. 查閱參考書籍，進一步探討聖巴多羅買日大屠殺事件。
9. 假如你是路德，當農民戰爭爆發時，你會採什麼立場？
10. 你認爲波邦的亨利放棄復原教信仰，宣佈自己是天主教徒，而獲得王位之舉，對嗎？

第肆部

改教後的教會

英國教會仍然動盪

公理派；浸禮派

亞米紐斯主義；貴格派

敬虔主義；莫拉維弟兄會

蘇西尼主義：神體一位論；現代主義

循道派

東方教會與羅馬教會

德國與英國的宗教生活

改革宗教會大受逼迫

教會再度增長

第肆部

改教後的教會導論

——改教運動是一場巨大的變動，這變動不但影響教會，也影響國家、經濟、文化各方面。改教運動發生在十六世紀，然而整個十七世紀，國家和教會的生活都繼續在動盪中，尤其是在英國。

——神的話一直是教會生活與教會增長的基本因素。從五旬節彼得的證道，到屈梭多模和安波羅修時代，直到路德和加爾文的講道，神的話一直在建立教會和保守教會上佔最重要的地位。

——所有基督徒都宣稱他們的教導是來自聖經，但是在瞭解聖經及解釋聖經上，彼此却有很大的差別。因此，最終的問題是：「到底什麼是聖經眞正的意義？」天主教許多教導是根據對聖經錯誤的解釋而來；改教者之所以要改教，是因爲他們對聖經眞正的意義有了不同的瞭解。

——改教運動以後，基督教便沿着四條路線，發展出不同的派別：有的接受天特會議所訂的信條；有的接受復原派的信仰；有的或多或少偏離前兩種信仰；有的完全放棄相信聖經是神的話。

——在這一部中，我們將看到公理派、浸禮派、循道派及莫拉維弟兄會的興起。我們會提到歷史的復原教主義及後來興起的錯誤神學——現代主義。同時，也將提到西歐各國在建立教會時期的各種情況和各次運動。

第三十一章

英國教會仍然動盪
（1558–1689）

1. 英國的改教運動是漫長的
2. 加爾文的影響
3. 清教徒渴望改革英國教會
4. 分離派脫離英國教會
5. 清教徒獲得優勢
6. 威斯敏斯特會議
7. 清教徒統治結束
8. 王權復興時代
9. 威廉與瑪利
10. 英國享受信仰自由

1. 英國的改教運動是漫長的　前文已經看到英國教會的獨特之處，其特點之一是：英國的改教運動，政治性超過宗教性；强調組織超過强調教義。

另一個特點是：其他國家改教運動多少已進入定局之時，英國仍然處於動盪和改變的階段，主要是因爲加爾文的影響强烈地臨到英國教會，而這影響來到英國比到法國、荷蘭、蘇格蘭等地都晚了很久。

伊莉沙白女王

2. **加爾文的影響**　公元 1563 年的伊莉沙白決議案，並未解決英國的教會問題。當血腥瑪利逼迫時，許多復原教徒逃到日內瓦歸附了加爾文。公元 1558 年，伊莉沙白繼瑪利之後，登位爲英國女王，這批信徒便懷著滿腔熱情、帶著加爾文觀念回到英國。因此，幾乎在伊莉沙白統治一開始，就聽到無數鼓吹澈底改教的呼聲。公元 1563 年的決議案根本不能滿足他們，因爲他們所期望的是看到英國教會被澈底潔淨；因此，這批人就被稱爲「清教徒」（Puritans）。

3. **清教徒渴望改革英國教會**　清教徒渴望看到每個教會都有熱心的、屬靈的、善講道的牧師；他們要求廢除當日流行的牧師禮袍、跪着領聖餐的方式、婚禮中的戒指儀式以及洗禮時劃十字的記號。

清教徒認爲牧師禮袍使聖職人員成爲特殊階級，無形中聯想到天主教祭司的權威。跪着領聖餐的方式，令人聯想到天主教的化質說，敬拜臨在聖餐的基督身體。婚禮中的戒指儀式則代表天主教以婚禮爲七聖禮之一的看法。對清教徒而言，洗禮時劃十字的記號，純屬天主教的迷信。因此，他們迫切希望教會把這些「天主教的舊酵」（old leaven of Catholicism）都掃除乾淨。

不久，他們又進一步要求在每一個教會中選出長老來，負起教會懲治的工作。他們也盼望廢除主教制，由百姓選出他們自己的牧師，而且所有牧師地位平等。這項要求，是要使教會行政制度由主教制變成長老制。

清教徒運動的領導人物是卡特賴特（Thomas Cartwright），他是劍橋大學的神學教授。早期反清教徒的首腦人物是惠特吉夫（John Whitgift），在他的陰謀下，卡特賴特被撤職；此後，卡特賴特便過着流浪與受逼迫的日子，但他仍繼續爲長老派清教徒主義（Presbyterian Puritanism）不遺餘力地勞苦工作。

雖然清教徒反對英國教會的主教制及許多儀式、條文，但他們絕不脫離教會；他們仍願留在教會中，從內部加以改革，以便照加爾文日內瓦教會的模式，塑造英國教會。

4. 分離派脫離英國教會　分離派信徒認爲，從內部改革英國教會的工作，不是絕望就是一項冗長乏味的事工。因此，他們決定脫離英國教會，故被稱爲「分離派」（Separatists）或「不同意者」（Dissenters）。在教會行政制度方面，他們强調每一個教會都是獨立自主的，沒有一個教會可以干涉另一個教會。因此，他們又稱爲「公理派」（Congregationalists）或「獨立派」（Independentists）。

留在英國教會及脫離英國教會的人，都接受加爾文信仰。

公元 1620 年在美國普里茅斯（Plymouth）建立殖民地的，

就是分離派信徒，他們也叫「天路客」（Pilgrims）。幾年後，建立麻薩諸塞灣殖民地（Massachusetts Bay Colony）的，則爲一批清教徒（Puritans）。

5. **清教徒獲得優勢** 伊莉沙白死後四十年內，清教徒都在受壓及逼迫之下。直到公元 1640 年的「長期國會」（Long Parliament），長老派清教徒才佔大多數。他們立刻肅清議會，將兩位最反對清教徒的人物：斯特拉福伯爵（the Earl of Strafford）與大主教絡得（Archbishop Laud）送去審問、定罪及斬頭。

國王查理對這些事甚表不悅；他決定將國會中反對黨五位領袖加上叛國罪名，但是下議院拒絕交人。

於是國王決定動用武力，使國會屈服。他離開倫敦，前往諾丁安（Nottingham）發動戰爭，使英國陷入內戰之中。

在國王這邊的是貴族與士紳；由於他們的英勇與騎術被稱爲「保王黨」（Cavaliers）。在國會這邊的是店員、農夫及小部份高階層份子。保王黨都有飄長的鬈髮，而對敵的一方却留着短髮、顯出頭形，因此被譏爲「圓頭」（Roundheads）。

戰爭初期，國王這邊佔優勢。在國會軍隊中，有一位農夫，名叫克倫威爾（Oliver Cromwell），他以睿智的眼光，看出眞正的難處，他對一位清教徒國會議員漢普登（Hampden）說：「一批窮酒保和學徒，絕不能打倒貴族。」

克倫威爾是歷史上偉人之一。身爲騎兵團團長，他表現出高度才幹與勇氣。他的軍團成爲出名的「克倫威爾軍團」，所向無敵。全體團員都有宗教信仰，他們不起誓、不喝酒、唱着詩、邁向戰場。

一個二萬一千人的軍隊按照「克倫威爾軍團」的方式組織了

起來。這是一個充滿宗教熱誠的團體，是十字軍以來沒有見過的現象。這支軍隊中，大部份軍人是敬畏神、心中火熱、吟唱聖詩的清教徒。沒有戰事的時候，他們就在一起讀經、禱告、唱詩。

克倫威爾在馬斯登曠野

納斯比之役（Battle of Naseby）中，保王黨像風前的糠粃潰散，國王被迫投降。審訊之後，國王被判爲暴君、賣國賊、謀殺者及公敵，必須處以死刑。公元 1649 年一月卅日，查理一世走上了倫敦皇宮前的斷頭台，當時有極多羣衆在場目睹國王的死刑。

6. 威斯敏斯特會議（The Westminster Assembly）　在戰爭進行中，國會決定改革教會，於公元 1643 年廢除主教制，並在威斯敏斯特召開會議，以制訂信條及教會行政制度。大會有一百二十一位教牧代表及三十位信徒代表參加，其中除公理派與聖公宗外，大部份是長老派清教徒。由於蘇格蘭人在戰爭時給過幫助，所以也將一些席位給蘇格蘭代表；雖然他們沒有投票權，但在會中有相當大的影響力。

威斯敏斯特會議成爲英國教會史中一次劃時代的會議。會中制訂了「崇拜指南」（Directory of Worship）以取代過去的「公禱書」。這本「崇拜指南」至今仍被長老派及公理派教會所採用。會中也訂立了有名的「威斯敏斯特信條」（Westminster

公元 1649 年一月卅日，英王查理一世步向斷頭台

Confession），這是改教運動時期，復原教主義最後一份偉大的信經。此外，也為講道解經預備了「大本信仰問答」（Larger Catechism）；並為教導兒童預備了「小本信仰問答」（Shorter Catechism）。

克倫威爾

此次會議非常成功；威斯敏斯特信條及兩本信仰問答，都是加爾文派或改革宗教義的最佳文件。

公元 1648 年，國會通過接受這些文件，只將威斯敏斯特信條作了些許修訂。這份信條也在蘇格蘭全國大會中通過採納。加爾文派在英國教會所做的改教運動，至此可以說是大功告成。同一年，歐洲大陸的三十年戰爭，也因韋斯發里亞和約的簽訂而告

查理二世被請回英國

結束。

7. 清教徒統治結束　納斯比全勝、和查理一世去世後，軍隊地位變成了至高無上。大部份軍人屬於獨立派，克倫威爾本人則傾向公理派。國會宣告英國教會的行政體系採長老派，但因受到軍隊的壓力，要使全英國納入長老派是不可能的。

從公元 1649 到 1653 年間，英國是一個共和政體，克倫威爾被任命爲攝政，因此，實際上是軍人專制。在克倫威爾治下，各宗教團體都得到相當多的自由，尤其是「不從國教者」（Nonconformists）和「不同意者」（Dissenters）。甚至連最令人討厭的貴格派信徒（Quakers），克倫威爾也對他們友善。自從內戰以來，大約有二千個主教制下的聖職人員，失去他們賴以維生的職業，過着貧困的日子。

8. 王權復興時代　公元 1658 年九月三日，克倫威爾去世，由他的兒子理查（Richard）繼承父親的遺缺。英國人民普遍對嚴厲的清教徒主義所施的重軛感到不滿；於是從國外將查理一世的兒子請回英國，並加冕爲爲查理二世。這次司都亞王朝（House of Stuart）重得王權，在歷史上稱爲「公元 1660 年復辟」（Restoration of 1660）。

本仁約翰和他的盲童在百得福監獄門口

復辟後國會做的第一件事是，寬赦所有在內戰時與查理一世交戰的人，但最高司法院的委員們除外，因爲他們將查理一世送上斷頭台。

公元 1662 年五月，國會（現在是强烈的安立甘派）通過一項新的「教會統一條例」，將「崇拜指南」（或稱公禱書）修改了六百處之多，目的在脫離清教徒主義；並且宣告不許使用修訂本以外的任何崇拜儀式。約有二千名長老派教牧人員，因拒絕接受而被免職，過着窮苦的生活。

蘇格蘭國會在逼迫信徒上，可與英國逼迫不同意者的方式媲美。蘇格蘭復原教徒稱爲「立約派」（Covenanters），他們像鹿一樣被人到處追趕，甚至那些躲在山洞裡秘密聚會的信徒，也被拉出來淹死。

在英國爲信仰受苦的大批聖徒中，有一位可憐的思想家，名叫本仁約翰（John Bunyan）；內戰中曾服役於敵對國王的軍隊中，後來他接受清教徒主義而成爲一個遊行講員。他因「不參加聚會」的罪名被捕，關進百得福獄——一間骯髒的地窖中；在苟

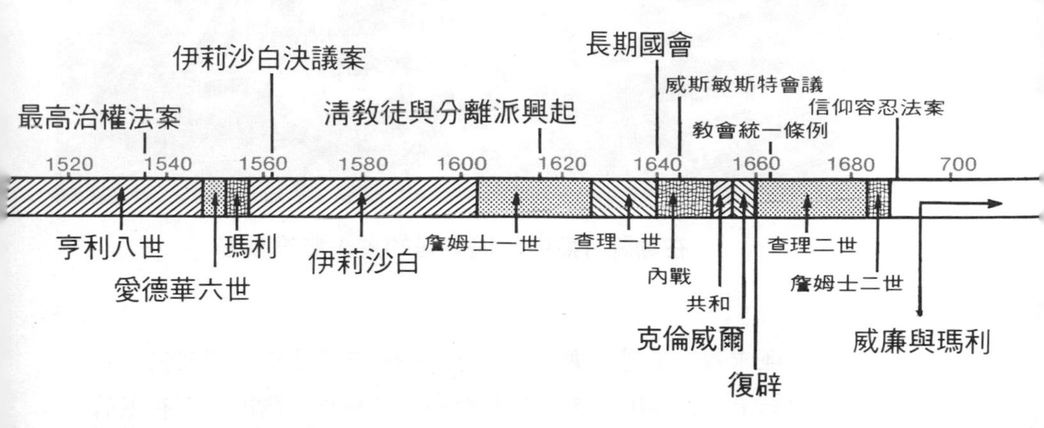

延殘喘的十二年監獄生活中，他完成了偉大的著作「天路歷程」（Pilgrim's Progress）。

另一位清教徒，名叫彌爾頓（John Milton）；出生貴族世家、受過高等教育、並具罕有才華；他在眼瞎、孤單、貧苦中，寫下了偉大的基督教史詩「失樂園」（Paradise Lost）。

逼迫的結果，使清教徒不得不脫離英國教會。過去他們曾希望留在教會中，從內部改革教會，現在他們被迫採取分離派的立場，他們也成了「不同意者」。

查理二世的一生，都搖擺在不信和迷信天主教之間。公元1685年，在臨終前，他接受了羅馬天主教信仰。他的兄弟詹姆士二世（James Ⅱ）繼任國王，是個熱誠的天主教徒，一心要在英國恢復天主教。於是他與廢除「南特詔諭」的法王路易十四（Louis ⅩⅣ）合謀，以達成心願。到這時，宗教和政治的自由都面臨危機。

9. **威廉和瑪利**（William and Mary）　正當這黑暗時刻，荷蘭復原教主義的鬥士威廉三世出來，與法王路易十四爲敵。威廉的妻子瑪利是英王詹姆士二世的女兒。英國人民在極度困境中

在動亂時期中，倫敦塔的主人更換頻繁

向威廉求救，於是威廉便於公元 1688 年舉兵自荷蘭過海，將岳父詹姆士二世逐出英國。他與瑪利被加冕爲英國的國王和王后。

第二年，詹姆士想得回王位。他在法軍的援助下，登陸愛爾蘭。南愛爾蘭人是天主教徒，站在詹姆士這邊；北愛爾蘭人是復原教徒，站在威廉這邊，稱爲奧蘭治黨（Orange-men）。公元 1690 年，一場決定性的戰役在波尼（Boyne）爆發。詹姆士在遠處觀戰，他一看到自己的軍隊失敗，立刻逃往法國；而在另一邊，威廉雖然負了傷，仍然身先士卒，表現出極度的勇氣與領袖氣質。

由於他的英勇和堅定的立場，威廉爲復原教主義保全了荷蘭、英國與美洲，他也使這些地方從天主教主義、路易十四及詹姆士二世的暴政下，釋放出來。從此以後，再也沒有因復原教和天主教之間的歧異而引發的戰爭了。

10. 英國享受信仰自由　威廉和瑪利被加冕爲英國的國王和王后時，有四百位英國教會的教牧人員（其中包括七位主教），拒絕宣誓效忠新的政權。爲此，他們都被剝奪了教會職份。

到這時，宗教信仰自由終於頒給了復原派的「不同意者」。根據公元 1689 年的「信仰容忍法案」（The Toleration Act），凡是願意實行以下各點的，都可以自由崇拜：(1)發誓效忠威廉與瑪利。(2)拒絕教皇權柄、化質說、彌撒、向馬利亞和聖徒禱告。(3)接受「三十九信條」。這樣，便使復原教不同意者的各宗派，可以在英國有自由而且得以公開。這些不同意者包括：長老派、公理派、浸禮派和貴格派，人數加起來約爲當時英國總人口的十分之一。

這項「信仰容忍法案」並不應用在羅馬天主教徒和不信三位一體教義的人身上。

威廉三世

研討問題：

1. 清教徒想怎樣改革英國教會？爲什麼英國人反對清教徒的統治？
2. 清教徒與公理派教徒有什麼不同？
3. 注意：英國於公元 1648 年的戰爭中，宗教和政治因素如何摻雜在一起？克倫威爾是軍事、政治，還是宗教的領袖？
4. 研讀威斯敏斯特信仰問答，找出它與海得堡信仰問答的不同。
5. 解釋下列名詞：威斯敏斯特會議、長期國會、分離派、卡特賴特、本仁約翰、查理二世、圓頭、保王黨、信仰容忍法案。
6. 爲什麼在所有國家中，英國第一個給予人民大量信仰自由？

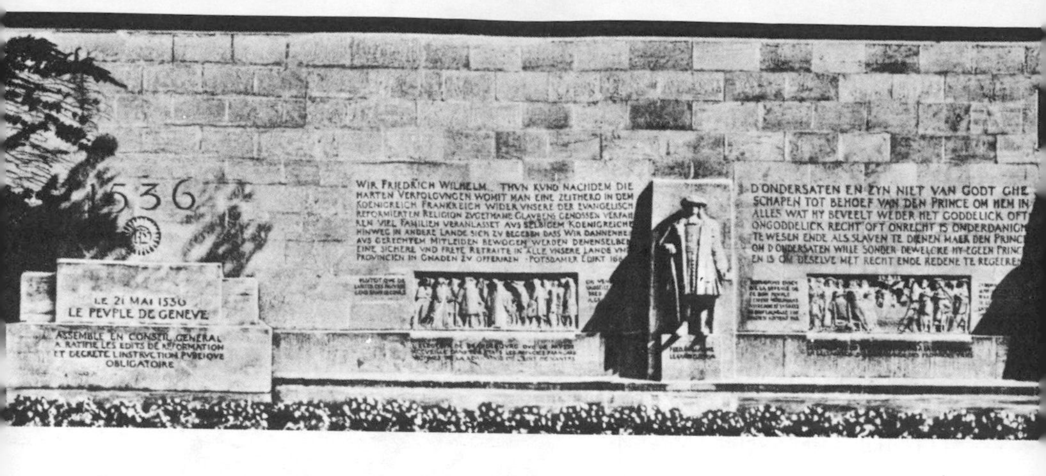

國際改教運動紀念碑
公元 1536 年五月廿一日，日內瓦市民立了「改教運動詔諭」。

德國浮彫：腓勒得力歡迎預格諾派流亡者。

腓勒得力
(1620-1688)

荷蘭浮彫：公元 1581 年七月廿六日，荷蘭北部宣告獨立

沈默者
(1533-

國　際　改　教

紀念碑的背景爲舊日城牆的一部份，紀念碑前面是一片水池，兩旁立着兩塊大石，寫着路德與慈運理的名字。

蘇格蘭浮彫：諾克斯在愛丁堡教堂講道。

威廉斯
(1604-1638)

美國浮彫：公
年威廉斯駕駛五
赴新大陸

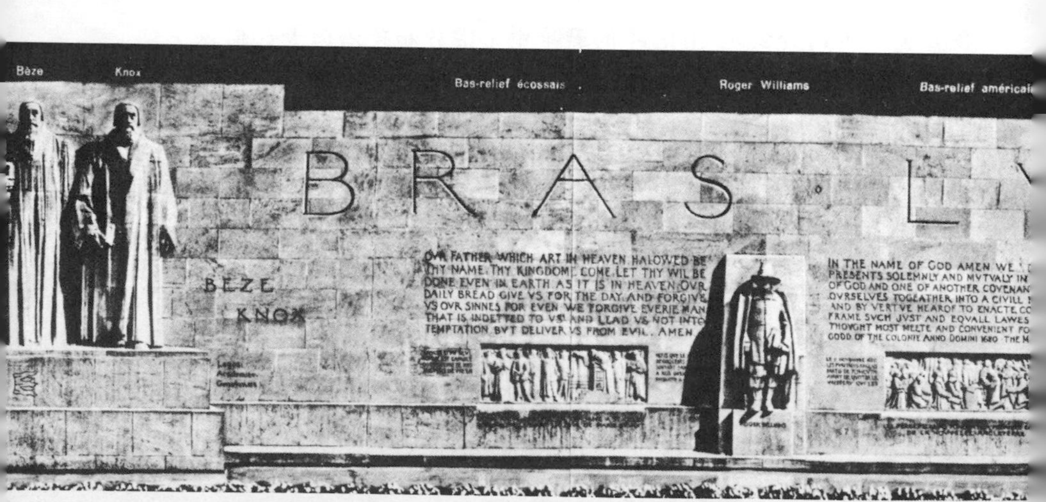

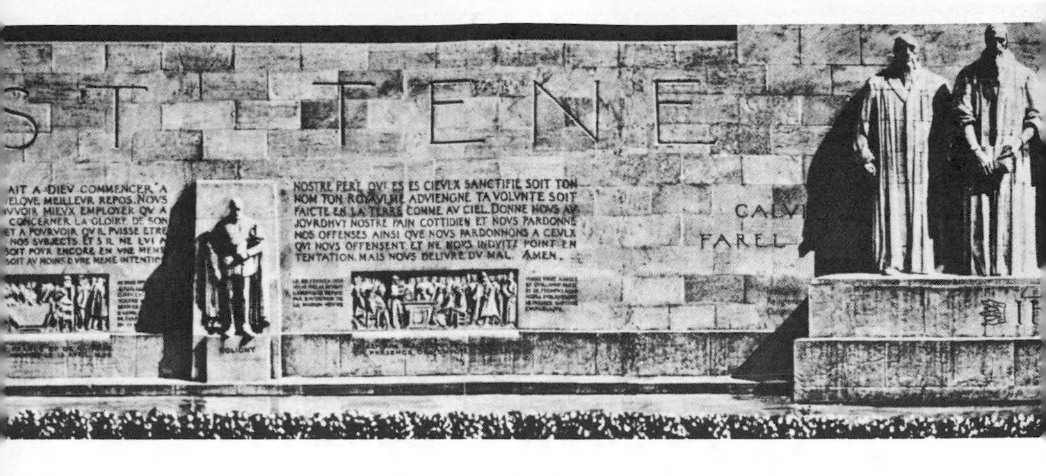

國浮彫：公元 1598
四月十三日，亨利四
簽署「南特詔諭」

科利尼
（1517-1572）

瑞士浮彫：公元 1534
年二月廿二日第一個小
孩接受改革派洗禮，微
內講道，法惹勒坐在他
後面。

此紀念碑的龐大建築費
來自日內瓦、匈牙利及
世界各地改革宗教會的
捐獻。

動　　紀　　念　　碑

爾
658）

英國浮彫：威廉與瑪利
加冕爲英國國王與王后

波士開
（1556-1606）

匈牙利浮彫：波士開將
已簽署的維也納和約送
到卡薩國會

Bas-relief anglais　　Bocskay　　Bas-relief hongrois

1602

LE 12 DECEMBRE 1602
LE PEVPLE DE GENEVE

第三十二章

公理派　浸禮派

1. 布饒恩
2. 公理派主義的成長
3. 一本新譯聖經
4. 斯彌特、布魯斯特、羅賓孫
5. 浸禮派
6. 克倫威爾傾向公理派
7. 威斯敏斯特信條被採用
8. 逼迫與奮鬥
9. 衰退與成長

1. **布饒恩**（Robert Browne）　在改教運動後，所有興起的宗派中，公理派（Congregationalists）最接近歷史的復原教主義（historic Protestantism）。在教義及崇拜方面，他們屬於加爾文派；他們是爲了教會行政制度的問題而脫離英國教會。

要瞭解這個團體，必須溯源到十六世紀。

第一個在英國傳播公理派思想的人是布饒恩。公元 1581

年，當伊莉沙白在位時期，他在諾立赤（Norwich）組織了一個公理派教會，因而被送進監獄。從監獄釋放後，他帶着大部份會友逃到荷蘭的密得爾堡（Middleburg）。當日荷蘭是歐洲難民的避風港，許多英國分離派信徒，在這兒找到安全之所。

布饒恩在密得爾堡出版了一本書，名叫「一本教導眞基督徒生活言行的書」：書中闡釋了公理派原則。這套有關教會行政體系的原則，至今仍爲公理派教會使用。

簡而言之，公理派主義所强調的是：每個教會獨立自主；各教會選擇自己的一位牧師、一位教師、數位長老及數位執事；教會間，彼此沒有管轄權，却以弟兄友愛之情互相幫助；在需要時，各教會可以派代表在一起開會，案件可以在會中提出思考，並加討論；會議的決定，各教會可以自己決定是否要採納。

2. 公理派主義（Congregationalism）的成長　歷史一次又一次證明：監禁不但不能阻止運動，往往鼓勵運動的發展。公元1587年，在倫敦一位名叫巴饒（Henry Barrow）的律師及一位名叫革林武得（John Greenwood）的牧師，因爲舉行分離派聚會而遭逮捕並監禁。在獄中，他們寫了幾篇文章，攻擊安立甘派和清教徒派，並帶出公理派原則。這些文章，被偸運到荷蘭出版，將公理派思想更加廣傳，也贏得許多信徒。

由於巴饒和革林武得的文章而歸入公理派的人中，有一位清教徒牧師，名叫强生（Francis Johnson）。當公元1592年，公理派教會在倫敦成立時，强生被選爲教會牧師，革林武得擔任教師。第二年春天，巴饒和革林武得因爲不肯承認女王伊莉沙白在教會中有最高權柄，而上了斷頭台。國會通過一項法規，宣告所有不服女王最高治權、拒絕到主教制教會聚會，及參加非公禱書所定儀式聚會的人，一概放逐。因此，大部份倫敦公理派信徒都逃到阿姆斯特丹（Amsterdam），强生也在那兒，繼續做他們的牧師。

3. **一本新譯聖經** 公元1603年，詹姆士一世（James Ⅰ）接續伊莉沙白繼承英國王位。清教徒在新王上任時，立刻聯名上書請願，提出各項要求。於是在國王面前舉行了一次主教們與清教徒之間的會議。該會雖未通過清教徒的要求，却決定了一件非常重要的事——出版一本新譯聖經。這項決議，帶出了公元1611年所出版的英王御譯聖經（King James Bible）。這本聖經，直到今天仍為說英語者所通用。

這次會議中，安立甘派大獲全勝，並規定清教徒和分離派一致附從。

4. **斯彌特（Smyth）、布魯斯特（Brewster）、羅賓孫（Robinson）** 公元1602年，當伊莉沙白在位的最後一年，興起了一次分離派運動。這次運動開始得很小、很謹愼，結果却帶出長遠影響，深具意義。

斯彌特原爲英國教會的牧師，後來接受了分離派原則，在干斯巴羅（Gainsborough）成立一間教會；不久，鄰近鄉村的人都來加入，於是，又在斯克洛比（Scrooby）的布魯斯特家中，成立第二間教會。大約於公元1604年，一位學問淵博、和藹可親，名叫羅賓孫的人，成爲這個教會的牧師。羅賓孫原來也是英國教會牧師，後來接受分離派原則。

由於大逼迫臨到，干斯巴羅教會於公元1607年遷到阿姆斯特丹；斯克洛比教會也於公元1609年遷到荷蘭的萊登（Leyden）。這間在萊登的公理派教會，後來在新大陸教會歷史中，扮演重要的角色。

第一版英王御譯聖經中的以西結書卅七章，顯示公元1611年之英文與今日英文，在形式上與拼音上略有不同。

5. **浸禮派**（The Baptists）　斯彌特和他的會友們在阿姆斯特丹接觸到門諾派信徒，在門諾派的影響下，他們也採納了浸禮派原則。有一部分會友於公元1611或1612年間，回到英國，在倫敦建立了第一間浸禮派教會。

同時，荷蘭的浸禮派又受到亞米紐斯主義（Arminianism）的影響。亞米紐斯主義是不接受「預定論」的；那些接受亞米紐斯主義的浸禮派信徒，後來被稱爲「普通浸禮派」（General Baptists）。

羅賓孫在萊登的教會中，有一位名叫雅各（Henry Jacob）的人，他回到英國守特瓦（Southwark）成立了一間公理派教會。公元1633年，有些人退出這間教會，因爲他們接受成人浸禮及加爾文主義。這一派後來被稱爲「特別浸禮派」（Particular Baptists）。

6. **克倫威爾傾向公理派**　克倫威爾並不屬於任何教會，但他非常傾向公理派主義。他得勢後，給與公理派信徒許多好處；他使當日公理派中最能幹的一位神學家歐文（John Owen）擔任教會的高級職員及牛津大學的副校長；許多公理派信徒都被擢升到很高的職位。

荷蘭萊登城聖彼得教堂中，紀念羅賓孫牧師的銅牌。

7. **威斯敏斯特信條被採用**　在克倫威爾的影響下，公理派主義越來越趨重要，只是信徒們尚未組成一個宗派；因此必須將公理派長老們召集在一起開會，以制訂一份信條。公元 1658 年九月廿九日，正當克倫威爾死後第廿六天，大會在倫敦的薩浮宮（Savoy Palace）舉行。會議中制訂了「公理派信仰與制度宣言」。大部份與會的領袖人物都參加過威斯敏斯特會議；因此，他們幾乎將加爾文派的威斯敏斯特信條全部放進他們的信條中。

薩浮宣言中，有一段是「耶穌基督所規定的教會制度與組織」，該段肯定地宣告，他們只採納公理派原則的教會制度與組織。

8. **逼迫與奮鬥**　當克倫威爾在位時，公理派非常得勢；但這短期的優勢，立刻被查理二世復辟及詹姆士二世的逼迫所取代。公理派、長老派、浸禮派和貴格派都遭到逼迫。這一批不同意者聯合起來，推翻了詹姆士二世，將威廉和瑪利送上王座。藉着公

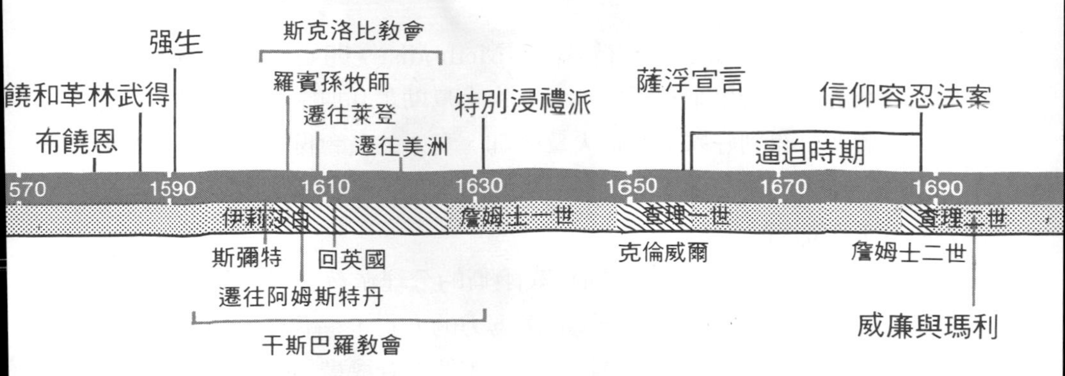

元 1689 年的「信仰容忍法案」，他們都得到相當多的宗教自由。

從此以後，英國的公理派、長老派、浸禮派和貴格派繼續爲獲得宗教的完全自由與平等，並肩努力。經過漫長的奮鬥，一直到十九世紀，他們的聯合努力總算得到成就。公元 1828 年，英國終於取消了反對不同意者的特殊法令，同時准許不同意者在大學、政府及軍中任職。現在公理派和其他不同意者得以在英國享受各種權利；而這個國家是以歷史悠久的英國聖公會（Episcopal Church of England）爲國家教會（State-Church）。在國家教會中，主教是當然的上議院議員，擁有龐大的捐贈，也有權向百姓抽稅，同時可以管理大學及一般教育；這些特權加起來，給英國國家教會極多利益。

今天，英國的不同意者仍然在爲宗教信仰謀求完全平等而努力。他們認爲，達到平等的唯一途徑是廢除以聖公會爲國家教會。

9. **衰退與成長**　十八世紀時，由於一些嚴重的錯誤，教會生活大受虧損。公理派教會人數減少，有些教會關閉，浸禮派教會也因錯誤教義的影響而衰退。

然而就在這時， 循道派（Methodist）開始屬靈大復興。這次運動所帶出來屬靈的衝力，大大幫助了其他宗派；公理派、浸禮派都得到好處：信徒大量增加、衰殘的教會復興、新的教會成立；本地與海外宣道工作、主日學工作、基督教文字工作及慈善工作都因此興起。

公元 1832 年，英國和威爾斯的公理派教會成立聯合組織，這個組織包括許多有錢、有影響力的人物，也有許多學識高深、極具才幹的牧師，並包括設備完善的教育機構，許多社團，及高水準刊物。

長老派與公理派聚會時，吟唱詩篇經文；浸禮派則最先開始唱聖詩。

公理派和浸禮派有許多相似之處，他們都接受各教會獨立自主的看法；他們都不太關心信條，這一點浸禮派比公理派更甚，因他們拒絕被信條所捆綁。

十九世紀後半期，全世界找不到幾個可以和司布真（Charles Haddon Spurgeon）相比的傳道人；他屬於浸禮派，除了不信嬰兒洗禮外，他是個道地的加爾文派。

研討問題：

1. 公理派的基本教導是什麼？
2. 研究英王御譯聖經的起源，特別注意在導言中，譯者對國王的稱呼。
3. 克倫威爾對公理派主義的態度如何？爲什麼英王復辟後，他和公理派教會的關係改變了？
4. 解釋下列名詞：布饒恩、斯彌特、司布真、薩浮宣言，公元 1611 年。

5. 普通浸禮派和特別浸禮派的不同在那裡？
6. 荷蘭萊登的公理派教會有什麼重要性？

第三十三章

亞米紐斯主義　貴格派

1. 與原初的復原教主義分道揚鑣
2. 亞米紐斯
3. 多特會議
4. 亞米紐斯主義繼續存在
5. 貴格派創立者弗克斯
6. 弗克斯的教導
7. 貴格派人數激增

1. 與原初的復原教主義分道揚鑣　公理派脫離了原初的復原教主義，是爲了教會組織與行政制度；浸禮派則是爲了成人受浸問題。

現在要另外談到兩個脫離基督教歷史性信條的團體：貴格派主義認爲，在聖經以外，神今天仍然對個人有啟示。亞米紐斯主義雖相信「因信稱義」的眞理，但他們太強調「人的自由意志」，以致抹殺了「神的主權」。

亞米紐斯

2. **亞米紐斯**（Jacobus Arminius）　亞米紐斯主義是從一位名叫亞米紐斯的人而來。公元 1560 年，亞米紐斯生在荷蘭的奧得瓦特（Oudewater）。在他還小的時候，西班牙人來，毀了他的家鄉，也殺害了他的父母和親友。他被一些有愛心的荷蘭人領養，長大後進入萊登大學受教，在校內表現優異。由於他的天資，阿姆斯特丹市長資助他出國深造；在日內瓦，他贏得加爾文繼承人伯撒的好評；他也前往義大利進修。

回國後，亞米紐斯於公元 1588 年成爲阿姆斯特丹改革宗教會的牧師。在當時被公認是一位博學能幹的牧師；他講道時，內容清晰、口才流利、善於表達，吸引了無數聽衆。漸漸地，他開始不能完全贊同改革宗教義。當時他已是萊登大學神學教授，雖然他仍然相信三位一體、基督的神性、藉基督十架代贖之工而得救的眞理，他的教學卻越來越有脫離傳統加爾文主義的趨勢。

我們還記得：當伯拉糾强調人的善行之時，奧古斯丁是以人類全然墮落來反駁他。現在亞米紐斯的觀念，使我們又聯想到伯拉糾，因爲他也否認人類完全敗壞。

亞米紐斯沒有完全反對「神的揀選」，但他强調：神的「預定」是根據祂「預見」那些會相信的人。他的領導相當微妙，他間接否認「神的揀選」，使「神的揀選」基於「人的行動」。因此，在表面上，他持守「神的揀選」的教義；事實上，是破壞這教義。他教導說：基督是為全人類而死；人可能從恩典中失落。他否認聖靈的工作是不可抗拒的。

在荷蘭多特舉行的多特會議是一次劃時代的聚會。會場借用多特一間大娛樂廳。

他所訓練出來的年輕傳道人，將他的教導帶進教會。當全國引起神學爭論之際，這位肇事的牧師亞米紐斯却於公元 1609 年去世了。

3. 多特會議（The Synod of Dort） 為了解決爭論，在多特召開一次會議，會期自公元 1618 年十一月十三日至公元 1619 年五月九日。多特會議是改革宗教會有史以來最大的會議，出席代表不僅來自荷蘭改革宗教會，也來自英國、德國、瑞士各地的改革宗教會，法國及德國偏遠地區雖被邀請，但因路遠，不克出席。

這次會議一致通過拒絕亞米紐斯的教導，除將其定罪外，又在「多特法規」（Canons of Dort）中，說明了改革宗的眞正教義。「多特法規」的制訂，是改革宗教會在信條制訂過程中的最高水準。

比利時信條、海得堡信仰問答及多特法規，是今日荷蘭及美國改革宗教會的信條和教義的準則。

美國名畫家威斯特(Benjamin West)筆下的貴格派家庭，在作決定前的靜坐等候。

4. **亞米紐斯主義(Arminianism)繼續存在**　今天在荷蘭仍有一小羣亞米紐斯派存在，也有一間神學院在阿姆斯特丹。然而，亞米紐斯主義却在英國產生相當大的影響，滲入了安立甘教會和絕大多數不同意派的教會中。衞斯理約翰(John Wesley)採納了亞米紐斯主義，成爲衞斯理循道派的信條。今天，美國大部份教會都接受這教義。

5. **貴格派創立者弗克斯(George Fox)**　在英國，十七世紀是個動盪不安的時代；這期間產生了一些傑出人物，其中一位便是貴格派創立人弗克斯。

弗克斯是個織工的兒子，長大後成爲一名鞋匠，他所知道唯一的一本書就是聖經。當時，英國教會中極其缺乏信仰的眞誠和實際。十九歲時，弗克斯被一位信徒邀去酒會；那一天，年輕的弗克斯爲這批基督徒世俗化的表現，異常傷痛；他心中切切地渴慕眞理和眞誠的信仰。

6. **弗克斯的教導**　弗克斯是一位極其嚴肅而敬虔的人，他堅信聖經，但是他認爲：「如果沒有聖靈的光照，聖經對一個人而言，永遠是一本封閉的書。」弗克斯稱聖靈的光照爲「內心之光」（Inner Light）。第一批接受弗克斯教導的人，叫做「眞理之子」（Children of Truth），後來他們被稱爲「眞光之子」（Children of Light）。他們深信在他們心中有一樣東西會指示他們對與錯，把他們從虛假帶進眞實，從低級進入高級，從污穢進入清潔，他們稱它爲「基督之光」（Christ's Light）。這光不但照亮他們的心靈，也帶給他們生命、能力與喜樂；因此，他們又稱它爲「神的種籽」（Seed of God）。

弗克斯不利用任何教會，也不採用任何信條或神學，他根本不相信神學院、神學訓練或全職事奉。

貴格（Quakers）這個名字的由來並不確定。可能是導源於有一次弗克斯叫一位英國長官要「因主的話而戰慄」。有些人則說是因爲早期弗克斯的門徒非常熱誠，在聚會中，尤其是禱告時，因情緒激動而戰慄，他們的敵人就給他們取外號叫「戰慄者」（Quakers）。然而，他們很不同意這個名字。他們最喜歡約翰福音中主耶穌所說的：「我稱你們爲朋友」；因此，他們喜歡被稱爲「朋友」。他們的組織，不稱爲教會，而叫「朋友會」（Society of Friends）

他們聚會的地方非常簡單，裡面沒有講台、沒有樂器、也不唱詩。他們坐在一起，安靜地等候聖靈的感動。如果經過一段時間沒有聖靈的感動，他們就靜靜地離開；但有時聖靈會感動一位或數位「朋友」，不論是男或女，這些被感動的人就站起來分享他們的信息。在信息之間，有時也會渡過一些完全沉默、痛苦難捱的時光。

「朋友們」不信「誓言」和「戰爭」，他們相信並履行「以善生善」的原則。他們也相信，聖靈的引導不僅是在聚會中，也在日常生活中。因此，他們也常安靜地等候聖靈對他們日常生活問題及決定的引導。貴格派教徒尊重所有人類的尊嚴及價值，這一點使彭威廉（William Penn）善待印第安人，也使他們的會友不支持任何戰爭，成為反奴隸運動中的領袖，在戰爭及災難的救援工作中，大有聲望。

7. **貴格派人數激增**　跟從弗克斯的人增加得很快，因為在英國有許多人對當日教會不冷不熱、充滿世俗的光景非常不滿。公元 1654 年時，只有六十位貴格派信徒；四年後，增加到三萬人。

他們被殘酷地逼迫；雖然如此，人數仍然增加。他們有强烈的宣教熱誠，遠赴歐洲、非洲、美洲各地，宣傳弗克斯的看法。當逼迫停止，他們傳道的熱誠也減低了；又因嚴格的懲治，失去不少會友；新歸主的人也很少。

他們穿特別的服裝，以示分別。當我們到美國賓州的貴格派社區時，就可以看見他們獨特的裝束。

今天，在英國大約有二萬二千名貴格派信徒；在愛爾蘭有二千人；在美國有十一萬五千名信徒，美國的胡佛總統便出身自貴格世家。

研討問題：

1. 亞米紐斯所教導的教義是些什麼？那些教會接受他的教義？為什麼至今無法解答這教義中的問題？
2. 研讀「多特法規」，找出其中改革宗的信仰，並說明 T.U.L.I.P. 幾個字母代表什麼？
3. 弗克斯的跟從者曾得到不同的稱呼，請分別列出，並選出你認爲最合適的一個，說明合適的原因。

4. 列出貴格派信徒尊重人性尊嚴及價值的實例。爲什麼今天基督教對於聖經中有關社會的教導，應用得這麼少？

5. 解釋下列名詞：伯拉糾、彭威廉、朋友會。

6. 爲什麼貴格派在英國、美國均大受逼迫？

第三十四章

敬虔主義　莫拉維弟兄會

1. 路德派教會中的新運動
2. 施本爾深信基督教是活的生命
3. 富朗開
4. 富朗開推動宣教工作
5. 敬虔主義的嚴重缺點
6. 弟兄合一會
7. 親岑多夫伯爵
8. 赫仁護特
9. 莫拉維弟兄會組織教會
10. 莫拉維弟兄會首創宣教事工

1. 路德派教會中的新運動　施本爾（Philipp Jacob Spener）是敬虔主義（Pietism）之父，於公元 1635 年生在德國西部，與本仁約翰及弗克斯同時代，屬於路德派教會。

施本爾的時代，路德派教會已被「死的道理」充滿，教會所強調的就是如何保守教義的純正及如何防備偏離路德派教義，既不能感動人，也不叫人信主，更不能勉勵信徒過有見證的生活。

對信徒的要求是：知道信仰問答、參加聚會、聽教義式講道、參加聖禮。他們不必參與教會事奉，也從來不提基督徒靈命長進或屬靈經歷。有些牧師的生活和他們的職份不相稱，甚至有許多還未眞正得救。教會內部則充滿酗酒及不道德的事。

施本爾

施本爾就是在這樣的宗教氣氛下長大；但是年輕時，他讀了一本德國神秘主義派神學家亞仁特（Johann Arndt）的書，書名是「眞基督教」（True Christianity）。這本書不但更新了他的個性，而且所留下的印象，後來又因他讀清教徒的著作更加深了；巴克斯特（Richard Baxter）的著作對他影響尤深。有一段時期，他住在日內瓦，和改革宗教會牧師很有接觸，但他一直是忠實的路德派信徒。

公元1666年，施本爾成爲法蘭克福（Frankfort）教會的主任牧師，他立刻改善對信仰問答的教導；在自己家中，他聚集一小批不以做「宗教徒」爲滿足的信徒們，他們在一起讀經、禱告，及討論上個主日施本爾的講道。這種小聚會的目的在栽培信徒進入更深的靈命。這種聚會後來被稱爲「敬虔小會」（Collegia Pietatis）；因此，在路德派教會中所開始的新運動就稱爲「敬虔主義」（Pietism）。

2. **施本爾深信基督教是活的生命**　爲建立一個更熱誠、更屬靈的基督教，施本爾在教會裡成立許多「教會中的小教會」

（ ecclesiolae in ecclesia ）。這些小教會就是在當地教會中「一同研經、彼此關懷」的小組。施本爾相信，基督教不僅是一套頭腦知識，更是活的生命。他認爲爲教義爭論是沒有益處的，而傳道人需要加强訓練。他要求傳道人都當有個人的屬靈經歷，並且在生活上有見證，配得上神的呼召。講道不可以用教義式或爭論式，乃要造就信徒靈命及所有聽衆。他認爲眞基督徒必然有火熱的事奉，而且是從「重生」開始的。

他和清教徒一樣，極力反對看戲、跳舞、打牌；而當時，這些事對路德派信徒而言，是無關緊要的。他也主張在吃、喝、生活方面要節制。

施本爾的活動針對當日路德派教會中的弊病，因此遭到强烈的反對。他在法蘭克福及德力斯登（ Dresden ）兩地艱苦地牧會後，前往柏林。在柏林工作愉快，直到公元 1705 年去世之日。

3. **富朗開**（ August Francke ）　這時在來比錫大學有一位年輕的老師富朗開。他於公元 1687 年經歷了靈命的重生，當時他二十四歲。他前往德力斯登和施本爾住了兩個月，並且加入敬虔主義運動。公元 1689 年，他回到來比錫，開始向學生及市民講道，立刻就有許多人跟從他。然而，困難也接踵而至；學生們從此荒廢學業、批評其他教授和牧師，引起很大的反感，使富朗開不得立足於來比錫。他遷到耳弗特城，在那兒照樣引起困擾。

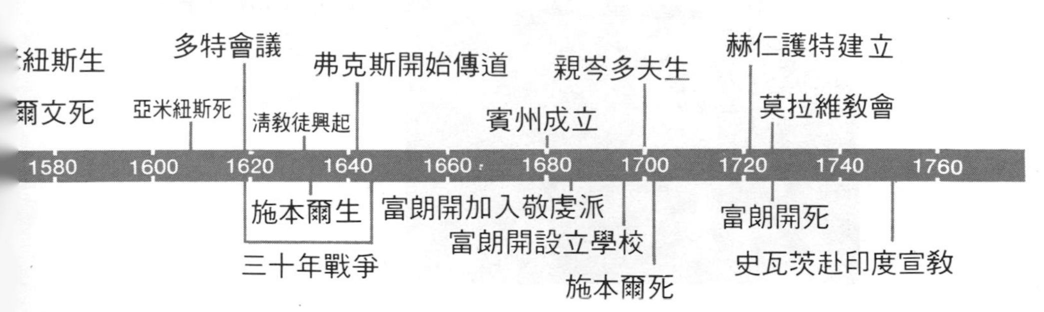

於是施本爾把他請到新近創立的哈勒（Halle）大學任教；富朗開立刻使哈勒大學成爲敬虔主義的中心。他在該大學工作到公元1727年去世之時。

富朗開精力充沛，又有組織能力，他本着敬虔主義精神，於公元1695年開辦貧童教育，並設立孤兒院。

富朗開雖然沒有錢，但他深信神垂聽禱告，後來果然從德國各地寄來捐款。雖然他靠禱告，但並不忽略本份，他善於利用各種宣傳方法，引起世人對他的工作的興趣。他的學校後來成爲知名學府；雖然開始時很小，後來成爲很大的教育機構。

4. 富朗開推動宣傳工作　復原派教會一開始就不忽略宣教工作。但是改教運動後的第一個兩百年間，許多力量都耗費在宣教戰爭及與天主教之間的奮鬥上，直到十八世紀初期，復原教宣教史才開始了新紀元。

丹麥國王腓勒德力四世想在他的印度殖民地上建立宣教據點。敬虔主義派由於關心靈魂得救，自然贊成宣教工作。富朗開

在波希米亞北部的弟兄合一教堂，是捷克最大的莫拉維教會。公元1957年曾在此舉行弟兄合一會五百週年紀念大會。

任教哈勒大學時，已經挑起學生們宣教的熱誠。因此，當丹麥國王尋找赴印度的宣教士時，他在哈勒大學找到了富朗開的學生們。

十八世紀中，哈勒大學至少有六十位學生前往海外宣教。其中最出名的一位是史瓦茨（Schwartz），他從公元 1750 年開始在印度傳教，一直工作到公元 1798 年生命結束時止。

5. **敬虔主義的嚴重缺點**　公元 1727 年富朗開去世之時，是敬虔主義的顛峯時期，此後再也沒有出過像施本爾及富朗開這樣的領袖人物。敬虔主義派並未脫離路德派教會，因此，一直無法知道他們到底人數有多少。但，敬虔派的確給靈性冷淡的路德派教會帶來很大的影響。

雖然敬虔主義爲德國教會帶來祝福，但敬虔主義本身也有嚴重的缺點。在敬虔派出現之前，路德主義已經走到一個「專重知識」的極端；敬虔主義就是針對這個冷淡痲木教會而出現的反應，但是它却又走到另一個「注重禁慾、嚴格捨己」的極端。富朗開不給學校孩童有太多機會玩耍；敬虔主義到一個地步，甚至變成苛刻與吹毛求疵；對於非敬虔派的人都稱他們爲不屬靈；對於不會講自己得救經歷的人，則不承認他們是基督徒。敬虔主義也不關心教義；十七世紀，路德派强調教義；敬虔派强調生活。由於他們低估了教義的重要，結果反倒爲後來的自由神學主義（Liberalism）及現代主義（Modernism）鋪了路。

6. **弟兄合一會**　公元 1415 年胡司死後，波希米亞（今日捷克西部）大逼迫，將胡司派逼到隱藏所，但未將他們完全摧毀。他們脫離國家教會後，躲進森林深處，於公元 1457 年成立了弟兄合一會（Unitas Fratrum），以「弟兄」彼此互稱，因此一般

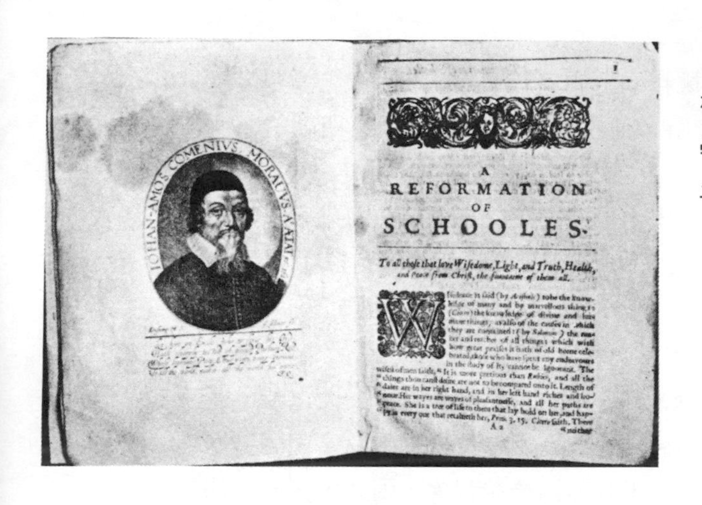

柯墨紐烏所著有關改革學校之書，於公元 1642 年譯成英文

人稱他們爲波希米亞弟兄會。這個弟兄會和公元 1530 年重洗派在瑞士成立的瑞士弟兄會不同，請勿將它們混淆。

路德時代，弟兄合一會已有二十萬信徒，並建立了四百間教會，他們熱心於傳福音及教育工作。公元 1501 年，他們最先開始使用聖詩集。他們的領袖與路德及加爾文聯絡的結果，使教義也越來越健全。

反改教運動及三十年戰爭（公元 1618－1648 年）的洗劫，幾乎將這個教會掃蕩殆盡，只剩下一小部份「餘民」。弟兄合一會最後一位主教柯墨紐烏（Comenius）（公元 1592－1670 年）也是一位著名的教育家，稱這批「餘民」爲「隱藏的種籽」（Hidden Seed），後來歷史的演變果然證實了他的話。

7. 親岑多夫伯爵（Count von Zinzendorf） 親岑多夫是早期奧國貴族的後裔。公元 1700 年生在德力斯登，父親是撒克森法庭官員，也是施本爾的密友，因此施本爾也做了親岑多夫的教父。從小親岑多夫就有很強的宗教意識；一幅耶穌釘十架的畫，上面寫着「我爲你被釘死，你爲我做何事？」給他帶來長遠而強

親岑多夫伯爵

在赫仁護特的教堂
（公元 1727 年 8 月 13 日那天，弟兄合一會就在此地恢復聚會。）

克利斯丁大衛

烈的印象。他一生被基督的愛所激勵，懷着一股赤誠的心願，要拯救靈魂，領人歸主。

十歲時，他被送到富朗開在哈勒的學校。在那兒，他立刻顯出領導的恩賜。他在男同學中組織了一個社團名叫「芥菜種會」（The Order of the Grain of Mustard Seed）。這個社團的宗旨是：「促進個人敬虔生活及世界宣道工作」。甚至他在九歲時，已經讀過一篇東印度宣教士的報導，後來他說：「從那時起，宣教負擔就在我心中滋長。」十五歲時，他和一批同學立下嚴肅的誓願說：「無論在什麼環境，都要承認基督，並要帶領各種人歸向基督。」

但是他的家庭反對他成爲宣教士，要他在政府工作。他爲順從父母，自公元 1716 到 1719 年間，進威登堡大學修習法律。在威登堡時，他雖已決定加入敬虔派，却很欣賞路德派的教義。後來他進入撒克遜政府工作，第二年，他用一部份繼承而得的遺產，在距德力斯登七十哩的柏帖多弗（Berthelsdorf）買下了祖母的大批地產。

8. 赫仁護特（Herrnhut） 一位名叫克利斯丁大衞（Christian David）的木匠，多年來努力將弟兄合一會餘民聚在一處，同時，自己也成爲敬虔派信徒。他請求親岑多夫准許這批「隱藏的種籽」在柏帖多弗避難。親岑多夫並不認識弟兄合一會，只知道他們正爲信仰遭受逼迫；因此，出於同情心而答應了。公元 1722 年，大衞得到准許，帶兩個弟兄會家庭過去。到公元 1727 年時，已有幾百位弟兄會住進柏帖多弗。這期間，親岑多夫讀了一本柯墨紐烏所寫的書，詳述弟兄會的信仰及實踐；讀完該書後，親岑多夫得到一個信念，就是神已經呼召他把古代弟兄會重新組織起來，成爲宣教事業的推動力。

他把地產的一部份給弟兄會；他們便在那兒建立了「赫仁護特」，意思是「主的居所」（Lord's Lodge）。親岑多夫辭去政府的職位，定居在赫仁護特。他利用當日「准許新村鎮自行管理」的法律，自行訂立條規，建立基督徒社區，並按施本爾原則，在教會中成立小教會。

因爲這些人來自波希米亞的鄰城莫拉維亞（Moravia），又是古代弟兄會的「餘民」，所以被稱爲「莫拉維弟兄會」（The Moravians）。

9. 莫拉維弟兄會組織教會 公元 1727 年八月十三日，在赫仁護特的一次聖餐聚會中，全體都感到聖靈强烈的工作，於是訂該日爲弟兄會再生之日，而正式成立了莫拉維教會。

親岑多夫和一些莫拉維弟兄們發展出一些特殊的看法；他非

常强調基督是信仰的中心，以致講道和聖詩都很重感情。基督的受死佔據了親岑多夫整個思想，尤其是基督肋旁的槍傷，常使他充滿幻想及感情。不過，親岑多夫和莫拉維弟兄們，後來漸漸放棄了這些特殊的看法。

親岑多夫屬於敬虔的路德派，他本希望莫拉維弟兄會能依施本爾的「敬虔小會」及「教會中的小教會」原則，加入路德派；但至終莫拉維弟兄會還是組織了自己的教會，有主教、長老、執事。不過它的行政制度看起來不像主教制，倒像長老制。

親岑多夫喜歡建立純莫拉維村鎮，鎮裡只有莫拉維弟兄會會員可以擁有地產，一切商業、工業大權操在教會手中。美國賓州的伯利恆城、拿撒勒城及利替茲城均按這種構想建立。今天莫拉維教會分佈在德國、英國及美國。在撒克遜的「赫仁護特」仍爲全球事工中心，每十年在此舉行一次大會。

10. **莫拉維弟兄會首創宣教事工**　親岑多夫以莫拉維教會爲

以「洗腳禮」彰顯「服事之道」。注意牆上掛着「基督肋旁被札圖」。

莫拉維派信徒在賓州的伯利恆城定居後，又向外擴展。這是今日在賓州利替茲城的莫拉維教堂。

今日在赫仁護特莫拉維姊妹們於聚會時仍穿着獨特的服裝。

基督的精兵，差往世界各地爲主爭戰，使全球歸順基督。莫拉維弟兄會是復原教中最先認眞地遵行基督「大使命」的教會。結果他們在非洲、亞洲、格陵蘭、拉布蘭及美洲印第安人中，展開了宣教工作。其中最偉大的宣教士當屬蔡斯伯革（Zeisberger）。公元 1808 年，他年屆八十七歲高齡，已經在北美印第安人中工作了六十三年，這是宣教紀錄中工作年代最長的一位宣教士。

今天莫拉維弟兄會仍在格陵蘭、拉布拉多、阿拉斯加、西印度、南非、東非、維多利亞、昆士蘭、西藏及北美印第安人中工作。

1733 年莫拉維宣教士
抵達格陵蘭

蔡斯伯革將福音帶到
美洲印第安人中間

莫拉維教會仍然很小，全美國不超過七萬信徒，但在遵行「大使命」方面，他們對其他宗派有極大的影響，這影響力和他們教會的人數不成比例。由於敬虔派親岑多夫的帶領和激勵，使莫拉維弟兄會首先點燃了復原教宣教工作的火炬。

研討問題：

1. 敬虔主義以什麼方式反應當日路德派教會的光景？
2. 爲什麼敬虔派教會有强烈的宣教負擔？
3. 敬虔主義有什麼缺點？
4. 施本爾的弟兄會和莫拉維教會有什麼關聯？
5. 那些事影響親岑多夫，使他不作傳統的路德派信徒，而成爲一個大有影響力的敬虔派信徒？
6. 解釋下列名詞：胡司、富朗開、敬虔小會、教會中的小教會、赫仁護特、波希米亞弟兄會、瑞士弟兄會。

第三十五章

蘇西尼主義
神體一位論　現代主義

1. 基督教教義的特色
2. 蘇西尼主義否認三位一體
3. 蘇西尼主義變成神體一位論
4. 現代主義不信超自然

1. 基督教教義的特色　我們已經看見不少復原派教會脫離原初的復原教主義，而且脫離的原因及程度都不同。

全世界宗教可以歸納爲兩大類：多神論（Polytheism）和一神論（Monotheism）。多神論相信宇宙間有許多神存在；一神論相信宇宙間只有一位眞神。若你遇到一個相信許多神明的人，你可以立刻斷定他是異教徒。

然而，並非所有持一神論的人都是基督徒。假如你對一位猶太教徒或回教徒說：「宇宙間只有一位眞神。」他會回答：「這沒什麼希奇，我也相信。」因爲猶太教、回教和我們一樣，都相信一神論。但假如你繼續對他說：「這位眞神有三個位格：聖父、聖子與聖靈」，他一定回答說：「我才不相信」，而且他會告訴你，他不是基督徒。一個眞基督徒必然相信基督是神，因爲沒有一個否認基督是神的人是基督徒。因此「三位一體」（Trinity）是基督教教義的特色。它將基督徒和信多神的異教徒分別出來，也將基督徒與非基督教一神論的人（如猶太教徒及回教徒）分別出來。

公元 1546 年二月十八日馬丁路德逝世，被埋在威登堡教堂中。

根據尼西亞信經，全世界基督教會都接受基督的神性，連希臘正教與羅馬天主教都接受這個信條；但蘇西尼主義（Socinianism）不相信尼西亞信經。

在脫離起初的復原教主義各宗派中，公理派和浸禮派距離最近，因爲他們只爲一個原因而脫離：公理派爲教會行政制度，浸禮派爲反對嬰兒洗禮。

貴格派、敬虔派與莫拉維弟兄會爲强調基督徒生活，放棄基督教教義而脫離起初的復原教主義。亞米紐斯則爲了一項教會多年爭論的教義而脫離：奧古斯丁和加爾文都接受「預定論」，認爲人得救是出於神的主權，人的命運由神決定。亞米紐斯則强調人的「自由意志」，認爲一個人對自己的得救有最後決定權；根據亞米紐斯的教導，一個人的生死大權，操在人手中而非在神手裡。

2. **蘇西尼主義否認三位一體**　蘇西尼主義因兩位義大利人而得名：勒略蘇西尼（Laelius Socinus）和他的姪子浮士妥蘇西尼（Faustus Socinus）。雖然表面上他們屬於天主教會，但他們却採納與教會基本眞理相背的教義。勒略蘇西尼放棄法律轉修神學，公元 1550 到 1551 年間，他住在威登堡，和墨蘭頓結爲朋友。

瑟維特被處火刑後，勒略開始對三位一體教義作嚴肅思考。爲了滿足自己，他把自己對這個題目的看法都寫下來，這些看法和教會傳統看法很不同。也許是怕遭到與瑟維特相同的命運，他沒有將所寫的材料出版。

勒略蘇西尼宣傳他錯謬道理的方法很特別，他不公開坦誠地宣佈自己的看法，而是利用一些巧妙的問題，暗中爲他的看法在人心中鋪路。

當他的姪子浮士妥在瑞士巴塞爾進修聖經時，勒略把沒有付印的手稿寄到浮士妥手中，這些文字大大影響浮士妥的思想。公元 1579 年，浮士妥蘇西尼前往波蘭，在那兒開始出版自己對三位一體不合傳統的看法，以致引起很大的爭論。

浮士妥死後一年，即公元 1605 年，在波蘭的拉寇市（Rakow）出版了一本「拉寇問答書」（Racovian Catechism），該書大部份出於浮士妥蘇西尼的手筆，因此奠定了蘇西尼主義的信仰。勒略蘇西尼和浮士妥蘇西尼都不承認基督的神性。他們說：「基督只是一個人，雖然他是有史以來最好的一個人。」他們也攻擊基督釘死十架爲人類衆罪付出贖價的教義。他們並否認「人類全然墮落、無法自救」的看法。浮士妥的門徒們在他的墓碑上刻着說：「大巴比倫（天主教）傾倒了，路德毀其根，加爾文破其牆，蘇西尼壞其基。」

他的著作大爲廣傳，在荷蘭、英國、美國都帶出很大的影響。

3. 蘇西尼主義變成神體一位論（Unitarianism）　十八世紀時，英國的蘇西尼主義變成了神體一位論。

林西（Theophilus Lindsey）是英國聖公會的牧師，他發出一道請願函，要求國會准許牧師不必接受三十九信條而只須對聖經效忠。這份公函的動機顯示蘇西尼派牧師不肯相信三十九信條，因為該信條承認基督的神性。這份請願公函竟然獲得二百五十多人的贊助簽名。但當公元 1772 年呈給國會時，遭國會否決。

於是林西牧師退出聖公會，而於公元 1774 年在倫敦組織了神體一位會（Unitarian Church）。

公元 1779 年國會修改信仰容忍法案，通過以接受聖經取代接受三十九信條。這個修正案為安立甘教會打開了通向各種異端的大門。再過不久，國會又通過取消對「否認三位一體者」的刑罰。

英國神體一位論強調人得救是藉基督的個性，而非藉祂所流的救贖之血。他們宣稱，拒絕一切「人所編的信條」，但是，他們當然也有自己的信條，這是無可避免的。

神體一位論嚴重地侵入長老派及普通浸禮派教會，摧毀了他們的靈性生活，教會很快地衰退。另一方面，公理派及特別浸禮派沒有受到太大影響，他們的人數增加，教會興旺。在信仰容忍法案時期，本來是長老派教會人數最多；現在公理派和特別浸禮派的人數則遠遠超過了他們。

4. 現代主義（Modernism）不信超自然　復原教各派雖然有過份強調理性的趨勢，但仍把聖經放在理性之上。現代主義則將頭腦放在聖經之上。也就是說，把理性放在信心之上。這種態度乃導因於現代科學與哲學精神。

現代主義者都不相信超自然的存在。他們不信神蹟，所以不接受童貞女懷孕及基督的神性。他們不信聖經，也不信聖經無誤；他們認為聖經不是神的啟示，乃是人的記錄，而且不是全人類的記錄，乃是古代猶太人的宗教觀念與經歷的記錄。

現代主義遠遠地脫離起初的復原教主義，與歷史的基督教一刀兩斷。現代主義思想已經或多或少滲透進復原教大部份教派中。

研討問題：

1. 蘇西尼主義及神體一位論的主要教導是什麼？
2. 瑟維特和勒略蘇西尼有何相同的看法？
3. 誰是神體一位論的創導者？這種信仰在那些地方傳佈？
4. 「現代主義」的「現代」是什麼意思？什麼是新正統主義（Neo-Orthodoxy）？誰是巴爾特（Karl Barth）？
5. 解釋下列名詞：拉寇問答書、林西、三十九信條、三位一體、預定論。

第三十六章

循道派

1. 衛斯理家庭
2. 「聖潔會」
3. 衛斯理兄弟遇見莫拉維宣教士
4. 衛斯理兄弟的歸正
5. 英國教會的光景
6. 約翰衛斯理是傑出講員
7. 循道派會社
8. 循道派成立教會
9. 衛斯理的方法
10. 衛斯理的信仰
11. 衛斯理的影響

1. 衛斯理家庭　撒母耳衞斯理（Samuel Wesley）是英國國教在愛普窩（Epworth）村的教區牧師。他的妻子蘇撒拿（Susanna）是個極其堅毅的女人。他們生了十九個孩子，其中八個夭折，第十五個是約翰（John），第十八個是查理（Char-

撒母耳衛斯理的妻子蘇撒拿是一位了不起的女性，除了照顧十一個兒女，給他們宗教教育之外，她還在愛普窩家中講道給鄰居聽。

les）。這兩個孩子成了教會歷史的重要人物。

公元 1709 年，愛普窩教區牧師住宅被焚，約翰和查理幾乎燒死；那時約翰剛六歲，一生無法忘懷自己從火焰中被救的景象，他常自稱是「從火中搶救出來的一根柴」。

2.「聖潔會」(The Holy Club)　兩個男孩都很會讀書，後來相繼進入牛津的基督教會學院（Christ Church College）；約翰於公元 1720 年入學，查理過六年也進該校。約翰成績極佳，被選爲林肯學院的研究生。獲得此項榮譽必須先接受聖職，故此，約翰於公元 1725 年在英國聖公會被立爲執事；三年後，被立爲牧師。

約翰衛斯理於主日晚和同學們在牛津的「聖潔會」聚會。

這時，他的父親撒母耳衞斯理已經年邁，因此，有一段時期約翰回到愛普窩教區，做父親的助手。

約翰不在牛津時，他的弟弟查理和另外兩位同學組織了一個社團，目的在互相切磋。不久，他們花許多時間讀有益基督徒靈命的書。當公元 1729 年，約翰回到牛津時，他立刻成爲這個團體的領袖，也吸引不少同學加入。漸漸地，這個團體的宗旨變成「實際經歷奉獻的基督徒人生」。

社團裡的團員開始前往牛津監獄做探訪工作，也開始實行有紀律的禁食。其他牛津的同學們譏笑約翰和他的團友，而戲稱他們爲「聖潔會」。因爲當時大部份學生都過著放肆的生活，而這個社團裡的人却過着循規蹈矩的生活，於是有些同學爲他們取綽號，稱他們爲「循道派」（Methodists）。

3. 衞斯理弟兄遇到莫拉維宣教士　公元 1735 年，撒母耳衞斯理去世，本來約翰願意繼續先父之愛普窩教區的工作，但這時俄格托普（Oglethorpe）將軍呼籲人前往美洲新殖民地喬治亞

衞斯理向印第安人傳道

（Georgia）宣教，約翰和查理的寡母積極鼓勵他們應召出去，她說：「如果我有二十個兒子，我樂意把他們都送出去宣教，雖然我會再也見不到他們。」於是，這兩兄弟便於公元 1735 年十月，離開英國，遠航美洲。

這是一次風浪洶湧的航程，好幾次船都瀕臨翻覆的險境。船上有二十六位莫拉維弟兄會的宣教士，他們在洶濤駭浪中，非常平靜安詳。他們不但祈禱神的護祐；還在大浪沖刷甲板時，喜樂地唱詩讚美神。約翰衛斯理深深感到，這批莫拉維信徒對神的信心是自己從未經歷過的。他又從他們的生活和交談中，學到許多功課。

抵達喬治亞後不久，約翰衛斯理遇到親岑多夫的同工施旁恩伯（Spangenberg），當時他負責莫拉維教會在該殖民地的宣教工作。施旁恩伯問約翰衛斯理說：「你認識耶穌基督嗎？」約翰衛斯理回答說：「我知道祂是世人的救主。」施旁恩伯說：「對的，但你自己是否確知祂已經拯救了你呢？」這個問題使約翰衛斯理整整苦惱了三年，因爲他沒有肯定的答案。

衛斯理兩兄弟在喬治亞勤奮工作，約翰又有極强的語言恩賜，能夠用德、法、義、英數國語言講道。爲了栽培基督徒靈命生活，他仿照大學時代的方式，組織小組團契；但由於缺乏策略，及勉强信徒遵行嚴格規條，使這兩兄弟的工作一敗塗地。查理病倒，於抵達殖民地當年就回英國。約翰也於公元 1738 年二月一日回國。

從宣教工作的角度來看，美洲之行對衛斯理兄弟而言是一場敗績；但從靈性造就的角度來看，這段「喬治亞插曲」對約翰衛斯理而言，是靈命成長極重要的一部份。

有十年之久，約翰衛斯理不斷與罪搏鬥，努力遵行律法，但一直無法從罪中釋放，也得不到聖靈的印證。他自己寫着說：

「因爲是靠行律法而非憑信心。」

約翰衛斯理和親岑多夫伯爵

4. 衛斯理兄弟的歸正

約翰於回到英國後第一個禮拜，便認識一位莫拉維教會的弟兄貝勒爾（Böhler），他正等候前往喬治亞宣教。貝勒爾傳講完全順服、立時悔改、靠主喜樂的道理；他於動身前，在倫敦組織了「桎梏巷會」（Fetter-Lane Society），約翰衛斯理加入該會爲會員，但他們兄弟二人都尚未獲得心靈的平安。

公元 1738 年五月廿一日，查理衛斯理在一場大病中悔改歸正。三天後，同樣的經歷臨到約翰。那一天，約翰很不情願地前往安立甘教會在阿得斯格街（Aldersgate Street）的一個聚會，會中有人宣讀路德羅馬書註釋的序文，約翰衛斯理記述他當天的經歷說：「九點差一刻，我聽到路德描寫神如何藉着人歸信基督而在人心中作改變之工，我感到心中有一股異常的溫暖；我知道我已經眞正歸信基督，單靠基督，得蒙救恩，而且得到憑據，知道祂確已除去我的罪孽，救我脫離了罪與死的律。」

這次經歷帶來深遠的影響，從此定規了約翰衛斯理對悔改歸正的看法，他認爲悔改歸正是一種「立時的經驗」（instantaneous experience），而且在這經驗之前會先有一段長期而痛苦的掙扎；他認爲一個人必須能確實說出他個人悔改歸主的時間和地點。但，這次經驗後，他自己仍摸索了相當長的時間，才進入毫

「約翰衛斯理」影片中一景：衛斯理正向一批被教會遺忘的礦工講道。

無恐懼、完全自由、充滿喜樂的境界。

既然莫拉維教會信徒給衛斯理這麼大的幫助，他便決定多多瞭解他們，而於歸正後三個禮拜，前往德國會見親岑多夫，並在赫仁護特住了兩個禮拜。然而，約翰衛斯理不能完全贊同他們，因爲他個人在宗教信仰上較多主動、較少神秘性，而莫拉維信徒則著重默想、沉思，並強調依靠神。

5. **英國教會的光景**　約翰衛斯理漫長的一生幾乎涵蓋了整個十八世紀。這期間，英國和法國爲了爭奪領導地位而陷入長期、痛苦的競爭之中；也在這世紀中，大英帝國的勢力伸張到印度、北美、澳洲和南非。在工業革命之下，新機器發明、生產加强、大都市興起、英國的農業社會起了改變；工業時代導致英國人民生活全面的變化。

這段時期，英國的教會光景是可悲的。無論是安立甘教會，或不同意者所設立的長老派、公理派、浸禮派教會都受到蘇西尼

約翰衛斯理
面對暴民

主義及亞米紐斯主義的影響。大部份講道缺乏熱誠，都是一些枯躁乏味的道德論調。除了少數例外，大部份牧師都不做超過本份的工作，所做的也是例行公事而已。教會的高薪職員有低薪助手可以爲他們做事；許多傳道人不但忽略自己的本份，反而忙於親睦地主，陪鄉紳們打獵、喝酒、打牌。

十八世紀前葉，英國的道德光景尤其低落，對神普遍的不信，加上粗俗和强暴，使公共娛樂變成非常低級，酗酒成爲社會的普遍現象。

然而，十八世紀也不盡全然黑暗：安立甘教會的柏克萊主教（Bishop Berkeley）是一位充滿宣教熱誠的人，他前往羅得島（Rhode Island）宣教。羅威廉（William Law）寫了一本影響約翰衛斯理極深的書，書名是：「忠誠與聖潔生活的呼召」。直到這時，講英文的信徒仍然反對在崇拜中唱聖詩，除非是唱詩篇經文。公元 1707 年，華滋（Isaac Watts）的聖詩集出版後，大家的態度才改變。公元 1719 年，華滋又出版一本大衛之詩聖詩集。他的詩歌充滿對神深度敬虔的表達，無愧是「英國近代聖詩的鼻祖」。

在英國有許多禱告、讀經及靈命追求的會社（societies）。

約翰衞斯理在此層小屋中講道

布銳（Bray）牧師鑑於人們對聖經與基督教文字的需要，而於公元 1699 年成立了「基督教知識促進會」，該會又導致公元 1701 年「海外福音廣宣會」的成立，後者發展成一個强大的宣道團體。這兩個團體均屬於聖公宗安立甘教會，他們不斷擴展工作，一直繼續到今天。

英國當時是經濟和軍事成長，宗教與道德衰退，就在這種光景中，約翰衞斯理和他弟弟查理及朋友懷特腓德（George Whitefield）開始了偉大的事工。

6. 約翰衞斯理是傑出講員 雖然許多教會不給衞斯理兄弟講道的機會，但他們常在前面所提的「會社」中講道。

公元 1739 年，懷特腓德開始在布里斯多（Bristol）附近向礦工們露天佈道。不久，他邀請衞斯理兄弟加入。「露天講道」在當時是一件嶄新的嘗試，約翰衞斯理起先對這種講道相當猶豫，因爲他認爲只有在教堂中講道才合乎宗教的莊嚴性。然而過不久，他就發現礦工們非常貧窮、從不踏進教堂，他們對福音一無所知，而且靈性饑渴；他也想起耶穌在世經常露天講道的事實；因此，約翰衞斯理便於公元 1739 年四月二日舉行第一次露天講道。

這就是約翰衛斯理傑出的講道事業之始，這事業一直延續了五十年之久。他騎在馬背上，足跡踏遍英國、蘇格蘭和愛爾蘭。衛斯理雖然沒有懷特腓德戲劇性的講道能力，但他的講道是誠懇的、實際的、大膽的，很少有講員像他那樣有果效，然而，他也激起不少人的敵對，在他講道時，時常引起暴民的反動。

7. 循道派會社　約翰衛斯理不但是一位偉大的講員，也是一位偉大的組織家。公元 1739 年，他在布里斯多成立了第一個循道派會社；公元 1739 年五月十二日，在該城建立第一座小禮拜堂。在倫敦，本來參加莫拉維派「 桎梏巷會 」的循道派信徒，與衛斯理一同退出該會，改在一間破舊的鑄造廠聚會，並於公元 1740 年七月成立純循道派的「 聯合會社 」(United Society)，雖然衛斯理與莫拉維派保持友善，但莫拉維派與循道派，自此分道揚鑣。

衛斯理一直無意脫離英國國家教會，因此他一直到晚年都沒有成立一個新宗派或教會。但同時，他又不忍心看到自己工作的果效流失。所以他定意保守並栽培信徒的靈命。在衛斯理開始偉大的講道生涯前，英國已經有許多「 宗教會社 」，於是衛斯理便以這個方式應用在他的事工上，他把那些因爲聽他的講道而信主的人聚在一起，組成「 會社 」。

有興趣的人可以加入其他會社爲會員，只有聽他講道而信主的人才可以加入他組織的會社。這些信徒必須繼續領人歸主。不但如此，衛斯理發明一種「 會票 」(society tickets)，頒給有資格的會員；每三個月更換一次，利用這種會票制度，衛斯理可以淘汰那些暫時相信或假冒相信的人。

爲了布里斯多禮拜堂的債務，他又帶出一套重要的循道派編制法。他把所有會社中的會員分班編制；每班十二人，有一位班長；班長的責任是每週向每個會員收取一辨士；這樣做，不但可以收集相當數目的捐款，更重要的是，還能照顧會員的靈命。

過不久，衛斯理就需要助理同工，他本盼望由受過聖職的人擔任講道工作，却找不到這種人；因此，公元 1742 年，麥克斯腓（Maxfield）成為第一位平信徒講員。後來，衛斯理聘請了不少平信徒講員；工作越開展，平信徒工作人員越增加，他們分擔財務管理、主日學及病人探訪等工作。

起初，循道派會社只分佈在倫敦、布里斯多及鄰近地區，衛斯理總是親臨各地探望。但工作不斷擴展，這種探望的工作逐漸不可能做到；衛斯理便於公元 1744 年第一次把各地講員聚集在倫敦開會，而創始了後來循道派組織系統中的最高單位——「年會」（Annual Conference）。

兩年後，又把工場分成幾個「聯區」（circuits），每區指派幾位旅行講員。再過不久，又為各區安排助理人員，負責各區一般事務，這些助理人員後來被稱為監督。

由於平信徒講員在知識上缺乏裝備，衛斯理認為他們最好在一個地方工作不超過六至八個禮拜；於是開始了後來很流行的「巡廻講員」（itinerant preacher）制度。

查理衛斯理也擔任了幾年巡廻工作，他娶了一位富有的女子

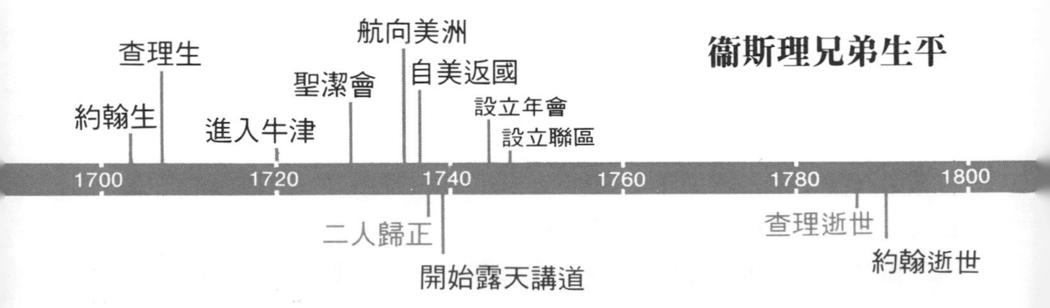

為妻，經常陪他騎馬到各處旅行，她也在查理的聚會中領會眾唱詩。查理是循道派聖詩作家，一共寫了數千首聖詩，其中有許多非常流行，不但循道派教會中，至今所有說英語的教會仍然採用。查理沒有約翰那樣强壯的身體，公元 1756 年以後，查理便很少出外旅行，他先在布里斯多工作，從公元 1771 到 1788 年，他一直在倫敦工作，直到去世之時。

8. 循道派成立教會　衛斯理鼓勵平信徒講員多多進修，他雖未設立神學院，却寫了很多材料，供應這些講員在家自修；他的著作對平信徒講員有很大影響。

約翰衛斯理邀請安立甘教會主教為這些平信徒講員按立聖職，但未蒙應允。而他自己仍堅持未經按立聖職的人不可主持聖禮。這樣一來，對已按立之傳道人的需要越來越大，衛斯理無法承當這份壓力。按規則只有主教有權按立牧師，但衛斯理深信在初期教會時代，長老和主教（監督）是相同的職份；旣然他自己曾經是英國國家教會的長老，衛斯理便於公元 1784 年九月一日在布里斯多按立了兩位牧師。當時他不覺得其重要性，但事實上，這次行動代表了與英國教會的決裂，也使循道派教會自此成立。

衛斯理於公元 1791 年三月二日在倫敦去世時，雖已年屆八十七高齡，但他的眼睛沒有昏花，體力也沒有衰退，正如摩西一樣。

9. 衛斯理的方法　衛斯理採用的方法，不但新而且具革命性；它們在三方面和當時一般教會所行的截然不同：

第一，衛斯理在露天講道，這是極不尋常的事。當然，耶穌在世時不但在會堂講道，也在山上、海邊、路上講道；但當教會

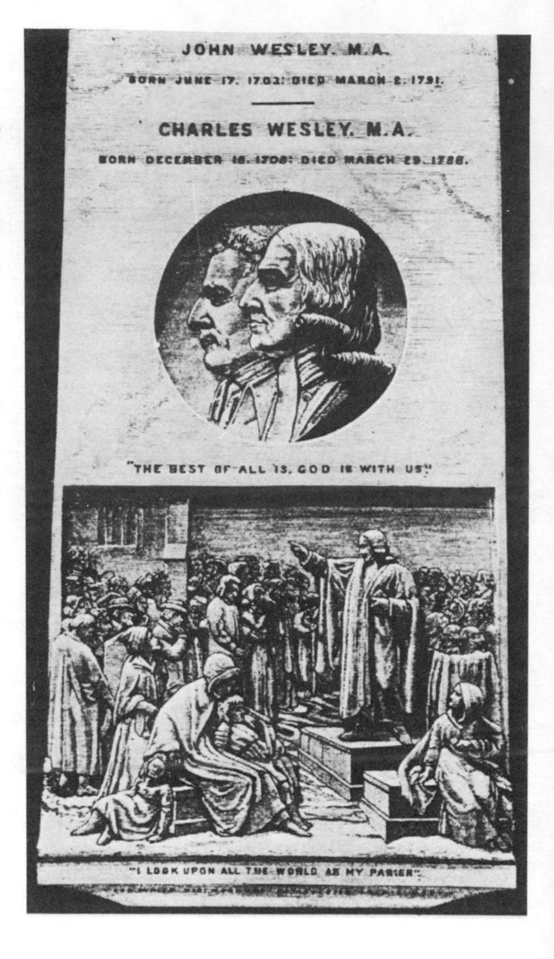

西敏寺大教堂中的衞斯理紀念碑。下方刻着約翰衞斯理被禁止在教堂講道後，站在他父親的墳上講道的情景。
碑上並刻着他的兩句不朽名言：「最寶貴的是：神與我們同在」，「我以全世界爲我的教區」。

成立後，大部份講道都在教堂中進行。露天講道本來不合衞斯理的原則，只因教堂的門都向他關閉，使他轉向不進教堂的人講道，於是露天佈道變成唯一可行之途。

第二，衞斯理在任何有需要的地方講道，這一點也不尋常。因爲在英國及其他國家，牧師只能在他自己的教會或教區中講道及做牧養工作。衞斯理在英國、蘇格蘭、愛爾蘭各地都侵犯其他牧師的教區；當別人批評他時，他說：「全世界都是我的教區（The world is my parish）。」衞斯理這樣做是爲得着那些不進教堂的人；這麼重大的工作却被教會牧師所忽略，甚至還有牧師忽略牧養自己教區的信徒。衞斯理由於關懷失喪的靈魂，不得不侵入別人的教區，使他經常遭到强烈的批評。

第三，衞斯理讓未受按立的人講道，這點和當時一般教會制度恰好相反。在一般教會中，只有正式受過聖職的人才能講道，但爲着饑渴心靈的需要，又在缺乏全職傳道人的情況下，衞斯理只得採用這個方法。

約翰衞斯理塑像，下面刻着他最出名的一句話：「全世界是我的教區」。

當平信徒麥克腓德開始在倫敦講道時，衞斯理想立刻自布里斯多趕回去制止這事；但他的母親對他說：「約翰，千萬不要以爲我贊成這事，但你必須小心處理這事，尊重這位年輕人，因爲他和你一樣蒙召出來講道；你要觀察他講道的果效，同時，你自己也當聽聽他講道。」衞斯理遵照母親的話去行後，歡呼說：「這事是出於主，願主成就他所喜悅的事！」就這樣，約翰衞斯理開了平信徒講道之例，直到今天，仍有許多教會採用這種方式。其實，改革宗教會法規第八條早已爲有恩賜的平信徒打開受封之路，但這條路一直未經採用，直到衞斯理才將它付諸實行。

10. **衞斯理的信仰**　衞斯理的神學和正統復原教主義大致一樣：他相信基督的神性、神蹟和宗教的超然性。他與浸禮派不同的地方是，他相信也實行嬰兒洗禮。

有一點他與傳統的復原教主義完全不同：衞斯理屬於亞米紐斯派，他公開反對加爾文主義。懷特腓德則爲强烈的加爾文派，他於公元 1770 年去世後，衞斯理便在年會中，清楚地表明自己採亞米紐斯主義的立場。

因著愛靈魂心切，他脫離了英國國教教會而採用新方法；也是出於這份愛靈魂的心，他嚴厲地反對加爾文主義。他深信罪的權勢，以及基督寶血的功能，在講道時，他大膽指責當時鄙下的罪行，尤其是酗酒和賭博；他渴切帶領他們歸向基督，可是他認爲加爾文的預定論和揀選論會攔阻人悔改歸正；爲此，他拒絕加爾文主義，抓住亞米紐斯的自由意志論，因他深信，人的歸正是出於個人的意志和揀選。

11. 衞斯理的影響 今天在英國、蘇格蘭、愛爾蘭及美國都有循道派信徒，而且又分成不同宗派。這些宗派人數加起來，數目雖然龐大，還不足以表達衞斯理工作的全部，因爲他所帶出來的影響，確實是驚人的。

首先，他把整個英國改造過來。英國在衞斯理興起之前與之後截然不同。他在英國創立了一個全新的宗派，雖有許多會友自安立甘派、公理派及浸禮派教會轉來，但大多數會友過去從未屬於任何教會。

不但如此，他爲當時許多垂死的教會帶來生氣。有些教會深受衞斯理傳福音熱誠的影響，不但興旺成長，也成了衞斯理循道派教會改善全民生活的助力。

許多無知、粗俗、殘暴、酗酒的現象自英國消失；許多傑出人物得到他工作的影響，其中包括有名的聖詩作家約翰牛頓（John Newton）、十八世紀後期的偉大英國詩人寇佩爾（Cowper）、從事反奴運動的威伯福士（Wilberforce）、改善監獄的浩瓦得（Howard）、主日學會創辦人雷克斯（Raikes）。

總之，衞斯理及循道派在英語世界的影響，是無法估計的。

研討問題：

1. 約翰衛斯理時代，英國教會的缺點和優點是什麼？
2. 衛斯理改用新方法是由於神學觀點、理智決定，還是被環境所逼？
3. 衛斯理如何組織信徒？
4. 列出所有你能找到的查理衛斯理所寫的聖詩。
5. 爲什麼衛斯理那麼擔心平信徒講道一事？有恩賜的平信徒，雖然未受正式訓練，是否也可以被按立爲牧師？
6. 衛斯理爲何反對加爾文的預定論？
7. 列出並簡述衛斯理的影響。
8. 解釋以下名詞：聖潔會、桎梏巷會、莫拉維弟兄會、愛筵會。
9. 懷特腓德如何影響衛斯理？
10. 莫拉維弟兄會如何影響衛斯理？

第三十七章

東方教會與羅馬教會

1. 東方希臘正統教會
2. 羅馬天主教會

1. 東方希臘正統教會　基督教發源於東方，因此，東方希臘正統教會（Eastern Greek Orthodox Church）是它古老的分支；雖然很多基督徒幾乎忘記希臘正統教會的存在，但這個教會却一直存留到今天；而且在全球教會中，佔有重要地位，因它擁有兩億信徒，分佈在土耳其、敍利亞、希臘、巴爾幹國家及蘇聯。

希臘正統教會對西方拉丁教會在改教運動時期的大變革一無所知。它仍默默持守着尼西亞、君士坦丁堡、迦克墩、以弗所各次大會所議決的神學信仰。

數世紀之久，希臘正統教會守住與亞拉伯、土耳其回教主義對抗的前鋒陣線，成爲防止回教主義冲入西歐的大水壩。上百萬希臘正教信徒數世紀之久在回教徒統治之下；數千名信徒用他們的血印證了信仰；世界上沒有一個教會像他們一樣付出這麼多殉

雅典大主教馬斯基諾斯（中立者）在希臘正教聖品人員聚會中演講。

道者的生命。他們與非基督教宗教短兵相接，以致「三位一體」的信仰，不僅是信經的一部份，更進入他們的骨節、骨髓之中，成爲他們生命的一部份，使他們甘願爲它受苦、爲它而死。

從君士坦丁堡派出去的宣教士，將希臘正教形態的基督教傳到了蘇聯。直到公元 1917 年革命時爲止，它一直是蘇聯的國教。那時，宗教被看爲鴉片，是國家進步的攔阻；教堂被關，政府在全國推動無神論教育；雖然官方宣佈「宗教自由」，聚會崇拜却受到很大的限制；蘇聯領導階層爲了要消滅宗教，鼓勵兒童從小參加反宗教活動，並强調反宗教的科學論調。

公元 1961 年，在印度新德里召開的大會中，東方希臘正統教會正式加入普世基督教協會（World Council of Churches），使東方教會開始在復原派佔多數的組織中活躍起來。

2. **羅馬天主教會**　天特會議後，羅馬天主教又穩穩地向前推進了四百年，直到最近才有一些反傳統的改變。到處都有一些復原教徒轉信天主教，或天主教徒改信復原教的事。在義大利、西班牙、法國，有數千天主教徒脫離天主教，但也未加入復原教，

南斯拉夫希臘正教信徒於散會後離開教堂情形

他們和一切教會斷絕，成爲所有宗教的頭號敵人；大部份人成了共產黨徒。在這同時，現代主義也侵入了羅馬天主教中。

十七世紀，荷蘭南部的以柏（Ypres）主教楊森（Jansen）成爲一個反對運動的首腦，他的看法吸引了許多法國天主教徒；巴黎附近的坡若亞（Port Royal）女修道院變成該運動的中心；楊森派被耶穌會反對，在耶穌會影響下，法王路易十四大大逼迫楊森派信徒。公元 1710 年，坡若亞所有建築物均被拆毀。楊森運動的結果是在荷蘭成立了一個小小的楊森派天主教會，該教會存留至今。楊森主義在天主教主義大洋中，只不過是一個小浪頭。

公元 1773 年，教皇革利免十四世廢止了耶穌會，却又於公元 1814 年，在教皇比約七世（Pope Pius Ⅶ）手下，再度恢復。從此以後，耶穌會一直是教皇寶座後面强大的勢力。

在耶穌會的影響下，公元 1870 年的梵諦岡會議（Vatican Council）宣佈教皇無誤，也就是說，所有教皇所說有關教會的話和決定絕無錯誤。十五世紀以來，强調大公會議超越教皇的說

教皇保羅六世與教廷國務卿基可南尼攝于公元1963年九月十六日

法，至此永被否決。雖然這項特權很少被教皇使用，但於公元1950年十一月時，大大幫助了教皇比約十二世對教義的宣告，他宣佈將馬利亞的升天（Assumption of Mary）加入天主教教義之中。這項教義的意思是：馬利亞的身體和靈魂都被帶進天堂。

雖然羅馬天主教拒絕改教運動，但它仍受到改教運動的影響；在改教運動後，羅馬教會雖仍保持天主教特色，但在各方面都有改善。今天在復原教國家中的天主教會，不論聖品人員或一般信徒，在生活與道德上顯然都比在天主教國家中的天主教會標準較高。

過去天主教不鼓勵信徒讀聖經，曾在一些正式的宣告中，嚴嚴地禁止平信徒使用聖經。現在天主教採取較溫和的政策，有時甚至鼓勵讀聖經，但必須採用教會所規定的版本，這一點顯然是受復原教大量印發聖經的影響。哥倫布武士團（Knights of Columbus）在强調他們的看法時，也是以聖經爲根據。

教皇約翰二十三世是一位大有影響力的人物，他不但在政治方面有成就，也注意拉攏天主教和復原教及東正教的關係。他對普世教會合一的努力，遭到來自教廷紅衣主教的反對，但美國的紅衣主教却非常支持，他於公元 1962 年召開了自 1870 年以來的第一次大會議，可惜的是，他在會議決定生效之前便去世了。

米蘭紅衣主教當選爲繼任教皇保羅六世（Paul Ⅵ），說明了該項政策及一些新措施已經獲得大多數人的支持。彌撒可以用本國語言舉行，對進化論態度改變等，都顯出這個天主教會已和過去大不相同。

公元 1962 年時，美國天主教徒佔全國人口百分之三十九，好些大城變成了天主教中心，以致影響到政治。當第一位天主教總統當選後，復原教徒擔心美國會遭到外來勢力（教皇勢力）的控制。政府與教會學校或教區附屬學校的關係，使政府在學校經費補助問題及宗教教育問題上，必須透過最高法院來表明態度。雖然這些問題不能很快解決，但政府對各宗教的寬大態度却顯然有進展，而且政府之間，開誠佈公的會談越來越多。

最令復原教徒不明白的是：羅馬天主教在强調普世教會合一的同時，又宣告新的、不合聖經的教義，如馬利亞升天說等；這樣只有更加深了復原教和天主教之間的鴻溝，而這鴻溝正是他們目前在努力跨越的。

研討問題：

1. 希臘正統教會分佈在那些地區？爲什麼這個教會不像西方教會那樣具有影響力？

2. 羅馬天主教所宣佈的「教皇無誤」是什麼意思？
3. 羅馬天主教宣稱地上只有一個基督的身體——教會。你能爲各種不同宗派辯護嗎？請找出羅馬天主教在全世界各地的教會中各種不同的信仰與作法。
4. 今天在羅馬天主教會中有什麼新的、重要的發展？
5. 解釋以下名詞：揚森派、哥倫布武士團、普世教會合一、教廷紅衣主教。

第三十八章

德國與英國的宗教生活

1. 路德派教會中教義的爭論
2. 自然神論
3. 低派、高派和廣派教會運動
4. 三次不從國教者運動的興起

1. 路德派教會中教義的爭論　墨蘭頓在改教運動一開始便是路德的密友與助手。但他後來結識慈運理，又與加爾文建立友誼。一段日子以後，他開始在某些教義上不能贊同路德的看法。路德在世時，他沒有將自己歧異的觀點說出來；路德死後，他開始讓人知道他的看法，以致成為路德派中第一個明顯的爭論。

墨蘭頓去世多年後，於公元 1577 年訂立了「協同信條」（Formula of Concord），這是一份對路德派主要教義表示贊同的聲明書。

不久，又有新的爭論出來：一位路德派神學家加歷斯都（George Calixtus）（公元 1586-1656 年），與改革派、安立甘派及天主教思想家多有接觸後，極力反對在自己宗派中有這麼多不愉快的爭論。他認爲，路德派與改革派、天主教之間的差異並不重要，重要的是基督徒的生活。他教導說：「教會有聖經和使徒信經就已足夠了。」他的看法雖然缺乏遠見，但仍吸引不少人跟從，因爲人們早已厭倦了教義的爭論，以及爭論所帶來的痛苦。

公元 1645 年召開的會議中，加歷斯都的看法遭到強烈反對，於是爭論又繼續了好多年。到加歷斯都去世之時，大家也已爭論得筋疲力盡。

這時期中，德國尚須忍受三十年戰爭所帶來的苦果。軍隊自四面八方而來，掃蕩整個德國；城市農場全遭毀壞，許多百姓慘被屠殺，城裡鄉下均因掠奪而陷入困境。在這樣悲哀的情況下，沒有人再關心教義；因此，「強調生活不談教義」的「敬虔主義」，成爲當時德國人所歡迎的。

然而，敬虔主義卻爲現代主義舖路；在現代哲學培養下，現代主義很快在德國各大學及各教會中普遍傳開，使教會深陷在靈魂的掙扎之中，相信連路德也認不出自己所創立的教會。

十九世紀，正統派仍有幾位能幹的護教者，如：亨斯登伯（Hengstenberg）和查恩（Zahn），這些人不但學識高深，對聖經也有單純的信心，他們堅信聖經是神永無錯謬的話語。

2. 自然神論（Deism）　十八世紀中，最影響英國宗教生活的是自然神論。十七世紀時，長老派曾努力使自己成爲英國國教，結果如夢幻滅、沒有實現；因爲十八世紀時，蘇西尼主義在長老派中居優勢，凡接受蘇西尼主義、不信三位一體教義的人，都脫離長老派，自行組織「神體一位會」（Unitarian Churches），以致長老派在英國不再居重要地位。

自然神論發源於英國，但它的影響遠及法國、荷蘭與德國。

懷特腓德

自然神論相信一位神的存在，也相信祂造世界；但是他們把神和世界的關係比喻成錶匠與錶的關係：一個錶匠做好錶，上了鍊，就讓它自己走；同樣，神創造了一個偉大的世界後，祂不再管這個世界，只讓它依循自然自己運行。

因此，自然神論否認神蹟、不信基督代贖的功勞和聖靈使人重生的工作；他們懷疑聖經，也剝奪宗教中自然的成份。

自然神論所提倡的道德與是非觀念，屬於較低級的一種。在當時的美洲殖民地，有富蘭克林和傑弗遜兩位偉人接受自然神論；從富蘭克林所說的格言，可以看出自然神論對他的影響，他說：「誠實是最好的政策。」他的意思是：「我們應當誠實，因爲誠實不會吃虧。」他却沒有說：「神命令我們要誠實。」或說：「誠實是一件『對』的事。」

3. **低派、高派和廣派教會運動**　當英國被亞米紐斯主義、蘇西尼主義、自然神論同時冲擊時，興起了循道派運動。這個運動爲英國帶來强大的屬靈和宗教復興。這復興震撼了英國國家教會，也震撼了不同意派教會，造成英國宗教和道德生活全面的改變；這股復興的熾熱，熔化了自然神論的堅冰，使凍結的宗教生活再度流暢。

循道派運動有兩位偉大的領袖，他們是約翰衛斯理和懷特腓德。我們已經知道衛斯理的生活和工作，現在要提到懷特腓德的工作。

約翰衛斯理在市場十字標下講道

懷特腓德和衛斯理在許多地方上很相似，但兩人在一些重要的觀點上不同：兩人都是「牛津人」，都是安立甘教會的牧師，都爲拯救靈魂心靈火熱，都不把自己侷限在一個教區中，都關心不進教堂的人，都在露天講道，都是偉大的講員，但懷特腓德更具吸引力。

衛斯理是亞米紐斯派，懷特腓德是加爾文派；衛斯理是組織天才，懷特腓德毫無組織能力；結果是：衛斯理留下一個强大的循道派教會，懷特腓德影響了數千人，却從未組織過一個教會。他們繼續留在安立甘教會中，在那裡，他們成立了「低派教會」（Low Church）或稱「福音派教會」（Evangelical Party）。

低派教會的人屬於溫和的加爾文派，他們反對崇拜中複雜的儀式，他們充滿宗教的熱誠，過敬虔的生活；如果懷特腓德也有組織才幹，今天加爾文主義在英國的影響會比現在大多了。

安立甘教會的趨勢越來越令人擔憂：衛斯理掀起的大復興，使成千人脫離安立甘教會，懷特腓德帶領的低派教會，也漸漸遠離傳統的安立甘教會。不同意者、天主教及低派教會協力要廢除安立甘教會比其他教會更享特權的法律。眼看着，安立甘教會即將不再是英國國家教會；因此，一些安立甘教會領袖們驚慌了起來，他們聚集討論如何遏止這個趨勢，於是這些人就組成了「高派教會」（High Church Party）。

十九世紀前葉，高派教會代表着恢復羅馬天主教形態的運動。著名的領袖有歧布勒（Kebler）、紐曼（Newman），和溥西（Pusey）。由於這些人都出身牛津大學，因此他們所帶領的運動也叫「牛津運動」（Oxford Movement）。

高派教會主張繼續羅馬天主教的傳統與作法，他們贊成祭司有赦罪的權柄；他們不喜歡教會在政府的治理之下。

這個運動正式開始於歧布勒在牛津的演講，講題是：「民族的叛道」（The National Apostasy）。同一個月中，一系列的單張開始印發，一共有九十種單張，大部份出於紐曼手筆；這些單張使這次運動又稱爲「單張運動」（Tractarian Movement）。

對紐曼而言，英國國家教會是個介於天主教和復原教之間的中庸之道。然而，當一系列單張逐漸印發出來後，它們的內容越來越具羅馬天主教色彩，以致牛津主教出面命令停止印行。

公元 1845 年十月九日，紐曼加入天主教會，有上千人跟從他；其他大部份高派教會的人仍留在英國教會中，繼續發揮他們的影響力。教會崇拜儀式仿效羅馬教會，越來越複雜。高派教會在安立甘教會中的力量，至今仍在成長。

另一個「廣派教會」(Broad Church Party)也在安立甘教會中興起。這是受到德國思想影響而發展出來的一派。把德國觀念帶到英國的人物是科爾雷基（Coleridge）。

廣派教會强烈主張應有一個「國家教會」（State Church）。他們把教會看成國家的一個部門，正如陸軍、海軍都是國家的部門一樣；他們要每個公民都成爲這教會的一份子，爲了達到目標，他們主張國家教會中可以容忍任何形態的信仰存在，不受信經的限制，每個人可以按自己所喜歡的去相信，因此他們被稱爲廣派教會。

廣派教會份子在教義觀點上越來越趨自由，他們不知道眞理和謬論、光明和黑暗、信與不信不可能同時存在於一個組織中。

4. 三次不從國教者運動的興起　十九世紀時，不從國教者（Nonconformists）或不同意者（Dissenters）漸漸在英國獲得與安立甘教會或聖公會等的地位。不從國教者的人數穩定地成長，到今天已佔英國人口的一半，大部份屬於中產階級，有不少講員及學者；然而，在學術上和福音工作上，他們還是不能與安立甘國家教會抗衡。

過去一世紀中，英國不從國教者興起了三次不同的運動，分別帶出不同的影響：第一個運動是一位長老派牧師珥運（Edward Irving）所發起的。他强調使徒時代的「恩賜」（包括說方言、預言、醫病）必須恢復，人只要有信心就可以得著恩賜。很快地，他深信在自己教會中已經有幾個人得到這些「恩賜」。他雖被革職，仍然繼續講道；不久，教會中有十二個會友被指派爲「使徒」，並且堅信他們就是聖靈的工具。

接受珥運看法的人，自稱「大公使徒教會」（Catholic Apostolic Church），並採用複雜的崇拜儀式。全教會信徒等候基督於短期內再臨；最後一位「使徒」死於公元 1901 年，但這教會至今仍然存留。

第二個運動是針對當時安立甘教會靈性冷淡的光景而興起的。許多「弟兄會」（Brethren）在愛爾蘭及英國西部興起，他們以信心及基督的愛作爲合一的力量。

自從達爾比（John Nelson Darby）在他們中間工作後，弟兄會人數激增。達爾比是普里茅斯附近的一位牧師，因此弟兄會

救世軍創立者卜維廉的女兒卜伊凡吉玲（公元 1865-1950 年）於聖誕日在紐約市分發食物給窮人。她於公元 1904 至 1934 年間擔任美國救世軍總司令，又於公元 1934 至 1939 年間擔任全球救世軍最高統帥。

又稱爲達爾比派（Darbyites）或普里茅斯弟兄會（Plymouth Brethren）。達爾比努力傳佈他的觀點，並在瑞士、法國、德國、加拿大、美國各地成立弟兄會。

弟兄會根據聖經，教導「所有信徒皆祭司」的教義，所以他們不接受被按立過的牧師，也反對信經，因爲他們相信聖靈會將他們在信心中合一，並引導眞基督徒按使徒的方式敬拜；他們拒絕所有宗派主義，但他們從初期開始，仍不得不採用某些懲治法規；今天他們分裂成六個團體。

早期英國弟兄會中有一位著名的人物，是布里斯多的喬治穆勒（George Müller），他因富朗開的激勵，成立孤兒院；這項孤兒院工作以憑信心而聞名。

第三個運動是救世軍（Salvation Army），由一位前任循道派牧師卜維廉（William Booth）所發起。他首先在威爾斯的卡迪夫（Cardiff）帶起成功的屬靈大復興，以後又在英國開始類似的工作，到公元 1878 年，發展成軍事形態的組織，稱爲救世軍。今天全世界有八十一個國家，有救世軍的組織。

救世軍不是教會，他們專做慈善工作，並舉行街頭佈道。幾乎在每一個城市都有一個救世軍中心，在那兒接待孤苦零丁、無家可歸的人，也在那兒舉行福音聚會。

研討問題：

1. 加歷斯都的觀點是什麼？爲什麼會導致這種看法？
2. 伯拉糾主義、蘇西尼主義和自然神論的基本看法一樣嗎？
3. 到底是那些看法上的歧異，造成高派教會、低派教會和廣派教會？
4. 說明下面三個團體所强調的信仰：
   大公使徒教會、普里茅斯弟兄會、救世軍。
5. 解釋以下名詞：協同信條、卜維廉、紐曼、不從國教者。

改革宗教會大受逼迫

1. 預格諾派興旺　公元 1598 年的南特詔諭使預格諾派（法國的加爾文派）獲得許多自由，從那時起一直到公元 1685 年南特詔諭被廢除時止，法國大約有一百萬預格諾信徒、八百間教會及八百多位牧師。預格諾信徒包括社會的各階層，有貴族、士紳、工匠、專業人員與農夫，但大多數人屬於中產階級，他們都是商業界、銀行界、工廠及專業的領袖人物，在各社區中，預格諾信徒往往是少數人，却具有很大的影響力，因此「像預格諾那麼有錢」成爲當日流行的一句話。

預格諾派聚會的地方大部份是簡單的木造房屋，有的很大，可以容納七、八千人聚會，而且總是擠滿渴慕的聽衆。在主日，往往一天有四場講道。他們總是慷慨奉獻，支持當地工作及外地受逼迫的聖徒。教會裡實行嚴格的懲治，舉凡觸犯安息日及輕浮行爲都被嚴厲禁止。

這時期的預格諾派共有四個學校，分佈在西丹（Sedan）、蒙陶本（Montauban），奈姆（Nimes），及掃墨爾（Saumur）。這些學校規模龐大，不但設備完善，而且有當時最好的師資。

宣告廢止「南特詔諭」情形。該詔諭自公元1598年以來一直是法國復原派信徒的保障

2. **路易十四逼迫預格諾派** 到公元1648年時，西班牙已經失去歐洲强權的地位；荷蘭共和國雖處於黃金時代，却與英國在互爭商業及海上的霸權；德國因受三十年戰爭的影響而處於疲憊狀態；因此在這時候，歐洲最强的勢力要算是法國了。

法國是一個天主教國家，法王路易十四雄心勃勃，他要在有生之年擴張法國的疆土，他所覬覦的地方包括西班牙、荷蘭及德國的萊茵河谷地區，他也計劃降服英國。

身爲一位專制暴君，路易十四最恨復原教主義，尤其是加爾文主義，因他知道加爾文主義强烈主張宗教及政治自由。

路易十四於公元1685年廢除南特詔諭；因此，大逼迫又起。法國改革宗教會有上千信徒爲主殉道，有幾百人放棄信仰，約有五十萬到八十萬預格諾信徒逃到德國、荷蘭、英國及美國，他們的離開使法國工商業遭受重大打擊。

這次逼迫使法國改革宗教會幾乎失去所有信徒，只剩幾千「餘民」，他們重新把自己組織起來；接著發生的，是教會歷史中最偉大的英雄史蹟之一。

這批「餘民」退到深山荒野，所謂「荒漠」的地區中。政府下令屠殺所有預格諾派，連婦女也不例外；留在國內的幾位牧師，幾乎全被殺盡。逃到國外的牧者，有時偷偷越境，回國探望這批分散的羊羣。每次相聚都帶來莫大的鼓舞與喜樂。即使沒有牧師，他們仍然冒著生命危險，繼續聚會。其中有一位最勇敢的牧師，名叫布若孫（Brousson），他來回邊界好幾次，經歷數次驚險的逃亡，最後終於被捕，並在一萬人面前處死，羣衆痛哭，被他的英勇堅毅所感動，甚至有許多天主教徒因他的感召而歸信了復原教。

這次殘忍的逼迫，將預格諾派逼到不顧一切、盲目狂熱的地步。公元1702年到1710年間，他們與逼迫者展開恐怖的游擊戰，造成巨大的損失。

3. **庫爾**（Antoine Court）**與拉波**（Paul Rabaut）　公元1715年，路易十四去世後，逼迫暫時中止，却又於公元1724年再度以新的氣勢爆發。參加復原派崇拜的男人被抓去當軍艦廚房裡的奴隸，女人終生監禁；不把兒女送進天主教學校就讀的父母，課以重罰；凡讓復原派舉行聚會的市鎮，全體需繳罰款。

雖在逼迫的壓力下，「荒漠」教會仍繼續成長，但是他們的教會生活完全沒有組織。後來將教會重新組織起來的功臣是庫爾，他被譽爲「法國改革宗教會的恢復者」。庫爾生於公元1695年，五歲時父親去世，堅毅的母親稟承先夫的信仰，勤慎地給兒子造就訓練；在幼小的年齡，母親已經將他帶去參加預格諾派的秘密聚會，因此庫爾很小就有了敬畏神的心；青年時期，他決定奉獻自己，作個傳福音的人。

庫爾常到分散在各處的預格諾信徒中作探訪工作，發現他們沒有組織、紊亂無紀的情形，便於公元1715年八月召集了一次會議，當時他才二十歲。他雖然未曾進過大學，但藉着自修得到相當高的教育，對於改革宗教義有充實完善的裝備。雖然年輕，却有豐富的才幹及說服力，因此庫爾立刻成爲預格諾派的領袖，他在這次會議中的演講，給他們帶來新的熱誠和勇氣。

逼迫奪走了法國改革宗教會所有的牧師，而按照加爾文的傳統，改革宗教會是不讓平信徒講道的；在缺乏講員的情況下，只有暫時讓讀完神學的學生講道，但教會仍持守只許按立牧師講道的條例。「荒漠」改革宗教會會友們一致通過在他們中間有兩位有資格作講員，即庫爾和科爾德茲（Corteiz）。科爾德茲比庫爾年長，因此他被送到瑞士去接受按立；回來後，他再按立庫爾爲正式牧師。

爲了當時的需要，庫爾於公元 1730 年在瑞士洛桑（Lausanne）創辦了一間神學院，訓練傳道人，因爲洛桑是法國政府的逼迫鞭長莫及之地。神學院極其簡陋，只有一間二樓的房間作爲課室，却有許多極具恩賜、完全獻身的年輕人，在那狹小簡單的房間中受造就。這間洛桑神學院又被稱爲「死亡學校」，因爲大部份受完訓練回到法國改革宗教會事奉的傳道人，遲早會成爲逼迫下的犧牲品。

拉波比庫爾小二十三歲，當他二十歲時，將自己獻身於法國改革宗教會。庫爾曾經描寫「荒漠」教會的精神爲：「一種苦修、內省、智慧、殉道的精神，它教導信徒天天向自己死，治死私慾，預備自己，在神呼召的時候，勇往直前，面對折磨與絞架，將自己的生命獻上。」而拉波就是這種精神的具體表現。

拉波在庫爾的洛桑神學院進修一段時期，他充滿熱誠，又是一位有恩賜的講員，具有天賦的吸引力。他在法國改革宗教會工作五十六年，經歷說不盡的艱困，時常冒着生命的危險，然而「蛇的靈巧」使他可以躲避政府的追捕，他確實不愧爲「荒漠教會的使徒」。

4. **教會渡過法國革命**　哲學家與法國領袖們開始推動一股容忍的精神；當時有名的思想家特爾革（Turgot）說服了公元 1774 年登基的年輕國王路易十六，決定停止對復原教徒的逼迫。於是預格諾派在整整九十年逼迫時代後，總算獲得政府的認可。

拉法葉（Lafayette）將軍在美國幫助了獨立戰爭後，帶着滿腔宗教與政治自由的精神回到法國；藉著他的影響力，廢除了所有反復原教的法律，而訂立了公元 1787 年的容忍詔諭。

兩年後，法國革命爆發，爲法國帶來一個新政府；新成立的

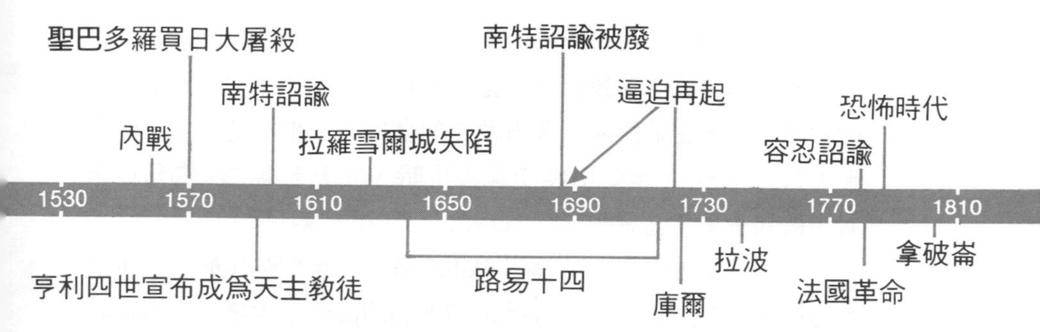

國會准許改革宗教會自由敬拜及恢復教產。然而，到公元 1793 年時，這個政府被無神論者所操縱，他們恨惡所有宗教，無論是天主教或復原教均遭逼迫。由於這次逼迫極其恐怖且澈底，以至公元 1793 年至 1794 年間，被稱爲「恐怖時代」（Reign of Terror）。許多預格諾信徒雖逃過了天主教的逼迫，却犧牲在無神論者的手下；年老體弱的拉波被丟進監獄；不計其數的復原教徒與天主教徒，在逼迫中放棄了信仰。

法國革命過後，改革宗教會將分散的信徒及廢壞的教堂重新組織及整修；法國的新元首拿破崙頒佈法令，使改革宗、路德宗及天主教一律平等，而且政府爲所有教會提供經濟支持，只是教會與教會學校必須接受政府的管理。

今天在法國的七十萬復原教徒中，約有六十三萬屬於改革宗，其他則爲路德宗。

「現代主義」也滲入法國改革宗教會，以致法國只有幾間教會眞正持守傳統的改革宗信仰。

巴黎的改革宗教堂

5. 德國的改革宗教會　公元 1648 年訂立的韋斯發里亞和約，使德國的改革宗教會和路德宗教會享有同等權利。改革宗信徒大部份分佈在萊茵河區各省及布蘭登堡省，也就是今天的普魯士。公元 1685 年，當南特詔諭廢止時，成千上萬的法國預格諾信徒逃到布蘭登堡避難。

萊茵河區的巴列丁奈省（Palatinate）是德國改革宗信徒最多的地方，在這省內有海得堡市和著名的海得堡大學。十六世紀時，兩位教授：鄔新奴（Ursinus）和俄勒維安奴（Olevianus）在這兒寫成海得堡信仰問答（Heidelberg Catechism），是改革宗信徒最淸楚、最完善的表白之一。該信仰問答於公元 1563 年出版。

海得堡大學是德國改革宗的大本營及教育中心；韋斯發里亞和約訂立後，這間大學完全屬於改革宗，但是耶穌會却狡黠地逐步破壞改革宗教授的立場。公元 1719 年發行了「新版海得堡信仰問題」，這一版多加了一句話：「天主教的彌撒是可咒詛的偶像崇拜」因此，耶穌會盡全力要除滅這本書，却沒有成功，只是從改革宗手中奪走了海得堡兩間最大的教堂。

隨着時代的推進，「現代主義」的熱力逐漸蔓延，對德國改革宗的影響不小。海得堡大學本來是加爾文主義的褓姆，但到十九世紀初，竟變成德國「唯理主義」（Rationalism）的中心之一。

公元 1817 年，普魯士國王下令，強迫路德宗與改革宗聯合；當時軟弱的改革宗教會只能提出微弱的抗辯。聯合以後，除了在靠近荷蘭邊界的兩個小地區外，改革宗教會在德國幾乎完全消滅。

6. 蘇格蘭的長老教會　威廉和瑪利當政時，長老教會是蘇格蘭的國家教會，在繼任的皇后安妮(Anne)的統治之下，國會通過一項法案，這法案引起無止境的難處，因爲它恢復了「平信徒委派權」(lay-patronage)；也就是說，國王和郡主有權委派他所揀選的人，在蘇格蘭講道；但他們所指派的牧師，往往是會衆所不喜歡的人。因此，這個法案造成許多問題，到一個地步，甚至改寫了蘇格蘭長老教會的歷史。

公元1740年，爾斯金(Ebenezer Erskine)和幾位牧師大膽反對平信徒委派權而遭革職，引起了教會第一次分裂。後來，由於基勒斯比(Thomas Gilespie)拒絕參加一位由平信徒委派之牧師的就職典禮，又引起另一次分裂。

每次分裂都得到許多熱心信徒的支持。這幾批脫離國家教會的信徒們，於公元1847年另組了協和長老教會(United Presbyterian Church)。

由於這些熱心信徒的離開，國家教會的靈性隨之低落；再加上自由主義的滲透，便興起了所謂的「溫和主義」(Moderatism)。在平信徒委派制度下，他們委派一些溫和主義者，或自由主義者擔任牧師。但信徒們所期望的是忠於傳統信仰的牧師，在這種情形下，於公元1843年，有四百七十四位牧師在查麥士(Thomas Chalmers)的領導下，退出國家教會，另外組織了蘇格蘭自由教會(Free Church of Scotland)。

查麥士不但是蘇格蘭一位忠於傳統信仰的眞理鬥士，也是一位傑出的講員、社會改革家、神學教授和宗教領袖。

到此時，差不多有三分之一的信徒脫離了國家教會，使信仰和熱誠也消失殆盡。但，國家教會並未從此一蹶不振，因爲脫離者的熱誠有時也在國家教會中產生感應，挑起新的復興之火；而且，到公元1874年時，這項「平信徒委派權」終於被廢。

公元1900年，蘇格蘭自由教會和協和長老教會合併，成立了蘇格蘭長老教會（United Free Church of Scotland）。

7. 瑞士的改革宗教會　現代主義與不信的思潮侵入各地改革宗教會，包括瑞士、法國、德國、荷蘭和蘇格蘭等地。

十九世紀前期，瑞士有三位偉大的佈道家：馬蘭（Malan）、微內（Vinet）和哥得（Godet）；在他們的影響下，有一次大規模的復興，加爾文信仰再度在講台上被傳講。

但是，過不久，馬蘭就被禁止講道；於是他帶領一批信徒脫離國家教會，另組自由教會（Free Church）。然而，現代主義也逐漸壟斷這個新教會；到今天，瑞士自由教會只剩大約一萬名信徒。

8. 匈牙利的改革宗教會　在加爾文時代，匈牙利已經熱誠地接受了加爾文主義；匈牙利改革宗教會又於公元 1567 年採納了瑞士信條（The Confession Helvétique）。

在國際改教運動紀念碑上的匈牙利浮彫部份，顯示波士開把簽署的維也納和約帶到卡薩國會。波士開於事成後數天去世，據說是被下毒而死。

當哈布斯堡王朝的魯道夫決定要鎮壓該運動時，匈牙利人在波士開（Etienne Bocskay）的領導下，為爭自由舉兵起義。他們的勝利，迫使魯道夫簽署維也納和約（Peace of Vienna），匈牙利終於獲得宗教自由。因此，波士開的像被刻在日內瓦改教運動紀念碑上，作為永久紀念。

歷世歷代以來，改革宗信徒最多的國家就是匈牙利。雖然今日匈牙利的主要宗教是天主教，而且在共產主義統治之下，但改革宗信徒仍有約二百萬。

匈牙利加爾文派信徒，移居美國的不多；因此只有一個擁有四十個教會的小宗派，原來名叫「馬扎兒改革宗教會」（Magyar Reformed Church），公元 1958 年時，改名為「匈牙利改革宗教會」（Hungarian Reformed Church）。

9. 荷蘭的改革宗教會　公元 1618 年至 1619 年舉行的多特會議，將亞米紐斯主義定罪，並訂立了改革宗信仰規程，稱為多特法規（Canons of Dort）。這個法規加上海得堡信仰問答及比利時信條，合成荷蘭改革宗教會的信仰準則。然而多特會議無法將亞米紐斯主義完全自荷蘭剷除，也無法阻止脫離傳統復原教主義的行動。十九世紀一開始，改革宗教會便陷在極度的低潮中，改革宗教義被譏為過時的論調。

幾年以後，一些新的生機出現，將低潮的光景扭轉過來，有不少因素影響當時的教會：

首先是馬蘭和微內的影響傳到了荷蘭，引起高階層社會人士靈性的大復興。

然後是數千位中、下層熱心的信徒，在幾位牧師領導下，使國家教會再度根據信經與教會法規復興起來。但他們遇到政府和教會當局的反對，便於公元 1834 年造成一次大分裂；許多信徒不顧當局及暴民的逼迫，毅然脫離國家教會，成立基督徒改革宗教會（Christian Reformed Church）。又於公元1854年，在甘本（Kampen）設立神學院，訓練他們的傳道人。其中兩位最出名的領袖人物是舒德（Scholte）和范饒特（Van Raalte），他們在公元1847到1848年間，帶領會衆前往美國愛阿華州及密西根州。這樣，便使公元1834年大分裂的影響，由荷蘭帶到了美國。

該伯爾

然而，荷蘭加爾文主義歷史中更大的復興，是藉著一位神重用的偉人該伯爾（Abraham Kuyper）所帶出來的。

10. 該伯爾的歸正　該伯爾生於公元1837年十月廿九日；在萊登大學讀書期間，他就以一本拉丁文寫的書，贏得全國競賽的首獎；在大學時代，他也吸收了現代主義思想。

畢業後，他成爲比士得（Beesd）鄉村教會的牧師，教會中許多信徒持守傳統的改革宗信仰；他們大膽地向這位年輕、學問淵博、受過訓練的牧師表示反對他的主日講道；尤其是一位老太太，她的談話經常給該伯爾深刻的印象。於是他開始轉向加爾文，嚴肅地研讀他的拉丁文原著，這樣的學習研究，終於把該伯爾完全改變過來，使他從現代主義轉到加爾文主義。從那時起，一直到一生的結束，他都成爲加爾文主義偉大的戰士。

11. 該伯爾的領導　帶着强烈的宗教熱誠及一心要恢復荷蘭改革宗教會的情懷，該伯爾開始了一項活動，這活動延續半世紀之久，使他的朋友和敵人都極其訝異。奧古斯丁的名著「上帝之城」，不但啓發了查理曼、教皇貴格利七世及加爾文，也啓發了該伯爾。他所進行的這項偉大事工，不但要恢復教會，而且要將基督教原則應用在生活的每一個層面，包括政治、社會、工業、文化及教會聖職等。

他從鄉下的比士得教會，進入大城烏特列赫（Utrecht）的教會，再繼續進入阿姆斯特丹更大的教會；他組織了基督徒政黨，進入荷蘭國會。公元 1880 年，他在阿姆斯特丹根據改革宗原則，創立「自由大學」（Free University），因爲該大學不受政府和教會的控制而定名爲「自由大學」；該伯爾成爲大學中最出名的教授。

公元 1886 年，他帶領許多信徒脫離國家教會，這是第二大規模的一次。而他又於公元 1892 年，在阿姆斯特丹會議中，促成基督徒改革派教會與新脫離團體的聯合，而組成「荷蘭改革宗教會」（Reformed Churches in the Netherlands），這個新宗派擁有七百間教會及三十萬信徒。

公元 1901 到 1905 年間，該伯爾成爲荷蘭總理；他在講道、演講、教學之外，還要在國會中參與辯論及寫作。他是一位偉大的演說家，更是一位偉大的著作家；他寫的小册，一本接一本地出版；他還擔任週刊及日報的編輯，同時，還寫了許多書。

成千上萬的人聽過他的演講；他於公元 1898 年做了一次全美國旅行演講；荷蘭、德國、法國、瑞士、英國、蘇格蘭及美國，都有千千萬萬人讀過他的書；他的許多書被譯成英文；也有許多美國人爲了讀他的原著，特地去學荷蘭文。

該伯爾有驚人的恩賜，他能將深邃的思想以清楚、簡單、有

這座在荷蘭的教堂，原爲一間天主教堂，公元 1574 年被改教者佔領後變成改革宗教堂。圖中三百呎的高塔，是有名的「約翰高塔」

趣的方式表達出來。他不愧爲一位博學的學者、精深的思想家、高水準的文學家。

12. 該伯爾的改革　自從改教運動以來，許多團體脫離了原初的復原教教義；這些離開的團體在三方面是一樣的：第一方面是，他們都對當時冷淡沒有生命的復原教會不滿。例如浸禮派、貴格派、敬虔派、莫拉維弟兄會及循道派運動。第二方面是，他們都堅持基督教的基本教義。第三方面是，他們都想醫好復原教會裡的弊端。

該伯爾的工作也是針對當時腐敗的情形而興起的，但爲了工作有效起見，他採用完全不同的改革方法。第一，他回到原先的復原教主義；他不但攻擊舊的異端，更向新異端挑戰。當時其他團體都未採取行動制止現代主義的發展，他卻勇敢地出面反對。

第二，他堅毅地面對教會本身的敗壞情況，藉着進入教會裡面工作來改革教會本身。他不輕視教會，也不越過教會，乃是在教會裡面做工；當教會不能容忍時，他就被排擠出去。

第三，他不眠不休地投入復興教會的事工；他鼓勵信徒參與活動，遠超過循道派的熱誠。他不但激勵他們去做本地和外地的宣傳工作，也鼓勵他們將十字架的旗幟帶進教育界、政治界、勞工界，及社會改造之中。他不像有些團體看輕教義，相反的，他極重視教義，因爲他知道，教會的生命與成長端賴健全而有系統的聖經教導，而且應當是不折不扣地將眞理的長度、寬度和深度都教導信徒。

爲了將十架旗幟帶進生活的各層面，他儘量避免其他人所犯的錯誤，而採用一套全新的方法。他接受浸禮派把政府和教會分開的看法，但他不認爲應當將政治和信仰分開。他組織了一個基督徒政黨，讓這個政黨在政治上帶出基督徒的原則，而不是讓教會干涉或控制政治。

該伯爾有好些同工，如若革士（Rutgers）和貝文克（Bavinck）都是非常能幹的人。但該伯爾是唯一鶴立雞羣的天才創業者。全世界任何地方都找不到一處像荷蘭一樣，帶出了原初復原教主義的大復興。

在這個穩健的、活躍的基督教大復興中，該伯爾的影響遠遠超越了他祖國的疆界。直到今天仍然可以在南非、東印度、南美一部份、加拿大、美國等地，感受到他強大的影響力。

研討問題：

1. 預格諾派以那些方式回應他們在法國所受的逼迫？
2. 法國不同政府對預格諾派採取不同的態度是什麼？
3. 法國不同政府對天主教所採取不同的態度是什麼？
4. 誰是海德堡信仰問答的作者？第一次在那一年出版？那一年出修訂版？
5. 「平信徒委任權」是指什麼？請將它與希爾得布蘭時代的「授衣禮」作個比較。爲什麼蘇格蘭信徒反對這個方法？
6. 匈牙利改革宗教會採用什麼信條？請列出改革宗教會所採用的

各種信條。

7. 十九世紀荷蘭改革宗教會有什麼復甦的現象？
8. 列出並簡述該伯爾對改革宗信仰的貢獻。
9. 解釋以下名詞：波士開、庫爾、拉波、荒漠教會、拉法葉、南特詔諭。
10. 爲什麼德國改革宗教會幾乎完全消失？

第四十章

教會再度增長——自公元1500年到現在

1. 教會的增長
2. 大發現給教會帶來新世界
3. 天主教的宣教工作
4. 復原教的宣教工作
5. 宣教的結果

1. 教會的增長　教會第一個大增長時期是從公元 1 年到 400 年間，也就是五旬節到奧古斯丁的時代。在這段時期中，教會這支基督的精兵征服了橫跨整個地中海區域、文明鼎盛的羅馬帝國。

教會第二個大增長時期約從公元 500 到 1000 年間，在這段時期中，教會征服了沒有文明的北歐異教民族。然而同時，教會也失去不少已得的領土，淪入阿拉伯回教徒手中；回教徒也征服了印度，至今情況依舊。

公元 1000 年以後，教會失去許多東方的領土，都陷落在土耳其回教徒手中，只將歐洲西南角的西班牙從回教徒手中再度得回；這塊地方雖小，也是教會在這期間唯一收回的失土，却具有長遠的影響。

從公元 1000 到 1500 年間，大致而言，教會沒有征服新的地方，也無法繼續擴張，因爲它的四周都被封鎖住了：北邊沒有新的地方可去，西邊是大西洋，東邊和南邊則被回教徒的堅牆所擋，那是一堵無法跨越的高牆。

2. **大發現給教會帶來新世界** 歷史上的數次大發現，把整個局面扭轉過來。這些航程使汪洋從「攔阻」變成「大道」，使教會可以繞過回教徒所築的障礙向外發展。

此外，土耳其回教徒向西歐的侵犯，亦於公元 1683 年被波蘭英雄索比斯基（Sobieski）的軍隊遏阻在維也納。過不久，匈牙利及巴爾幹國家也自回教徒手中奪回，歸入了基督教世界。

雖然新發現爲教會打開繞過回教阻隔之路，但眞正去使用這條路的嘗試仍然不多。另一方面，回教徒又在非洲征服大幅地區；猶太人仍然是十字架的仇敵，有時甚至成爲教會險惡的對手。總之，「大發現」把全世界展現在教會面前；這是有史以來第一次讓教會看到，還有這麼多未得之地，亟待教會的努力。這條新路爲教會打開了第三個大增長時期。

3. **天主教的宣教工作** 公元1500 至 1600 年間，各次大發現的航程大部份是葡萄牙人和西班牙人的壯舉，他們都屬羅馬天主教。自公元 1517 年改教運動開始，到公元 1648年韋斯發里亞和約時止，復原教一直忙於和天主教的鬥爭，以致在新宣教時代的前一百五十年內，所有宣道工場都只有羅馬天主教的工作。

耶穌會的創始人羅耀拉，是激發天主教會做宣教工作的功臣。天主教徒受到激勵後，熱誠地前往新發現之地，爲教會得人；這樣做，同時也可以彌補宗教改革運動所帶來的損失。

畫家魯賓斯筆下的羅耀拉

由於羅耀拉的啓發，方濟沙勿略（Francis Xavier）成爲新時代天主教第一位偉大的宣教士。沙勿略於公元1542年抵達印度，他在那兒工作到1549年，然後再到日本。在日本，他帶領許多人信主。公元1552年，在將要進入中國傳道之際，他去世了；他的工作由其他宣教士繼續。

西班牙宣教士將菲律賓、南美、中美與墨西哥歸入天主教勢力之下。法國耶穌會宣教士在加拿大奎北克省、大湖沿岸、密西西比河流域及路易士安那州設立天主教會。西班牙宣教士則在佛羅里達州及加利福尼亞州沿岸設立天主教會。

今天，天主教宣教工作繼續在錫蘭、印度、日本、韓國、蒙古、非洲、澳洲、太平洋羣島及北美印第安人中進行。天主教宣教工作幾乎全部由修道會的修士們擔任。

4. **復原教的宣教工作**　復原教最早期的宣教工作是富朗開（August Francke）和敬虔派信徒所開始的。最偉大的宣教士是史瓦茨（Christian Schwartz），他從公元1750年起到1798年去世時，一直在印度傳教。自公元1732年起到今天，莫拉維

公元 1955 年聖誕夜，張約翰主教主持子夜彌撒情形

宣教士是最熱心宣教工作的一批人。

復原教全球性宣教工作的衝力，來自於克理（Carey）（公元1761－1834年），他被稱爲「現代宣教工作之父」。公元 1792 年，克理組織了第一個浸信宣道會；第二年（公元 1793 年），他帶着全家前往印度宣教，家產的喪失、印度政府的反對，都不能阻止他的宣教工作。他最偉大的工作是翻譯聖經，他把全本或部份聖經譯成二十六種印度語言。

今天，所有復原教會都投入了宣教工作，基督要我們將福音傳到地極的大使命，在我們這個時代，終於可以付諸實行。基督教已經建立在非洲、印度、韓國、日本、南美及太平洋羣島上。

5. 宣教的結果　嚴格地說，宣教工作只是傳揚福音；但當提到宣教的結果時，就關係到傳揚福音後的果效。我們要問：「這些異教徒聽見福音後，他們接受基督教到什麼程度？」

若以信教的人數及信主後每天過新生活的角度來看，似乎宣這幅畫題名爲：「公元 1673 年馬奎特發現密西西比圖」

教的結果並不太大，而且往往令人灰心，以致有人會問：「這樣做到底值得嗎？」

爲了對宣教的結果能有客觀而公正的判斷，我們必須先瞭解宣教工作的困難及它眞正的攔阻：

第一，許多宣教士資格不夠。曾有一段時間，人們認爲：如果一個人缺乏做牧師的才幹，至少可以在宣教工場上做得很成功。今天大家終於看清：一個宣教士必須和牧師一樣具備許多知識和才幹，此外，他還要比本地牧師有更多的知識裝備和技術，因爲他必須學習並瞭解宣教的對象，尤其是他們的語言、歷史、生活習慣和宗教。

宣教工作的另外一個攔阻是：宣教士傳道的對象大部份都很無知。他們不會讀也不會寫，而且非常迷信；和其他人一樣，他們不喜歡「外國人」，而宣教士大部份來自外地。

同時，他們和我們一樣，喜歡依附先人的信仰，正如我們所唱的詩歌：「先賢之信，眞誠堅貞，我願至死虔守此信。」我們不願放棄祖先傳下來的信仰，異教徒也不願丟棄他們先祖教導的信仰。因此，只有聖靈在他們心中工作，才能叫他們放棄迷信的異教，相信基督，接受救恩。

克理威廉將聖經
譯成印度文

另一個困難是：異教徒往往因掛名的基督徒對基督教產生錯誤的看法。許多名為基督徒的人，實在不是基督徒，他們進入大學，吸收了現代主義信仰，還以為是接受了福音。

也有宣教士是現代主義派的，他們掛着基督教的名義，在異教徒中傳講假的福音。

我們把以上因素都放在心中，再來看宣教的結果，就會驚訝這項事工的成就。雖然困難重重，果效仍然顯著，我們只能說：「這是出於基督的大能，祂是教會的建立者，也是教會的擁有者；祂是活的，而且不斷動工；是祂親自擴張祂的教會，祂的大能超越了環境的困難、人的軟弱、教會的失敗；祂還要繼續動工，直到世界的末了！」

在異教徒中工作的宣教士們，是處於「基督軍隊」和「撒但軍隊」交戰的火力中心。這批福音的先鋒們，經歷到、也感覺到，雙方元帥都有強大的力量。

歷世歷代有非常多偉大的宣教士，你至少應該認識克理（Carey）、布銳納德（Brainerd）、李文斯敦（Livingstone）、戴德生（Taylor）、慈韋買（Zwemer）、慧新嘉（Huizenga）及其他人。

研討問題：

1. 爲什麼十六世紀新大陸的發現對教會的宣教工作有這麼大的影響？那些人爲天主教做宣教工作？
2. 爲什麼復原教沒有立刻在新大陸做宣教工作？
3. 爲什麼宣教士需要更多的訓練？
4. 研讀一位或兩位宣教士的生平。
5. 解釋以下名詞：羅耀拉、沙勿略、克里、富朗開。
6. 列出四項宣教工作的攔阻。

第伍部

新大陸的教會

第伍部

新大陸的教會導言

——在本書最後一部份中，我們將看到教會如何在大西洋彼岸建立起來。當新大陸的疆界往西拓展時，教會也向西推進；在靈性低潮之後，又興起屬靈的復興和覺醒。

殖民地時代並沒有美國和加拿大之分，只有英國殖民地與法國殖民地之分。自從政治上分成兩個國家後，復原教各宗派繼續建立教會，並不受疆界的限制，因為跨越國界，交換意見很方便，各宗派不需要設立各國的分部。美國的獨立戰爭為教會帶來尖銳的問題，因為教會源自於英國，與母國的關係仍然很緊密。

——十九世紀時，教會積極關心社會問題，到一個地步，落入失去中心目標的危險。財富的加增及對外休閒的新觀念，導致大教堂的建築與基督教學院的創辦。崇拜越來越形式化，神學越來越自由化，造成的結果是：有些人脫離現有宗派而組織新教會，採用簡單儀式崇拜，傳講因信稱義的眞理；另一些人離開原有教會，從事宗教活動，但與聖經背道而馳。

——加拿大是教會合一運動的先鋒。教會合作的新衝力帶出多次國際會議、普世基督教聯盟及教會實際的合一事工。

——本書即將結束，但基督教會却未結束，歷史的新頁將紀錄這個榮耀的教會在未來年日中所走之路，直到有一天，這個「爭戰的教會」，終將成為「凱旋的教會」！

第四十一章

教會進入新大陸

1. 早期探險者提倡天主教
2. 聖公宗在美洲
3. 公理派在新英格蘭
4. 荷蘭改革宗抵達新大陸
5. 威廉斯成立第一間浸禮派教會
6. 殖民地時期的天主教
7. 貴格派
8. 德國改革宗在賓州
9. 信義宗
10. 其他德國團體
11. 長老派主義的紮根
12. 循道派主義較遲到達
13. 西班牙人殖民加州

1. **早期探險者提倡天主教**　探險者與殖民者爲不同原因而前往新大陸：有的爲了淘金，有的爲了國家榮譽，或因忌妒別國，

左圖是祕魯利馬市一間華麗教堂的正面
右圖是瓜地馬拉印第安人在教堂中燒燭祭拜的情形

有的爲了政治或宗教的自由，也有人爲了傳揚福音。在差派這些勇士的國王心中，傳福音並不是最後一項目的，在赴新大陸者的心中，這也不是最後一個目的。因爲那時代的人都有一種强烈的意念和責任感，就是要使當地人成爲基督徒。

大部份歐洲國家尚未在美洲殖民之前，西班牙已經在墨西哥、西印度羣島、中美及南美洲各地有興盛的殖民地。公年 1539 年，墨西哥市已經有印刷所，公元 1551 年已經成立了兩間大學。

葡萄牙與西班牙於公元 1494 年劃定了彼此的界線，西部大半地區歸給西班牙，但巴西則劃給葡萄牙。這兩個國家都是强烈的天主教國家，因此中美洲和南美洲至今仍以天主教爲主。但在崇拜方式上，不知不覺也吸收了許多當地人所使用的異教儀式。

公元 1565 年，西班牙人爲了剷除從法國來求宗教自由的復原教徒，在佛羅里達州建立了聖奧古斯丁市。那時正是科利尼任

這座爬滿長春藤的教堂樓塔可以追溯到最早期英國殖民地時代。
後面是翻修過的正堂。

法國海軍上將時期。西班牙司令在他的屠殺報告上說，他將一百四十二人施以絞刑：「不是因他們是法國人，乃因他們是異端」。

2. 聖公宗在美洲　聖公宗是第一個進入美洲的教會，那是英國殖民者於公元 1607 年帶到雅各鎮的。

聖公宗教會從一開始就是維吉尼亞的州立教會，也是馬利蘭州和維吉尼亞州以南英國各殖民地的州立教會，後來也是紐約州的州立教會。

在殖民地時代的第一個世紀中，聖公宗的發展很緩慢，但到殖民地時代的第二個世紀開始時，情況就有了很大的不同；因爲公元 1701 年在英國倫敦成立了海外福音廣宣會，這個組織後來成爲英國教會一個偉大的宣教機構。

3. 公理派在新英格蘭　英王詹姆士一世在位時，嚴厲地警告清教徒必須歸從國教，否則立即驅逐出境。國王的作風使所有不從國教者都不舒服，因此，斯洛克比公理派信徒被迫於公元 1609 年逃往荷蘭的萊登。

公元 1620 年十二月廿一日，「天路客」們從一塊巨大的岩礁上岸，此岸石後來被稱爲「普里茅斯石」。他們正爲神使他們安抵「新世界」而低頭敬拜。

這些英國人在荷蘭並不快樂，首先他們發現，要在一個陌生的國家謀生活不容易，後來令他們更不悅的是，看到自己的孩子去荷蘭學到許多壞榜樣；因此，他們決定到美洲新大陸去建立新的家園。他們從英國的普里茅斯（Plymouth）駕五月花號（May flower）啓程，於公元 1620 年十一月十一日抵達美洲的鱈魚角（Cape Cod），他們把上岸的地方命名爲普里茅斯以紀念他們在英國家鄉。在美國史上，這批人被稱爲「天路客」（Pilgrims）。

這些在普里茅斯殖民的人大多是貧窮卑賤的人，他們在英國被看爲「激進份子」，因爲他們堅持公理派的教會行政觀念而脫離英國國家教會；換言之，他們就是當時的「分離派」。大部份清教徒都願意留在國家教會中，而視這批「分離派」爲「自以爲義的滋事份子」。事實上，分離派信徒在當時是被所有英國人所討厭的。普里茅斯殖民地一直都很小。

英國清教徒前往美洲的大移民開始於公元 1628 年，他們在撒冷（Salem）建立麻薩諸塞灣殖民地（Massachusetts Bay

公元 1621 年一月廿一日，「天路客」們在新普里茅斯一間簡陋的木屋中開始第一次崇拜。因爲沒有牧師，乃由他們中間一位年高的長老帶領聚會。

Colony）；這個殖民地一開始就非常興盛，到公元 1640 年時，已經有二十萬人在撒冷地區找到安居之所；這批殖民者，大部份是有錢、有地位、有才幹的人。

這批清教徒本無脫離英國教會之意。一位名叫黑金山（Higginson）的牧師，前往麻薩諸塞灣時，站在甲板上，看見英國漸漸消失，他說：「我們不像分離派在離開英國時說：「再見了，巴比倫！再見了，羅馬！」我們願說：「再見了，親愛的英國！再見了，神在英國的教會！再見了，所有基督徒朋友們！我們不是以分離派身份脫離教會，前往新英格蘭，然而，我們不得不脫離教會的腐敗！」清教徒領袖們仍然以英國教會爲榮，爲他們「親愛的母親」。

我們會以爲，這個興盛的麻薩諸塞灣殖民地既具備財力與人力，必然會在新英格蘭的教會生活和行政上起帶頭作用。沒有想到，却是那些在普里茅斯又小、又窮、又被厭棄的激進份子爲整個新英格蘭區清教徒奠立了教會生活與行政的模範。許多在撒冷的清教徒後來也與他們「親愛的母親」斷絕關係，採用了公理派教會行政制度。十年之間，在麻薩諸塞州成立了三十三間教會，除了一兩位牧師傾向長老派制度外，他們都採用公理派制度。

威廉斯

公元 1636 年，他們在麻薩諸塞州的劍橋鎮（Cambridge）設立了第一間基督教學院；爲了紀念奉獻大批捐款的哈佛牧師（John Harvard），而定名爲哈佛學院，就是今天的哈佛大學。

公元 1701 年，另外一個學院在康乃狄格州（Connectcut）設立。校址起先在塞布魯克（Saybrook），於公元 1716 年搬到新港（New Haven）；兩年後，爲紀念慷慨資助的耶魯以列（Elihu Yale）而定名爲耶魯大學，也因爲如此，到今天仍有人稱耶魯大學爲「老以列」（Old Eli）。

4. **荷蘭改革宗教會抵達新大陸** 強壯而充滿野心的荷蘭人也不甘落後，他們於公元 1623 年在美洲建立了兩個商業據點，一個在紐約州赫得遜河上游的奧本尼（Albany），另一個在新澤西州得拉瓦河邊的劍登（Camden）。公元 1626 年，米努特（Minuit）成爲第一任新荷蘭區統治者。

荷蘭在美洲殖民時，正是多特會議後四年，也是荷蘭改革宗教會最強盛的時期，因此，他們在新大陸建立的改革宗教會也很興旺，並且還有阿姆斯特丹監督會的輔導。

第一間改革宗教會是於公元 1628 年在邁可留斯牧師

（Michaelius）領導下成立；第二任牧師波迦得（Bogardus）於公元 1633 年到任，在他活躍的任職期間，他們在新阿姆斯特丹建造兩個教堂；第一間是簡單的、木造的、像倉房的建築；第二間則用石頭建造，長七十二呎，寬五十呎，花費二千五百元荷幣（約合美金一千七百元），在當日是一筆很大的數目。

新荷蘭殖民區最有名的牧師是范米可蘭伯（Van Mekelenburg），他忠心地在教會事奉，也關心印第安人的需要，他學習摩和克族（Mohawk）語言，向他們傳講福音。因此，他被譽爲是復原教宣教士中，第一個向印第安人傳福音的人。

公元 1664 年，在施圖維山（Stuyvesant）擔任新阿姆斯特丹統治者及教會長老期間，這塊殖民地被英國人佔據，改名爲紐約。荷蘭改革宗教會獲准繼續工作。三十年後，這塊殖民地已經有許多不同的信仰和宗派：有英國分離派及荷蘭改革宗許多教會，還有法國預格諾派教會、路德宗教會、安立甘教會及猶太人的會堂。

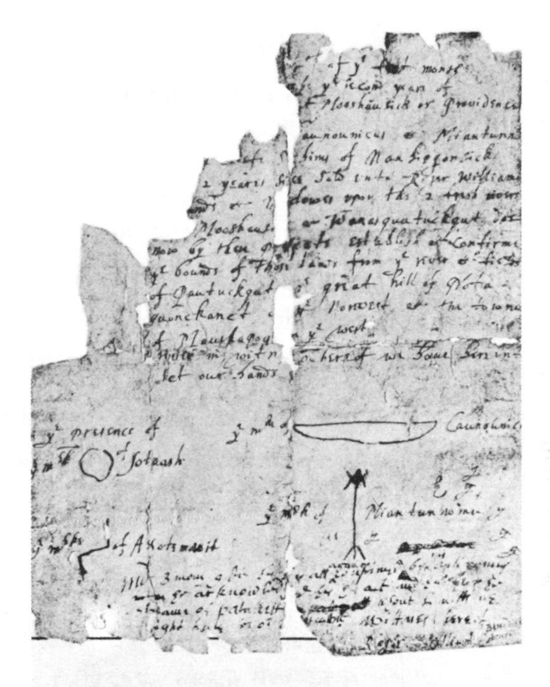

The Enrolement of the wrighting Called the
Towne Evidence after it was defaced; (as ffolloweth)

Att Nanhiggansick; the 24th of the first Month Comonly called March the 2nd yeare of our plantation, or planting at Moshosick, or providence,
Memorandum, that wee Caunounicus, & Miantenomu ye 2 cheife Sachims of Nanhiggansick having 2 yeares since Sold unto Roger Williams ye landes & Meaddowes upon the 2 fresh Rivers called Moshosick & wanasquatuckett doe Now by these presentes Establish, & confirme ye boundes of those landes from ye River & fieldes of pautuckquitt, ye great hill of Neotaconckonett on ye Norwest, & ye Towne of Mashappauge on ye West.
in wittnesse where of wee have here unto Sett our handes

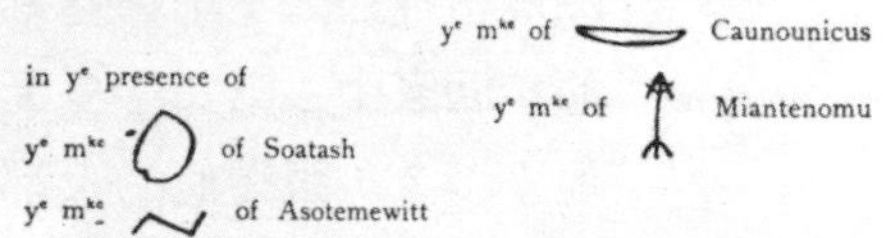

ye mke of Caunounicus
in ye presence of
ye mke of Miantenomu
ye mke of Soatash
ye mke of Asotemewitt

Md 3 Mont: 9 die this was all againe confirmed by Miantenomu he acknowledged this his act and hand up the streame of pautuckett and Pautuxett without limmetts we might have for our use of Cattle wittnesse here of

Roger Williams: Benedict Arnold
Enroled Aprill ye 4th: 1662: p me Tho: Olney Junr:
Towne Clerke.

以後，荷蘭改革宗教會在美洲的發展很慢，一直等到富瑞林浩生（Frelinghuysen）出現，才把新生命復興之火再度舉進教會。

5. 威廉斯成立第一間浸禮派教會　公元 1631 年初，一位年輕的英國牧師威廉斯（Roger Williams），帶著他美麗的妻子抵達波士頓（Boston）港，當時麻薩諸塞殖民區的州立教會屬於公理派教會，威廉斯却極力主張政教分開；他的看法使他立刻與波士頓教會當局水火不容。因此，他去普里茅斯擔任天路客教會的牧師。在那兒他與印第安的拿拉甘塞族（Narragansett）交好，並學習他們的語言；這一點，後來竟成爲他的幫助。

公元 1634 年，他奉召到撒冷，做了兩年公理派教會牧師，得到不少人和他採同樣的看法。

公元 1635 年，法院判他必須於六個星期內離開麻薩諸塞殖民區；但那時，威廉斯身體虛弱，法院特准他到第二年春天才走。威廉斯隨即辭去撒冷的事奉，有許多跟從他的人聚集在他的屋中，他在家裡向他們講道，特別提到他被政府非難的事，這下觸怒了法院，要他立刻離開。

威廉斯用他的房子作抵押，借了一筆錢，撇下妻子和兩個孩子，跑進荒山野地裡。在酷寒的冬天，他流落在森林的雪地裡十四個禮拜之久；幸虧遇到了他在普里茅斯結識的印第安人，才把他接回家中。第二年夏天，他向印第安人買下摩哈素河口的一塊地；不久，跟從他的人都從麻薩諸塞州來到這裡，他們合力建設了普維頓斯鎮（Providence），而成爲羅得島（Rhode Island）的開始。

公元 1647 年，按威廉斯的原則成立了羅得島州政府，他的原則是：政教分開，不强迫信徒投票，及宗教自由。這些原則後來也成爲美國政府的基本原則。

浸禮派的看法也被許多公理派信徒接受，哈佛大學第一任校長鄧斯德（Dunster）就是其中的一位。

麻薩諸塞州第一間浸禮派教會成立於公元 1663 年，由每勒士牧師（Myles）領導組織，後來搬到靠近羅得島邊界的士

美國最早的一間浸信會，由威廉斯所設立

彎西（Swansea），這個教會一直存到今天。浸禮派最興旺的地區不在新英格蘭殖民區，而是在中部殖民區。美洲第一個浸信協會共有五個教會，公元 1707 年在費城召開第一次大會。

公元 1742 年是美洲浸信會歷史的轉捩點：在那一年中，費城浸信協會採用了加爾文色彩極濃的信條；在這以前，一直是亞米紐斯派佔多數；從此以後，美洲浸信會變成加爾文信仰。直到今天，費城浸信協會（Baptist Association of Philadelpia）仍然是最强的浸信會團體。

浸禮派在美洲的發展並不快。威廉斯到達麻州的一百年後，在新英格蘭的浸禮派教會不到二十五間，在中部殖民區不到三十間，南部的發展則更遲。

威廉斯並非美洲浸禮派的創始人，他只是在普維頓斯成立了美洲第一間浸禮派教會。以後這個教會並未變成母會，也未分出

支會，因此可以說威廉斯在整個浸禮派歷史中，只佔了一小部份；大部份美洲浸禮派信徒是在未抵美洲前就已屬浸禮派。

威廉斯的重要性在於他強調「政教分開」，這個原則對浸禮派是一項很大的貢獻，因爲它解決了自君士坦丁大帝信主以來所引起的問題。

「宗教自由」緊隨「政教分開」而來，這兩項原則至今都在美國立國的基本原則中，而浸禮派是最先採用的團體。

6. 殖民地時期的天主教 羅馬天主教隨馬利蘭（Maryland）殖民區的設立而到達美洲。公元 1632 年，英王查理一世頒給卡爾弗（Calvert）及他的子孫乞沙比克灣（Chesapeake Bay）一帶地區。國王封他爲第一任巴爾的摩（Baltimore）爵士；當時他剛成爲天主教徒，以王后之名稱他的領土爲馬利蘭。

卡爾弗在得國王頒賜後不久便去世了，他的兒子西西爾（Cecil）即任爲第二任巴爾的摩爵士，並於公元 1634 年建設馬利蘭殖民區。

巴爾的摩爵士是第一個把「宗教自由」放在法律中的人，但他的「宗教自由」和威廉斯的不同，因爲他這樣行是一種「政策」（Policy），而非一項「原則」（Principle）。爲了使他的殖民區興盛，他必須把土地賣給殖民者；而當時在美洲的移民，大部份是復原教徒，很少天主教徒（天主教徒不願離開英國，前往新大陸）；爲了保障殖民區中少數天主教徒，巴爾的摩爵士必須宣佈「宗教自由」的政策。在他的宗教自由政策中，只有一種人不在容忍的範圍內，就是那些不信「三位一體」教義的人；他對這種人甚至處以死刑並沒收財產。

公元 1649 年，在巴爾的摩爵士的要求下，馬利蘭議會通過了「信仰容忍法案」，雖然這法案的目的也是爲了「政策」，而

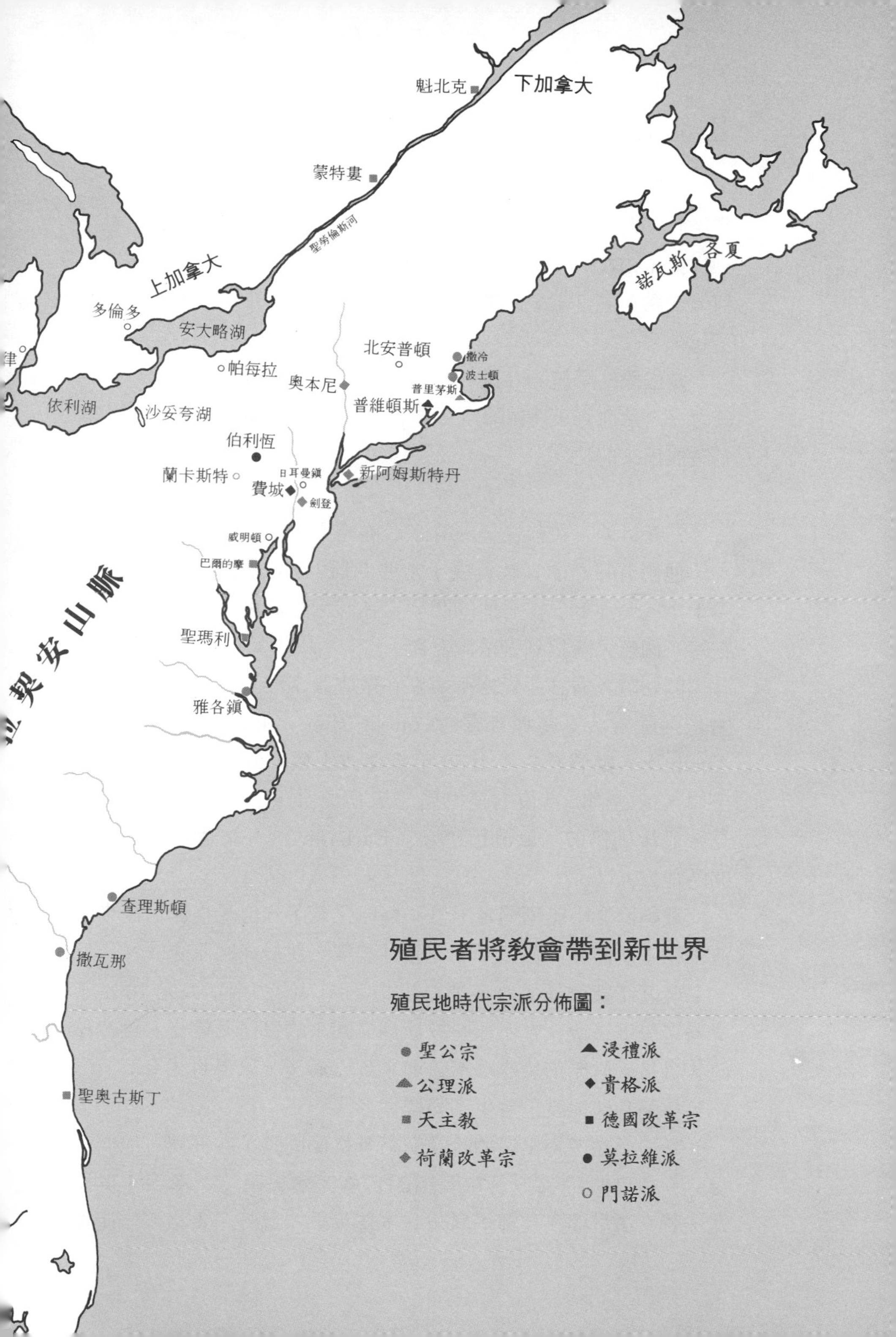

魁北克
下加拿大
蒙特婁
聖勞倫斯河
上加拿大
多倫多
安大略湖
諾瓦斯
各夏
北安普頓
撒冷
波士頓
帕每拉
奧本尼
普里茅斯
普維頓斯
依利湖
沙安夸湖
伯利恆
蘭卡斯特
日耳曼鎮
新阿姆斯特丹
費城
劍登
威明頓
巴爾的摩
阿巴拉契安山脈
聖瑪利
雅各鎮
查理斯頓
撒瓦那
聖奧古斯丁
殖民地時代宗派分佈圖：
聖公宗
浸禮派
公理派
貴格派
天主教
德國改革宗
荷蘭改革宗
莫拉維派
門諾派

殖民者將教會帶到新世界

非爲「原則」，但它還是美洲宗教自由史中的一個里程碑。

公元 1692 年，巴爾的摩家族喪失了他們在美洲的產業，馬利蘭成爲英國皇家殖民地；於是英國國家教會在這塊土地上設立了起來。

當巴爾的摩統治時期，天主教會的發展很慢，只佔人口的四分之一。然而今天美國龐大的羅馬天主教會就是從這個小小的開始發展出來的。

7. 貴格派 在前往美洲的宗教團體中，貴格派是最特別的一支，他們有強烈的宣教負擔；當弗克斯（Fox）在英國開始工作後十年，美洲就已經有他的門徒；在該世紀結束之前，已經可以在每一個殖民區找到貴格派信徒。

開始時，有許多貴格派婦女在做宣教工作。最先出現在美洲的是兩位婦女：瑪利費雪（Mary Fisher）和安奧斯丁（Ann-Austin）。她們於公元 1656 年抵達波士頓，但清教徒不准她們上岸，把她們關進沒有窗的監牢五個禮拜，不但出不去也看不見，最後她們被送回到巴巴多（Barbados），就是她們動身離開的地方。

載她們的小船剛開走，另一條船又載了八位貴格派信徒來到波士頓；他們也被關了十一個禮拜監牢，然後送回原處。

麻薩諸塞州頒了許多禁止貴格派進入的法令；公元 1661 年又通過一項法令，處死那些被放逐又回來的貴格派信徒。雖然如此，貴格派信徒仍然繼續不斷地來到；最後，只得將法令取消。新英格蘭其他地區也發生了同樣情形。

貴格派在紐約出現的時間與新英格蘭同時，在那兒，他們也受到一段時期的逼迫。在所謂的貴格派殖民區（新澤西、得拉瓦、賓夕法尼亞）及羅得島州和卡羅萊納州以外，貴格派信徒在

公元1660年貴格派信徒被逐出麻薩諸塞州

所有英國殖民區內都受到逼迫。

公元1660年前，他們在麻薩諸塞州已經舉行第一次「月會」；公元1661年成立「新英格蘭年會」（New England Yearly Meeting），這是全美洲最早的「年會」。

公元1681年時，有一千多名殖民者到達新澤西州，其中大部份是貴格派信徒，他們定居在西澤西區（West Jersey）。公元1677年，得拉瓦河（Delaware）上的伯靈頓鎮（Burlington）曾有一度是貴格派最重要的中心地。

公元1681年，英王將賓夕法尼亞州頒給彭威廉（William Penn），第二年又加給他得拉瓦州，沒有一個英國人在殖民事業上像彭威廉那麼成功；他不但宣佈宗教自由，也在英國、荷蘭、德國各地刊登殖民地廣告；結果殖民者從各地（甚至法國）湧進賓夕法尼亞州，因此當公元1685年彭威廉建立賓夕法尼亞州殖民區時，大部份是貴格派信徒，而英國人只佔全人口的一半。

貴格派的「朋友」們，人數繼續增加；到公元1760年，已有三萬人。但是人數增加之後，靈性却反倒低落，有人描寫「朋友」們的信仰「枯躁而無生氣」。十九世紀中，曾有幾次大復興。公元 1827 至 1828 年間，有一批稱爲希克斯派（Hicksites）的信徒從他們中間分裂出去。貴格派設立了不少學校和學院，他們在宣教工作上非常活躍。

一位貴格派傳道人在新英格蘭傳道情形

8. **德國改革宗（German Reformed）在賓州**　公元 1727 至 1745 年間，有大批德國人來到賓夕法尼亞州。他們當中沒有牧師也沒有校長，但他們却成立了幾間改革宗教會。第一間教會成立於公元 1719 年，地點在費城北邊十哩的日耳曼鎮（Germantown）；到公元 1725 年時，已有三間德國改革宗教會。這些教會合請一位曾在沃木斯當校長的波姆（Boehm）弟兄做他們的牧師，他便開始講道及施洗，但他還未接受正式按立。爲了這事，他們討教於紐約的荷蘭改革宗教會，又請教阿姆斯特丹監督會。波姆承認自己未經按立就講道和施洗是破壞了改革宗的規定，但監督會回答說：由於情況特殊，當看此事爲合法；乃於公元 1729 年將波姆正式按立爲牧師。這件事促使德國改革宗與荷蘭改革宗在美洲建立密切的關係。

許多瑞士改革宗殖民者亦來此區定居，他們分佈於得拉瓦河與蘇奇河（Schuylkill）之間。

大部份移民賓州的德國人都非常窮，當他們的船航經荷蘭港口時，引起荷蘭改革宗教會的同情，便發出濟助這批移民美洲德民的呼籲。一位名叫施賴德（Schlatter）的瑞士人響應這個呼籲，專程前往荷蘭，應徵赴美洲去牧養這批德國改革宗信徒。阿姆斯特丹監督會接納了他，並於公元1746年送他上路。

這間瑞典信義宗教堂是費城最老的一間教堂，建於公元1700年，至今仍在使用。

施賴德的主要工作，是將在美洲的德國改革宗教會組成議會（Synod）。他充滿幹勁和熱誠，各處訪問德國改革宗教會；議會一組成，便於公元1747年九月在費城召開。應大會的要求，他回到荷蘭募捐了四萬八千元濟助窮困的美洲德國改革宗教會，而這筆捐款的唯一條件是，這些教會必須留在阿姆斯特丹監督會之下。施賴德回美洲時，不但帶了捐款，還帶了六位年輕的牧師及七百本贈閱的聖經，這樣就大大堅固了德國改革宗在美洲殖民地的教會。

德國改革宗教會和德國信義宗教會在北美和諧相處、配搭同工，因爲他們在崇拜上及教義上都很相近。在好些城裡，這兩派甚至共用一間建築物，舉行聚會。

9. **信義宗**（The Lutherans）（**註**）　信義宗主義在美洲開始於住在赫得遜河邊的荷蘭人，及住在得拉瓦河邊的瑞典人。有兩間古老的教堂，至今還是瑞典信義宗在美洲歷史中的紀念碑，它們是：位居費城南邊的「老榮耀堂」（Old Gloria Dei Church）及在威明頓（Wilmington）的「老瑞典堂」（Old Swedes Church）。在兩間教堂的墓地中，安息了許多瑞典信義宗信徒。老瑞典堂南邊的墓地中，埋葬着美洲第一位信義宗牧師托基勒斯（Torkillus）。

雖然如此，荷蘭及瑞典信義宗在歷史上的地位還不如德國信義宗重要。如前所述，公元1727至1745年間，有許多德國人移民美洲，其中最大的團體，是信義宗信徒。

所有德國移民都非常貧窮。信義宗和改革宗一樣，沒有牧師也沒有校長，因此，他們很晚才組織教會，因爲必須要等到有信義宗牧師來到殖民地才成。

有一位信義宗信徒舒茲（Schulz）回到歐洲去籌款，並延攬牧師和老師。他的呼籲震撼了在哈勒的富朗開；他立刻着手找尋合適的年輕人前往美洲，做德國信義宗的工作，最後他找到了米倫伯（Mühlenberg）。米倫伯是一位學識淵博、經驗豐富、在哈勒孤兒院任教的老師，雖然屬於敬虔派，仍極關切新大陸信義宗的需要。

在新大陸這邊，信義宗的情況並不樂觀，雖然德國移民比任何非英國移民都多，但分佈得很散；加上親岑多夫來到美洲，努力促使所有德國宗教團合一；如果他的計劃成功，將使信義宗在美洲組成獨立之宗派的希望幻滅。

米倫伯於公元1742年啓程前往美洲。他的來到，爲美洲信義宗歷史展開新的紀元。當時，他並未宣告自己的來臨；他於十一月抵達費城時，發現那兒的教會情況混亂，大部份教會贊成親岑多夫的合一計劃，也有些教會的牧師程度很差；而米倫伯卻是個靈命豐盛、精力充沛的人，不到一個月時間，他就掌握了整個地區；年底之前，他已經成爲費城附近三間德國信義宗教會的牧

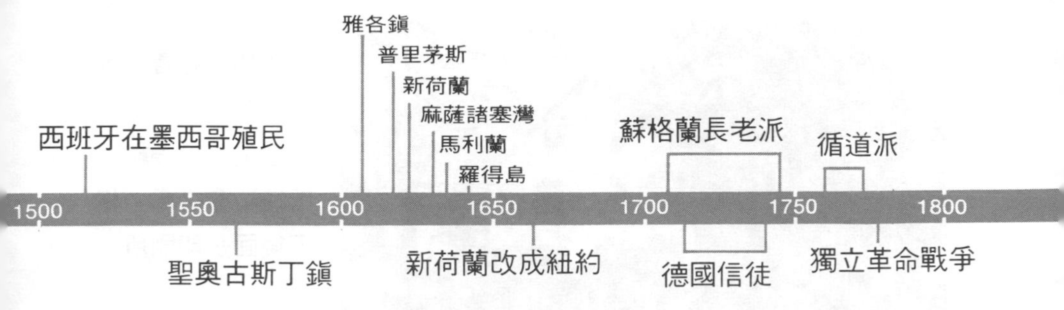

師。

牧養三間教會外，他也照顧那些沒有牧師的教會。他常將工作報告寄回在哈勒的總部，使美洲工場的實際情況，活生生地展現在德國教會面前，結果使財力和人力源源送到美洲。公元1745年，三位牧師帶着捐款自哈勒來到美洲，建造新教堂，並爲教區孩童設立基督教學校。

公元1748年時，已經有不少強大的教會及能幹的牧師，不但有新教會成立，也有許多年輕人願意獻身全時間事奉。在這一年中，有六位牧師及二十四位來自十個教會的代表聚在費城，舉行了第一屆美洲信義宗會議。那時全美洲約有七十間信義宗教會；當獨立戰爭爆發時，單單賓州的德國信義宗信徒就有七萬五千人。

10. **其他德國團體**　現在讓我們回溯歷史，看看德國其他團體如何來到美洲。

彭威廉不但在各地爲他的殖民地刊登廣告，也親自到歐洲各地宣傳。結果，公元1683年十三個門諾派家庭前往美洲，他們在費城北方十哩的地方定居下來，將那地命名爲日耳曼鎮；這地方變成德國人在美洲最早的聚居之地；此外，瑞士門諾派定居在

索爾的家在費城附近，有多種用處：樓上是德國浸禮派信徒聚會之處，樓下後面是印刷所。

今天的蘭卡斯特郡（Lancaster County）。

於公元1719年抵達賓州的另一個德國團體，是德國浸禮派；別人稱他們爲頓克派（Dunkers），因爲「頓克」源於德文的「浸」字；他們最先定居在日耳曼鎭，但過不久就遷往附近新社區居住。起初，他們在家中聚會，直到公元1723年才成立教會。但幾年之後，他們又都分散了。

頓克派與貴格派、門諾派在教義上一致，他們受貴格派影響，穿著非常樸實；他們奉聖父、聖子、聖靈的名實行「三重浸禮」（threefold immersion），只有成人可以受浸；在行政方面，他們和公理派採取同樣教會行政制度。

殖民地時期最重要的一位頓克派信徒是索爾（Christopher Sower），他是第一位到美洲的德國印刷者，也是第一位編輯並印行德文報紙的人。去世後，他的兒子繼承父業。公元1743年所出版的「索爾聖經」（The Sower Bible），對早期德國移民的靈性幫助極大。這本聖經是在美洲出版的第一本歐洲語聖經。

莫拉維弟兄會於公元1740年抵達賓州，定居在得拉瓦河五千英畝的河汊地區上。他們的首要目標是在德國人及印第安人中做宣教工作。公元1741年，親岑多夫親自來到費城，並於聖誕節前抵達莫拉維弟兄們所定居的得拉瓦河汊地區，他爲該地區取名爲伯利恆（Bethlehem），即「糧倉」的意思；因爲他迫切盼望「生命的眞糧在此擘開，供應所有饑渴的心靈」，今天，伯利恆是個鋼鐵重鎮，仍然是莫拉維弟兄會在美國的中心。

11. 長老派主義（Presbyterianism）的札根　從本書第肆部中，我們看到十八世紀時，長老派在英國非常興盛，幾乎成爲英國的國家教會，雖然後來沒有得到這個地位，但在蘇格蘭，長老派却成爲國家教會。

好些清教徒領袖如依略特（Eliot）、馬特英克利斯（Increase Mather），及馬特科頓（Cotton Mather）和其他人都傾向長老派主義。新英格蘭一些教會已經把長老派的教會行政制度付諸實行；康乃狄格各教會完全採用長老制，而且把公理派、長老派之名交替使用。

紐約州、新澤西州的荷蘭改革宗教會，在行政上採長老制。因此，當公理派清教徒來到紐約州及新澤西州後，很快改變成長老派主義，新英格蘭公理派在長島的幾間教會，也採用長老制。

這只是很小的開始，長老派在美洲眞正的大發展是在一大批

循道派第一次佈道聚會在巴爾的摩舉行

愛爾蘭籍的蘇格蘭人移民到新大陸之時。

所謂愛爾蘭籍的蘇格蘭人，是指那些住在愛爾蘭的蘇格蘭人，他們却是堅定的長老派信徒；起先只有少數人前往美洲，十八世紀時，他們開始大批移民美洲。早期的移民定居在新英格蘭；後來的人定居在紐約州及賓州；過不久，他們又遷往馬利蘭州、維吉尼亞州、卡羅萊納州及喬治亞州。

爲美洲長老派主義奠定基礎的功臣是瑪克米（Francis Makemie），他於公元1683年抵達馬利蘭東部，在愛爾蘭籍的蘇格蘭人中設立講道站。數年之久，他來往於馬利蘭、維吉尼亞和卡羅萊納之間在分散各地的人中間講道。藉着瑪克米及其助手的努力，早在公元1706年，已經成立數間教會，到公元1716年時已經有十七位長老派牧師在殖民地工作。同年，舉行了第一屆長老派會議。

多年來，長老派都在牧師少會衆多的情況下，而教會又堅持只有經過訓練，受過按立的人才可以講道。公元1710年，一位名叫伊文思（David Evans）的年輕人在維吉尼亞的威爾斯殖民區中講道，雖然他很有恩賜，講道又有屬靈的供應，但因他未被正式按立，長老部便判決他「做了非常錯的事」。不管教會的需要有多大，他們命令他放下一切工作，專心進修一年，然後每一年長老都要考核他的進度；這樣經過五年後，伊文思才被正式按立爲牧師。

美洲長老派主義的重大事件，是於公元1729年會議中通過「採納法案」（Adopting Act），根據這項法案，所有長老派牧師都必須採納威斯敏斯特信條（Westminster Confession）。

自從公元1720年，愛爾蘭籍的蘇格蘭人大量移民美洲後，長老派教會成長得越來越快。當獨立戰爭爆發時，每一個英國殖民地上都可以找到長老派教會，而且都人數衆多、深具影響力。

12. **循道派主義（Methodism）較遲到達**　由於循道派運動到公元 1739 年才在英國開始，當然他們出現在美洲也比較遲，幾乎遲到殖民地時代的末期。

把循道派主義帶到美洲的人是恩伯立（Philip Embury），他於公元 1766 年首先在自己紐約的私宅開始工作；在這同時，史特布里基（Robert Strawbridge）在馬利蘭工作。公元 1771 年，約翰衞斯理自英國差亞斯理（Francis Asbury）到美洲，做進一步的工作。

但是循道派一直到獨立戰爭後，才在美國成立教會。

13. **西班牙人殖民加州（California）**　雖然公元 1542 年時，西班牙領袖們已經自墨西哥派遣遠征隊，開發加州海岸，但一直到公元 1769 年，才有四個團體的人前往那裡殖民。他們先到聖地牙哥（San Diego），以西拉神父（Father Serra）爲他們的領袖。他在往後的十五年中，設立了九個宣教區，最後一共設立二十一個宣教區，分佈在聖地牙哥和舊金山（San Francisco）之間。神甫們勸印第安人住進這些宣教區，他們不但把基督教傳給印第安人，也教他們農事與畜牧。

（註）：Lutherans（路德派）自傳入中國後，因馬丁路德強調因信稱義而譯名爲「信義宗」。

研討問題：

1. 畫一張地圖，在上面註明各種宗教信仰在美洲殖民地、加拿大及佛羅里達的分佈情形。
2. 「天路客」的宗教背景是什麼？
3. 清教徒與天路客對英國國家教會的態度有何不同？

4. 成立哈佛學院與耶魯大學的目的是什麼？
5. 由於威廉斯的工作，普維頓斯浸禮派教會的原則與實施方法如何？
6. 爲什麼清教徒自己受過逼迫，還會逼迫到他們殖民地來的外人？
7. 卡爾弗爲什麼宣佈宗教自由？他和威廉斯的宗教自由有什麼不同？
8. 貴格派在美洲那裡定居？爲什麼他們希望宗教自由？
9. 是那些人使美洲長老派教會大爲發展？什麼是「採納法案」？
10. 解釋以下名詞：巴爾的摩、索爾聖經、西拉神父、年會、伊文思。
11. 頓克派、貴格派、門諾派有什麼相似之處？

第四十二章

教會經歷大覺醒

1. 大覺醒
2. 富瑞林浩生、滕能特、愛德華滋
3. 懷特腓德
4. 後果

1. 大覺醒　我們仍記得十八世紀時，自然神論及唯理主義之風吹向英國，扼殺了當時的宗教生活；它們也同樣使美洲的教會進入沉睡狀態。開拓新英格蘭殖民地的都是一些靈性堅定的清教徒，但是到他們的孫輩時，幾乎失落了所有的熱誠；十八世紀前期，美洲的宗教生活沉陷在可嘆的低潮光景中。

然而，就在這時，殖民地的屬靈情況有了急劇的改變，這就是所謂的屬靈「大覺醒」（Great Awakening）。一系列奮興聚會在殖民地各處展開。美洲屬靈大覺醒和英國循道派運動同時發生，都因受到德國敬虔主義和莫拉維弟兄會的影響，而且都集中在懷特腓德（George Whitefield）一個人身上。

滕能特與他「木屋學院」的學生們

2. **富瑞林浩生、滕能特、愛德華滋**　富瑞林浩生（Theodore J. Frelinghuysen）在荷蘭時已經受德國敬虔派的影響，公元1720年抵達美洲後，他成爲荷蘭改革宗教會的牧師該教會位於新澤西州的拉利丹（Raritan）河谷。富瑞林浩生是一位極能幹的講員，他的講章强調悔改歸正的必要，他火熱有力的講道帶出明顯的果效，教會增加許多新人，別的教會聽說，也邀請他去講道，於是，復興的火從拉利丹河谷向外延燒。滕能特（William Tennent）是賓州一間長老教會的牧師，他有四個兒子：基伯（Gilbert）、威廉（William Jr.）、約翰（John），和查理（Charles）。大兒子基伯從小就在父親的教導下長大。後來，滕能特牧師在他家庭院的一角築了一間木屋，作爲學校，因此學校名叫「木屋學院」（Log College）。在這裡，滕能特牧師教導他三個較年幼的兒子及另外十五個年輕人。他認眞地教導他們拉丁文、希臘文、希伯來文、邏輯學及神學。不但如此，他也把傳福音的熱誠挑旺起來，結果四個兒子都做了長老教會的牧師，繼承父親傳福音的心志。

滕能特牧師創立「木屋學院」那年，老大基伯已經在富瑞林浩生附近的一間長老教會擔任牧師，後者盡力在各方面幫助這位年輕的牧師，准許他在荷蘭改革宗教會講道。基伯用英語講道，雖然引起一些會友的反對，然而他的講道加上「木屋學院」其他畢業生的努力，復興之火就像野火般地在長老教會中燒起，從長島一直燒到維吉尼亞州。

愛德華滋（Jonathan Edwards）的名字與新英格蘭大覺醒不能分開。從各方面看，他都是美洲殖民地的傑出知識份子，是在美洲當地出生的偉人之一。公元 1703 年，他出生在康乃狄格州的東溫色爾城（East Winsor）；父親是一位公理派教會牧師，十七歲便畢業於耶魯大學，經過數年進修，講道與教學後，於公元 1727 年成爲麻薩諸塞州中部北安普頓城（Northampton）一間公理派教會的牧師。

當時該教會正處於靈性僵死的情況，公元 1734 年十二月，愛德華滋講了一系列因信稱義的道理，直接針對當時正在新英格蘭滋長的亞米紐斯主義。講道時，這位瘦長、蒼白而年輕的牧師，活生生地描述神的震怒，並力勸罪人盡速逃避。很快地，教會有了起色，整個北安普頓城都有了改變；第二年的春天和夏天，似乎全城充滿了神的同在。無論長幼，幾乎找不到一個不關心永生問題的人。大復興的第一年，超過三百人決志歸主。

接下來的幾年中，在新英格蘭的不同地區都發生大復興。到

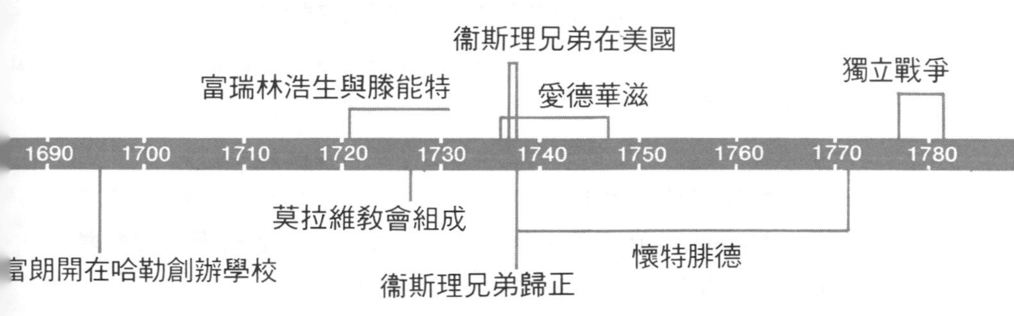

公元 1740 年時，復興之火燒遍了全新英格蘭，信主的人多如潮湧，在三十萬人口中有二萬五千到五萬新決志的人加入教會，整個新英格蘭的道德標準也隨之提高。

這個大復興同時具有强烈的感情及身體的表現，强壯的男人仆倒在地，女人則歇斯底里；公元 1741 年，愛德華滋在康乃狄格安田鎮（Enfield）講道，那天的題目是：「罪人在忿怒的神手中」，講道中途，他必須停下來，請大家安靜，好讓大家可以聽見他的講道，因爲全場都在大聲痛哭，哭聲蓋過了講道的聲音。

3. **懷特腓德** 在大覺醒運動中，懷特腓德扮演極重要的角色。他於公元 1714 年十二月六日出生在英國的格勒斯特（Gloucester），父親是一個客棧管理員。他從小生長在貧困、道德低落的環境中，公元 1733 年讀完格勒斯特一間學校，進入牛津大學，並成爲學校中「聖潔會」的一員。在一場大病後，他歸信了基督；於公元 1736 年被按立爲英國聖公教會的牧師。

我們還記得懷特腓德如何與衛斯理在英國傳道的事蹟；然而他在美洲却做了更大的工作。從公元 1738 到 1770 年間，他在美洲七次旅行佈道。

在那些年日中，他來往奔波於美洲各殖民地區，從新英格蘭到喬治亞，不停地在各地講道；不管他到那裡，都有無數人前來聆聽，有時聽衆達兩萬之多。他極有口才，是十八世紀偉大的佈道家，也是歷史中最有能力的講員之一；他的講道帶領了上千人信主，也造就了數千信徒的靈命。

懷特腓德於公元 1770 年九月卅日死在麻薩諸塞州的新布里港（Newbury Port），他的遺體埋葬在該城老南方長老教會（Old South Presbyterian Church）的講台下。

4. **後果**　一段時期後，屬靈的興奮漸漸消失，復興的火焰也逐漸熄滅。早在公元 1744 到 1748 年間，愛德華滋描寫他在北安普頓城的教會「火焰已經完全止息」，教會在那幾年中，沒有帶領一個人歸主。

復興消失後，却帶來了意見的不合：新英格蘭公理派牧師和紐約改革宗牧師因意見不同而分開；長老教會也分裂，雖然後來又合起來。大復興也帶來了新英格蘭神學的發展，這個發展大大減弱傳統加爾文主義在公理派、改革宗、長老派中的地位。同時，自由神學漸漸高漲，尤其是在波士頓及其附近的教會中，造成十九世紀初期「神體一位會」（Unitarian Churches）的成立。

總之，「大覺醒」爲教會帶來了屬靈的大奮興，它成爲美洲教會歷史中一件突出的史蹟。

研討問題：

1. 是誰引起大覺醒運動的？他們每一個人的貢獻是什麼？
2. 找出愛德華滋的講章：「罪人在忿怒的神手中」，然後仔細閱讀，以感受當日他講道時的影響力。
3. 爲什麼改革運動和接下來的復興之火會熄滅？
4. 懷特腓德和約翰衛斯理有什麼關係？
5. 解釋以下名詞：自然神論、唯理主義、木屋學院、北安普頓城。

第四十三章

新興國家的教會

1. 統一的因素
2. 獨立戰爭
3. 廢除州立教會
4. 切斷歐洲關係

1. 統一的因素　除了政治和經濟因素使殖民地的人聯合起來對抗英國，還有兩個重要的宗教因素。

「大覺醒」以後，殖民者第一次經歷到全民普遍對宗教的感受；在華盛頓與富蘭克林尚未成爲全民的「政治象徵」以前，懷特腓德、愛德華滋、滕能特等人的名字早已成爲所有殖民者關注的對象。

另一個使殖民者統一的宗教因素是：他們都對英國國家教會指派主教來殖民地的事深表不滿，認爲是一種長期的攪擾。許多聖公會的信徒大爲反對，認爲這是破壞政治和宗教自由。公元1766年，新英格蘭公理派及中部長老派在年會中聯合起來，一致阻止主教制在美洲設立。

2. **獨立戰爭**　獨立戰爭爆發時，新英格蘭殖民區大部份教牧人員及聖公會信徒仍然忠於英國；南部各殖民區都站在美國這邊；中部殖民區則一邊一半。簽署獨立宣言的人中，有三分之二是聖公會信徒。當時教牧人員的處境甚是尷尬，因爲他們被按立時都發過誓要效忠教會的元首——英國國王。

波士頓的國王教堂（King's Chapel）是新英格蘭第一間聖公宗教堂，英王詹姆士二世捐贈的聖經仍在該堂使用，該堂是爲當日英軍的聚會之處。公元1785年，這間國王教堂變成美國神體一位會第一間教堂。

出現在美洲不太久的循道派信徒立場也十分爲難，因爲約翰衞斯理站在英國這邊，以致美國的愛國份子以懷疑的眼光看這些循道派信徒。但是循道派却自公元1775至1780年由四千人增長至一萬三千人。

貴格派與莫拉維弟兄會雖然反戰，但在他們原則的許可範圍內，還是儘量支持獨立。

除了少數例外，其他教會牧師幾乎全體支持獨立戰爭。長老教會的傑出領袖維特斯普恩牧師（John Witherspoon）被選爲大陸國會代表，也是獨立宣言簽署人中唯一的牧師。有很多牧師以反抗英國及爭取獨立爲神聖使命。也有很多牧師加入軍隊，作隨軍牧師。

貴格派信徒在紐約聚會情形

3. **廢除州立教會**　所謂州立教會，是指被州政府所認可的教會，所有百姓照理都屬於州立教會。早期在麻州，凡不加入州立公理派教會的人都被驅逐出境；浸禮派及貴格派信徒常遭驅逐。在所有聖公宗爲州立教會的殖民區中，由於政府的干預，攔阻了其他教會的發展。

只有州立教會的牧師可以施行宗教儀式；所有殖民地的居民，不管是不是屬於教會，都需付稅支持州立教會。

殖民地時代的末期與建國時代的初期，在美洲一共有兩種州立教會（或法定教會）：公理派教會是麻薩諸塞州、新罕布什爾州與康乃狄格州的州立教會；聖公宗教會是紐約州、馬利蘭州、維吉尼亞州、北卡羅萊納州、南卡羅萊納州及喬治亞州的州立教會；因此，在十三州裡，九個州有州立教會。

其他教會當然反對州立教會，信義宗、改革宗、長老派都認爲他們應當成爲州立教會；只有浸禮派根本不盼望有州立教會，因爲浸禮派的信仰是主張政教分開的；貴格派也採這種看法，這就是爲什麼羅得島州、新澤西州、得拉瓦州與賓夕法尼亞州沒有州立教會的原因，因爲在這幾州裡，浸禮派與貴格派信徒佔多數。

浸禮派在其他不同意之教會的支持下，起來領導「取消州立教會」運動。不用說，那些被政府認可的教會不願放棄他們的利益和特權。

然而，在獨立戰爭初期，紐約州、馬利蘭州及最南方各州很快便取消了「州立教會」制度。但在維吉尼亞州則需經過長期而艱苦的奮鬥，一直到公元 1786 年才完成。這個運動傳遍全國，終於這項「取消州立教會」的條例被列入憲法第一條修正案，成為美國基本法律的一部份。

4. 切斷歐洲關係　有些教會與歐洲教會沒有任何關係，包括浸禮派、長老派及貴格派，因此他們很快便在美洲成立了全國性的組織。唯有人數最多的公理派，拒絕組織全國性聯會，以致他們在教會發展上受到攔阻。

而聖公宗、天主教、循道派及改革宗教會則在歐洲的控制之下。這時期的循道派仍隸屬於英國教會，而且除了正式按立的人，沒有人可以講道及主持聖禮。衛斯理以教會長老的身份，認為自己也有權施行按立，便在兩位牧師的助理下，按立了科克（Thomas Coke），使他成為美國循道派教會的監督。

在公元 1784 年的一次大會中，科克和亞斯布里均被選為監督，在會中又按立了幾個人，並通過採用統一的信條及禮拜儀式；這信條純屬亞米紐斯主義，內容主要是由約翰衛斯理擬定的。

美國立國之初，聖公宗教會相當軟弱，隸屬於英國教會。過不久，許多文章和會議開始呼籲要有一個獨立的組織。公元 1783 年的一次非正式會議中，十位聖公宗的聖職人員推選西伯立（Samuel Seabury Jr.）前往英國，接受按立；結果他在英國

這幅畫題名爲「馬背上的人」是畫家筆下所描繪的亞斯布理。公元 1771 年中，約翰衛斯理挑選他前往美國宣教。在他一生事奉工作中親見美國循道派信徒自一萬五千人增長至廿萬人。他平均一年騎馬四千哩，每天至少講一次道，一生共講兩萬次道。

被拒，只得前往蘇格蘭，在那兒被按立爲主教。接下來，公元 1785 年舉行了一次大會，訂立了「美國聖公宗章程」（the Constitution of the Protestant Episcopal Church in the United States）。

改革宗教會在獨立戰爭後不久即切斷了和阿姆斯特丹監督會之間的關係：德國改革宗教會改名爲「美國改革宗教會」（The Reformed Church in the United States）；荷蘭改革宗教會改名爲「美洲改革宗教會」（The Reformed Church in America）。

至於羅馬天主教則一直在倫敦教區代理（the vicar apostolic）的管理之下。公元 1784 年，教皇派卡洛爾（John Carroll）赴美，管理美國的天主教會。公元 1789 年，他被立爲主教，並以巴爾的摩（Baltimore）爲天主教在美國的第一個教區。

研討問題：

1. 爲什麼「大復興」（Great Awakening）也影響美國的獨立？
2. 爲什麼殖民地的人反對聖公宗派遣主教來？
3. 「州立教會」是指什麼？什麼是「取消州立教會」？當時有那兩種州立教會？
4. 循道派與聖公宗如何從「母國」獨立出來？
5. 爲什麼美國的天主教會不宣佈獨立？
6. 解釋以下名詞：維特斯普恩、科克、亞斯布理、卡洛爾。
7. 約翰衛斯理希望循道派信徒對獨立戰爭採什麼態度？
8. 爲什麼羅得島州沒有「州立教會」？
9. 什麼事攔阻公理派教會的成長？

第四十四章

十九世紀初期的教會

1. 三件影響教會的事
2. 長老派
3. 浸禮派
4. 循道派
5. 東部第二次大覺醒
6. 大復興與露天聚會
7. 新宗派
8. 差會
9. 主日學
10. 神學院與大學

1. 三件影響教會的事　西部大遷徙、新移民與內戰，是三件大大影響十九世紀教會的事。本章只提第一件——西部大遷徙（ the westward movement ）。

教會內部的潮流也影響十九世紀教會的發展。第二次大復興雖爲教會帶來許多信徒，但也促進了教會分裂的趨勢；新的宗派

在密蘇里州堪薩斯市公園中的「拓荒之母」塑像

和分支開始繁衍、背道的情況顯然可見、傳統的教義被沖淡、異端和現代主義暗地滲透，教會再度進入垂死的光景。

十九世紀初期出現一幅歷史的英勇畫面：大批人潮從舊殖民區向西遷徙，他們翻山越嶺，長途跋涉，進入充滿活力、生氣蓬勃的西部地區，到公元 1820 年時，他們在阿利根尼山（Alleghenies）西邊，又爲聯邦增加了十個州。

2. **長老派**　愛爾蘭籍的蘇格蘭人是殖民地時代最後抵達美洲的歐洲人，因此他們自然沿着西邊的邊界定居，而且設立了許多長老教會；也因此，他們成了「西部大遷徙」的先鋒部隊。到公元 1802 年，他們在肯塔基州已將三個長老部組成一個議會。

懷特曼醫生是一位教會長老，他於公元 1836 年前往俄立岡州向美國西北的印第安人宣教。

這段時期的「聯合計劃」（Plan of Union）深具意義。長老派教會與公理派教會都接受加爾文派信條，只是在行政組織上不一樣。當西部大遷徙的人口膨脹到十分龐大之時，兩派教會都發現，他們在這塊新地區上所面對的，是一項極重的使命；為了完成使命，他們採用公元 1801 年所通過的「聯合計劃」，根據這項計劃，兩派教會同意合作，協力在西部成立新教會。新成立的教會可以從兩個宗派中自由邀請牧師，如果大多數信徒是長老派，即或牧師是公理派，教會的行政還是根據長老派條例實行；若大多數信徒是公理派，則反過來實行。

事實上這項「聯合計劃」有利於長老派，因為長老派信徒比較多，而且他們對宗派的感覺也比較强烈。據估計，當時在紐約州、俄亥俄州、伊利諾州及密西根州約有二千個教會，本來是公理派的，現在變成了長老派教會。這些教會也在西部地區普遍設立中學與大學。

在美國首府華盛頓的亞斯布理塑像

3. **浸禮派**　浸禮派與循道派成長的速度，比長老派、公理派快得多。浸禮派准許未受太高教育的人做牧師，而且可以用「部份時間」（part-time）做牧師工作；循道派的牧師則必須受過高等教育，而且必須「全時間」（full time）事奉。成立一個浸禮派或循道派教會的經費不大，而且這些牧師與拓荒者一起用雙手作工，和學者型的長老派牧師很不一樣。他們不加修飾、充滿情感的講道，正適合開荒時代、艱苦生活的需要。

浸禮派信徒往往成羣結隊，帶着他們的牧師同行。他們先在一個信徒的小屋子中聚會，一段時期後，就合力用木頭搭起一間教堂，林肯的父親就曾於公元 1819 年，在印第安那州的鴿溪幫忙建過這樣一間教堂。他們的方式是，每月舉行「事工月會」，內容是懲治當日的酗酒、打架、偷竊、不道德、賭博、家庭關係等問題。俄亥俄河以南，許多信徒家中蓄奴，教會往往保護這些奴隸；奴隸可以加入教會爲會友，也可以對教會的事發表意見。顯然在開荒時期中，浸禮派教會是維持秩序與正當行爲的有力因素。

4. **循道派**　在所有教派中，循道派在西部的工作最成功。他們能夠贏得許多信徒並成立教會，是基於兩個因素：教義和組織。

長老派和浸禮派都屬加爾文信仰，因此他們所傳講的是預定論、神的主權、神的揀選。人的命運至終操在神的手裡。

循道派屬於亞米紐斯信仰，因此他們所傳講的是「自由意志論」，也就是人自己決定自己的命運。這種教義非常適合拓荒者的心，因爲他們感到自己正用雙手在西部荒野之地開創自己的前途。

因此循道派能夠贏得更多人，建立更大的教會。

此時，循道派的組織形態也正合拓荒時期的環境。一般而言，長老派與浸禮派的牧師只在他自己的教會及所在地區工作。而循道派牧師則不然，他們本着衞斯理的銘言，「全世界都是我的教區」而行。事實上，在衞斯理漫長的一生中，全英國都成爲他騎馬巡迴講道的地方。這種「騎馬講道」方式變成了循道派傳福音的方式，而且也應用在美國，尤其是在拓荒時期，這種傳道方式再方便也不過了；加上他們的「平信徒講道制度」，更使循道派教會力上加力。

循道派牧師騎馬從一個殖民區到另一個殖民區巡迴講道，有的聯區（circuits）範圍大到需花四、五個禮拜時間才能走完一圈。騎馬巡迴講員除了每天講道外，又在不同地方成立許多「班」（classes），並選出「班長」（class leaders）。既然「全世界都是我的教區」，這些騎馬巡迴講員不必等到有許多循道派信徒搬來後才組織教會。既然這麼龐大的拓荒人潮都不屬於任何教會，他們便騎着馬，翻山越嶺，到多處在拓荒者中傳揚福音及循道派教義。

亞斯布理是全美國循道派的總監督，他多次越過阿利根尼山，講道、開會，並分派「聯區」給牧師們。

巡迴講員的講道，加上教會例行的講道，使循道派以驚人的速度成長。在十九世紀開始時，西部的循道派信徒不到三千人，但到公元 1830 年時，信徒數目已經增長到十七萬五千人，其中包括二千印第安人及一萬五千多黑人。

5. **東部第二次大覺醒** 從前文中，我們看到，緊接美國大覺醒之後，是靈性的急速下降。一部份原因是英國「自然神論」（Deism）和法國「懷疑主義」（Skepticism）所造成的，因爲這兩派思想給信徒帶來既深且廣的影響。許多美國的領導人物是自然神論者，其中最具影響力的人可能是佩恩（Thomas Paine），他寫了一本小册，題名爲「理性的時代」（The Age of Reason），在書中，他大膽地剷除基督教信仰。

十八世紀末期及十九世紀初期，是美國基督教史中教會最軟弱的時期。西部開荒區的衆多拓荒者正陷在靈性的無知與迷惘之中，爭吵、打架、酗酒、低落的道德、褻瀆的言行，都是那個時代的常事。

在這同時，東部地區却默默地、漸漸地出現了屬靈的復興。人們重新對基督教信仰與基督化生活發生興趣，教會人數增加，新的教會成立。這次復興的因素之一，是循道派的傳道方式來到了新英格蘭地區。公元 1789 年，亞斯布理分派第一個「聯區騎馬講員」到此區，過不久，全新英格蘭各州都佈滿了「聯區網」。

公元 1795 年起，愛德華滋的孫子德威特（Timothy Dwight）擔任耶魯大學校長，他在一系列演講及講道中，提出自然神論、物質主義背信的罪及其危險性。自公元 1802 年起，開始了屬靈的復興，全校有三分之一學生歸向基督。同時，達特穆斯學院（Dartmouth）、安慕斯特學院（Amherst）、威廉斯學院（Williams）及新澤西學院（New Jersey）都經歷了屬靈的大復興。

這次在東部的大覺醒，沒有佈道家，也沒有感情衝動。

露天聚會延續數日數夜，是很平常的事，不同宗派的傳道人在這裡從不同立場向數千聽衆講道。

6. 大復興與露天聚合（Camp Meetings） 西部的大復興則以完全不同的方式發生。長老教會早期領袖麥格列第（James McGready），表面雖然笨拙，裡面却充滿感人的大能。公元1796年，他在肯塔基州一個聲名狼藉的羅根（Logan）郡，擔任三間長老教會的牧師。就在那兒，藉着他的講道，開始了西部大復興，又稱爲羅根郡大復興，或崁伯蘭大復興（Cumberland Revival）。

後來在幾位牧師的協助下，崁伯蘭大復興於公元1800年進入高潮。那一年，在紅河（Red River）邊舉行的聚會非常激動，有無數人歸主。消息傳開後，聚會的人數越來越多；參加聚會的人，帶着幾天的生活必需品，來到聚會的空曠地方，就這樣開始了露天聚會，而成爲後來在美國流行的一種傳福音方式。一次聚會可以延續四天四夜，而且有成百的人歸向基督。

這種露天聚會在西部各地舉行，尤其在夜裡更是蔚爲奇觀：有營火、有一列列帳蓬、有幾百個掛在樹上的燈籠、有講員充滿感情的勸勉、有誠懇的禱告、更有數千人唱詩的歌聲、盪漾在夜空之中。當人們看見自己的罪時，有的哭泣、有的尖叫、有的嘶喊。

公元 1800 年，一批長老派傳道人在肯塔基聚會的木屋，成爲美國露天聚會的誕生地。

西部大復興，主要是由長老教會的工作引起；但後來長老派教會分裂，浸禮派和循道派便投入復興的工作，以致信徒人數大增，紛紛加入在他們的教會中。

7. 新宗派　美國教會歷史發展的趨勢之一是，「教會分裂又再分裂」，這種情形開始於十九世紀前期。

有三個團體脫離長老教會：第一個是崁伯蘭長老教會（The Cumberland Presbyterian Church），是由提倡露天聚會、聯區講道制度及加爾文主義的人組成。第二個是基督徒教會（The Christian Church），他們離開的原因是不能接受「預定論」與「揀選論」。第三個是門徒教會（The Church of the Disciples），是由一羣反對教會分門別類，要回到新約時代單純教會的人所組成。

循道派方面，也有一些團體分裂出來：一批希望教會更加民主，更多平信徒投入事奉的人，組成了循道派復原教會（The Methodist Protestant Church）。此外尚有基督弟兄聯合教會（The Church of the United Brethren in Christ）及福音教會（The Evangelical Church），均爲德國傳道人所組成的。

這幅畫題名爲：「你當預備面對神震怒之日」。圖中顯示白人與黑人都參加露天復興聚會。

當許多人爲了要更敬虔、更多活動、信仰更純正而組織新宗派之時，新英格蘭區却有許多公理派教會和牧師，因不接受「三位一體」教義而成立了「神體一位會」（Unitarian Churches）；當這支信仰錯誤的宗派興起後，刺激了許多接受正統信仰的信徒們，起來組織信仰純正的教會。

8. *差會*　大復興帶出來的熱誠，導致許多差會的成立、宣教刋物的出版、基督教大學和神學院的設立。

由於大復興時期中各宗派的合作，新成立的差會往往是「超宗派」的；而每個宗派也幾乎都成立了自己的差會。例如，公理派於公元 1810 年成立了「美國公理派國外佈道會」，該會於三十年內，差派了六百九十四位宣教士。

最戲劇化的是浸禮派差會的成立：萊司（Luther Rice）和耶德遜（Adoniram Judson）本是公理派差往印度的宣教士，他們在赴印的途中，接受了浸禮派原則，而於抵達加爾各答後重新受洗；耶德遜留在緬甸繼續宣教工作，萊司却回到美國，組織了浸禮派差會。

公元 1812 年二月在麻州撒冷城，五位年輕人被按立爲美國第一批宣教士。按立後不久，他們便前往印度宣教。

早期差會所關心的對象幾乎都侷限於當地：把福音傳給印第安人及黑人；後來才擴大到海外國家。

爲了挑起基督徒對宣教的負擔，出版了好幾種宣教雜誌，其中大部份後來停刊，但也有一些一直出刊到今天。

西部拓荒者非常缺乏聖經和屬靈刊物，爲了這項文字需要，「美國聖經公會」於公元 1816 年成立，「美國單張公會」也於公元 1825 年成立。許多宗派成立了自己的出版社，這些出版社爲美國帶來極大的影響，他們出版大量基督教讀物，甚至傳達到最偏遠地區的殖民者家中。

9. **主日學**　殖民地時代完全沒有主日學工作。循道派信徒最先將教導孩童與青年的方法帶到美國。他們於公元 1786 年開始主日學工作，而且非常成功。三十年後，在全美國每個地區都可以找到主日學工作。公元 1824 年「美國主日學協會」成立，這個協會的宗旨，在促進主日學的設立，並提供主日學教材。

10. **神學院與大學**　西方的開拓和第二次大復興，導致傳道人及宗教領袖的需要。因此，許多爲造就傳道人的神學院應運而生。這時期，幾乎每個宗派都創立了一間或數間神學院。

一些曾在哈佛接受訓練的公理派牧師，因爲神體一位派的教授開始在哈佛教神學，而於公元 1808 年另外成立了安多弗神學院（Andover Seminary）。荷蘭改革宗於公元 1810 年，在新澤西州的新布朗斯維克（New Brunswick）創立一間神學院；在此之前，改革宗獻身的青年人必須前往荷蘭烏特列赫大學受造就。公元 1812 年，長老派在新澤西州普林斯頓（Princeton）設立了他們的神學院。從公元 1808 到 1840 年間，至少有二十五間這樣的神學院在美國東部成立。

當學校迅速成長時，也亟需老師與領導者；因此，各宗派也在全美各地設立基督教大學；這些大學將文化及學習氣氛反映到整個社會，它們對美國生活所帶來的影響力是無法估計的。

研討問題：

1. 在西部開拓運動中，那些宗教團體打先鋒？爲什麼他們在教會行政組織上採長老制？
2. 爲什麼在拓荒地區中，循道派及浸禮派的人數增長最速？
3. 一般而言，復興都是因「反應靈性低落」而引起的，在美國有那兩大地區經歷復興的果效？它們分別以什麼方法帶領許多人悔改？
4. 列出這時期成立的新宗派，並說明每一宗派所强調的教會活動與教義。
5. 研究主日學工作的發源與發展，以及其歷史背景。
6. 解釋以下名詞：聯合計劃、德威特、麥格列第、耶德遜、露天聚會。

7. 研究長老教會在美國中西部成長的經過。
8. 列出十至十二個美國著名基督教大學，找出它們的宗派背景及立校宗旨。

第四十五章

教會處於混亂時期

1. 長老教會
2. 聖公宗教會
3. 移民使信義宗堅固
4. 荷蘭改革宗教會
5. 基督徒改革宗教會
6. 天主教會因移民擴展
7. 教派的興起
8. 摩門教
9. 安息日會
10. 屬靈主義
11. 基督教科學會
12. 耶和華見證人會
13. 反奴隸運動的興起
14. 教會爲奴隸問題分裂
15. 慕迪

1. **長老教會**　在公元 1801 年的「聯合計劃」下，在紐約州中部、俄亥俄州、密西根州、印第安那州、伊利諾州及威斯康新州分別成立了許多教會。這些教會由兩派完全不同的信徒組成：新英格蘭公理派信徒與愛爾蘭籍的蘇格蘭長老派信徒。大多數長老派信徒接受加爾文主義，而公理派信徒則因受到新英格蘭自由神學的影響，越來越遠離傳統的加爾文信仰。

公元 1837 年，長老教會的傳統派和自由派之間發生强烈衝突，而造成教會的分裂；這次分裂持續了三十二年。分裂前一年，自由派已經在紐約市設立了「協和神學院」（Union Seminary），這間神學院今天在美國仍爲自由神學主義的發源地。

2. **聖公宗教會**　由於美國獨立戰爭的影響，聖公宗教會在戰後幾乎有一代之久，非常沒落。他們也不太會處理「西進運動」所帶來的問題。因此，到公元 1850 年時，聖公宗只有九萬信徒，而且還分成七派。

在他們中間只有少數幾位領袖不消極。其中最有名的叫做查斯主教（Bishop Chase）。他第一個教區是在紐約邊界；然後他在新奧爾良成立第一間聖公宗教會；後來又在俄亥俄州工作，使聖公宗又新開設一個教區，並成立了肯陽學院（Kenyon College）；然後他在密西根州與伊利諾州做宣教工作。

在這段時期中，高派教會與低派教會之間的距離越來越遠。低派教會注重傳福音及簡單的崇拜儀式。高派教會因英國的「牛津運動」而堅强起來，以致低派教會大爲恐慌，擔心聖公宗教會返回羅馬天主教。公元 1853 年，舉行了一次大會，准許低派教會有更多發表意見的自由，這樣才防止了聖公宗的分裂。然而，從那次大會後，低派教會也失去了它的影響力。

聖路易城很早就成爲信義宗的中心地，密蘇里大會就是在此城舉行。圖示一百年前聖路易城的三一教會。

3. 移民使信義宗堅固　德國信義宗教會爲兩個問題產生衝突：一派主張把信義宗美國化，並且對奧斯堡信條作較自由的解釋；另一派主張保持德文，並堅守傳統路德派主義信仰。

如果不是移民潮湧入美國，前者很可能得勝。公元 1830 至 1870 年間，也就是美國內戰前十年，超過一百萬德國人移入美國。裡面有許多天主教徒和反對宗教者，但絕大部分爲信義宗信徒。他們大大堅固了信義宗教會內保守派的力量。當時，他們的領袖是窩特爾（Walther）。也在這時，舉行了幾次正統會議，其中包括聞名的密蘇里大會（Missouri Synod）。

密西根州荷蘭鎮的「木屋教會」是荷蘭移民所建，後來加入美國改革宗教會。

窩特爾是密蘇里州聖路易城的信義宗牧師，在他的德文雜誌中，他懇切地教導讀者堅守傳統路德派主義，也主張爲教育兒童設立教會學校。直到今天，信義宗良好的學校制度仍爲窩特爾及一些領袖不朽事業的紀念碑。密蘇里大會中，爲紀念這位偉大的領袖，將青年組織命名爲「窩特爾聯盟」（Walther League）。

內戰之前，大批信義宗信徒從挪威及瑞典移民到美國。後者在伊利諾州的岩石島（Rock Island）組織了奧古斯丁大會及奧古斯丁學院，這批移民也接受非常保守的正統派信仰。

4. **荷蘭改革宗教會**　我們還記得，荷蘭改革宗教會於十七世紀早期便已定居在紐約地區，在十八世紀初期時，曾被富瑞林浩生大有能力的講道所復興。富瑞林浩生在美國創辦第一間神學院，這間皇后學院（Queen's College）設立在新澤西州，是今天若歌大學（Rutger University）的前身。

歐洲大移民潮也帶來了許多荷蘭人，有很多教會是全體信徒與牧師一道移民過來。有一個團體由范饒特（Van Raalte）牧師帶領，他們於公元 1847 年定居在密西根州西部，而稱該地爲荷蘭（Holland），並於公元 1850 年加入美國改革宗教會。另一隊則由舒德牧師（Scholte）爲首，他們定居在愛阿華州中部，稱所住之地爲彼拉（Pella），他們也於公元 1856 年併入美國改革宗教會。其他移民團體分別定居在新澤西州的派特生城（Paterson），密西根州的大急流城（Grand Rapids），與芝加哥市（Chicago）。

改革宗教會對美國改革宗信仰的保守及福音的傳播有很大貢獻，至今他們仍保持先人在荷蘭所接受的信條。無可避免地，「自由神學主義」也侵入了改革宗教會，雖然如此，這個教會大部分信徒與上百位牧師，仍持守傳統信仰，而且傳揚純正福音。他們有九百間教會、二十三萬信徒。

約瑟斯密特是耶穌基督末世聖徒教會（摩門教）的首任主席，於 38 歲時被人槍殺而死。

5. **基督徒改革宗教會**　在密西西根定居的改革宗教會裡，有一批人對太快加入美國改革宗教會，及教會的一些作風非常不滿；不滿的情緒從公元 1850 到 1857 年，不斷增加。他們批評教會使用東部的詩歌，也對荷蘭監督會的「臨時會員制」及「公開聖餐制」提出質疑，又抱怨信仰問答的教導、慕道班及探訪工作的疏忽。最新的爭論則導因於范饒特牧師介紹巴克斯特（Baxter）的一本書「呼籲未信者」，他們批評說，這本書有亞米紐斯主義的看法。當時主要是平信徒對教會領袖的不滿。

結果於公元 1857 年四月八日，在荷蘭監督會的聚會中，發表了四份脫離教會的公文。同年十月七日，五間教會在鮑思（Bosch）牧師領導下組織了「基督徒改革宗教會」（Christian Reformed Church）。

起先成長得很慢，但公元 1880 到 1890 年間的移民潮，爲他們帶來不少信徒。在公元 1881 至 1882 年間，有八個教會及許多人爲了互助會（Free Masonry）的問題而脫離改革宗教會；這些人以及荷蘭眞改革宗教會，都於公元 1890 年加入了「基督徒改革宗教會」。

兩萬摩門教徒拋棄房屋家園，從諾浮城逃往洛磯山的山區中

6. **天主教會因移民擴展**　公元 1830 到 1870 年的移民潮，不但使信義宗及改革宗增長，也同時幫助了天主教會的擴展。德國移民中有三分之一是天主教徒，數千名愛爾蘭移民則全都是天主教徒。

愛爾蘭天主教徒非常貧窮，抵達美國國土時，已經囊空如洗；因此只能定居在上岸的地方，結果使波士頓、紐約、費拉鐵非及巴爾的摩，變成天主教的中心地。德國天主教徒則定居在新拓展的西部地區：俄亥俄州北部、密西西比州西部、密蘇里州及威斯康新州，均成爲德國天主教徒的集中地區。

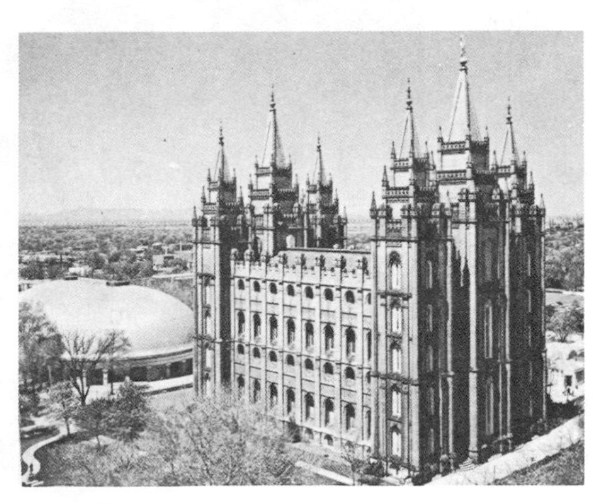

具有歷史性的建築，摩門殿（Mormon Temple）圖中右方及左方的半圓形會幕，聳立在猶他州的鹽湖城。

公元 1830 年時，天主教徒有五十多萬人；三十年後，增至四百五十萬人，全美國幾乎每一個城市都有一位主教。從此以後，羅馬天主教在美國便具有强大影響力。今天美國有四千多萬天主教徒。

米勒爾

7. 教派的興起　時代的動盪，使移民潮自歐洲流向美國，也使拓荒人潮向西遷徙。它帶來了「復興運動」以及「露天聚會」，但也成爲不合聖經的教派（Sects）或異端（Cults）萌芽、發展的溫床。

奇怪的是，紐約州中西部地區同時是米勒爾派（Millerite Craze）、屬靈運動（Spiritualistic Movement）及摩門教（Mormons）的發源地。

更奇怪的是，在這同一個地區，出了當時一位偉大的奮興家芬尼（Finney），而芬尼帶領歸主的一個人，在這個地區又成功地組織了奥奈達團契（Oneida Community），

安息日會注重醫療服務，這是他們在佛羅里達州奧蘭多城的療養院及醫院。

在社區裡推行共用財產制度。

8. **摩門教**（The Mormons）　約瑟斯密特（Joseph Smith）住在紐約的波密拉（Palmyra）城，他在年輕時就看見過許多異象，並宣佈天使摩洛尼（Moroni）曾向他顯現，告訴他當時教會的許多錯誤，又告訴他爲西方世界所寫的聖經被埋在附近的山裡。公元 1827 年九月廿二日，他宣佈挖出一個石盒，盒內放著一本金頁書。

斯密特用三年時間將這些金頁的內容翻譯出來，於公元 1830 年出版了摩門經（Book of Mormon）。這本書宣稱是一本從巴別塔講起的美國歷史。並宣稱摩洛尼是摩門的兒子，是神選民的最後一個生存者，他在公元 四世紀時將這些金頁埋藏起來。

跟隨「先知約瑟」的人，於公元 1830 年四月成立了一間教會。從公元 1831 年到 1837 年，摩門教總部都設在俄亥俄州的科特蘭城（Kirtland）；後來楊 百 翰（Brigham Young）加入這個運動，而且很快成爲「十二使徒」之一。由於法律事件及社區間的摩擦，摩門教徒在遷到密蘇里州之後，又於公元 1840 年遷到伊利諾州的諾浮城（Nauvoo）。

約瑟斯密特宣佈他於公元 1843 年七月看見異象，因此創立一夫多妻制。這種措施引起人們對摩門教不滿。當斯密特和他的兄弟被關在監牢時，暴民打破牢門，入監將他們殘暴地殺死。兩年後，在楊 百 翰的領導下，摩門教徒集體遷往大鹽湖（Great Salt Lake）。

這個教會影響信徒生活的每一個層面：它爲貧困者及病人提供救濟，又爲信徒提供教育、娛樂和職業，年輕的摩門教徒兩個、兩個地出去，用一年或更多的時間義務爲教會工作。

摩門經被看爲與聖經同等，是支持聖經而不取代聖經的一本書。對於聖經，則只接受它正確的翻譯。在基本教導上，他們認爲斯密特的另外兩本書也極其重要。這個教派有兩個特別的教義：「爲死人施洗」及「屬天婚姻」（Celestial Marriage）。

9. **安息日會** 這時代所有福音派都傳講基督的復臨。米勒爾（Miller）是新英格蘭的農夫兼浸禮派平信徒傳道人，他根據但以理書及啓示錄，將基督復臨的日子訂在公元 1843 年三月廿一日，有許多人相信並跟從他。

米勒爾於公元 1831 年開始傳道，起先在附近鄉村，後來被請到大城市講道，最後全國各地都要求他去講道，他的著作大爲流行。

公元 1843 年三月廿一日到了，又過了；米勒爾解釋說：「在這一年中，基督隨時會復臨」，但公元 1844 年三月廿一日到了，又過了；這個日期再度修訂；公元 1844 年十月廿四日也到了，又過了；每個日期都因預備期的延長而躭擱。

他們於公元 1845 年成立了一個很弱的組織。但到公元 1846 年，「基督復臨安息日會」（Seventh-day Adventists）爲了猶太人安息日的問題及對但以理書第八章的解釋問題，而脫離該組織。

基督復臨安息日會在教義上非常保守，懷特夫人（Mrs. White）是早期領袖。他們在慷慨捐贈、禁酒、禁烟方面，都是最好的榜樣；他們的醫療及福音工作，遍佈之地涵蓋九百種語言。根據公元 1963 年的報導，他們有一萬三千三百六十九間教會及一百三十萬成年受洗者。

10. **屬靈主義**（Spiritualism） 人本來就有與靈界溝通的慾

望，但在混亂時期中，這種運動往往發展成極端。

大衛斯（Andrew Jackson Davis）是屬靈主義的創始人，他組織了「屬靈派主日學校」。幾年後，紐約州海德斯非城有一對弗克斯（Fox）姊妹，在家中聽到敲擊的聲音，她們立刻感到這是來自靈界的信號；以後她們的降神會非常出名，許多人被吸引。公元 1855 年，這一派宣稱有二百萬信徒，並在公元 1893 年成立全國性組織。今天根據不同屬靈派團體的報導，總數約有近二十萬人。

11. **基督教科學會**（Christian Science）　在摩門教、安息日會及屬靈主義出現後幾十年，又有基督教科學會興起。公元 1866 年，艾迪夫人（Mrs. Eddy）突然從重傷中痊癒。她過去曾學過精神與屬靈關係學，此後便發展她的「科學神醫系統」，她相信所有「和諧的意志行動原則便是神」。很明顯地，這個運動

在麻州波士頓市的基督教科學會母會教堂。
圖中最右方爲出版部，基督教科學箴言報即在此出版。

不但不合聖經，也不合科學。

艾迪夫人寫了「科學與健康」一書，成爲基督教科學會的教科書。公元 1879 年，依照她的指示，在波士頓建立了一間教會。又於公元 1892 年重組，改名爲基督教科學會第一教會，其他教會都是這間母會的分支。

由當地教會領袖分別擔任「誦讀者」、「從業者」及「老師」的工作。「誦讀者」在聚會中，誦讀他們出版的講道課程；「從業者」全時間做醫治的工作；「老師」則教導慕道班。

母會常提供免費演講。基督教科學箴言報（The Christian Science Monitor）是全世界最好的報紙之一，爲讀者提供沒有偏見的報導，是有效文字工作的榜樣。這個團體絕不宣佈他們信徒的人數。

12. **耶和華見證人會**（Jehovah's Witness）　另一個分佈全球的教派是耶和華見證人會。該會直到公元 1931 年才定名爲耶和華見證人會；以前曾稱爲「千禧年曙光派」（Millennial Dawnists）、「國際聖經學生會」（International Bible Students）、及「如瑟立派」（Russellites），因創始人如瑟立（Russell）而得名。如瑟立吸引很多人聽他講基督的再來。公元 1872 年，他在匹茨堡第一次正式將跟隨者組織起來。他的書印行了一千三百萬本。公元 1909 年，總部遷到布魯克林（Brooklyn），又於公元 1939 年改名爲「守望台聖經與單張協會」。公元 1916 年如瑟立去世，拉塞福法官繼承領導地位；公元 1942 年，諾爾（Knorr）再繼承拉塞福。

該會所有信徒都是傳道人。雖然他們不收什一奉獻，但他們爲見證及宣教工作的奉獻非常慷慨；他們所寫、印、分發的文字刊物數量之多無法估計。他們的正式刊物是「守望台」

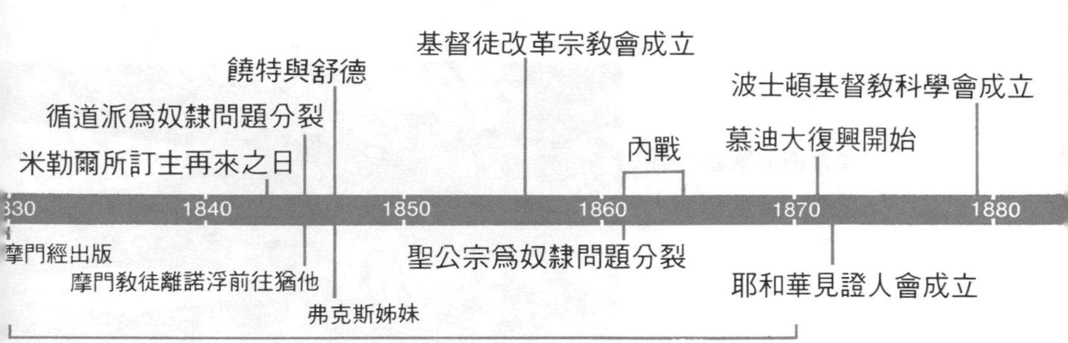

（Watchtower），每期印三百七十萬份。公元 1920 年後，書及小册的分發超過七億本。全美國有四千間教會，全世界有二萬間耶和華見證人會的教會。

耶和華見證人會反對向國旗敬禮或爲國家當兵，他們認爲「政府暴政」是撒但三大聯盟之一，其他兩項是「教會錯誤教導」與「對事業的壓迫」。雖然如瑟立的某些教導後來被修改，但這一派的教義有許多方面和傳統基督教是衝突的。他們不信三位一體、不信基督的神性、基督身體復活與基督的再來，却教導有關千禧年及壞人滅亡的第二次試驗；他們對基督代贖論、人類

紐約每日論壇報於公元 1876 年二月八日報導說：「慕迪與善基兩位興奮家第一天出現在紐約，就大爲轟動，昨晚到場聽衆空前爆滿」。有數千人被拒於可容一萬一千人的馬戲場門外。

今天佈道家葛理翰在全球各城舉辦大佈道會

管理及靈魂的存在，都持不合聖經的看法。

13. *反奴隸運動的興起*　殖民地時代，蓄奴是很普通的事，許多出名的公理派牧師，包括愛德華滋，都擁有奴隸。獨立戰爭之初，單單麻薩諸塞州就有六千名奴隸，雖然蓄奴在那時是理所當然的事，但也有不贊成的人。早於公元 1769 年，一位羅得島州新港鎮的賀普金斯牧師（ Hopkins ），就在講道上強烈攻擊奴隸制度；貴格派是當時唯一採堅定反對奴隸制度立場的教派。

殖民地時代末期，人們開始改變。南方、北方普遍地感到應當釋放奴隸，長老教會、循道派教會及浸禮派教會都發表強烈反對奴隸制度的決心。

14. *教會為奴隸問題分裂*　自從懷特尼（ Whitney ）於公元 1792 年發明軋棉機及紡織機以後，南方人對奴隸制度的感覺完全改變。棉花變成美國最主要的產品。公元 1830 年時，南方領袖們深信全國的福利全賴棉花，而若沒有黑奴的勞工，無法好好種植棉花。

在北方，反對奴隸的人越來越多，而且在情緒上也越來越緊張。因爲腓力浦（Philips）在各處演講，懷悌爾（Whittier）的詩歌，及迦利遜（Garrison）的文章「釋放者」，都成了有力的宣傳。

北方與南方之間漸漸發展成敵對的情勢，這種「不共戴天之感」到一個地步，終於使一些教會分裂。

公元 1845 年五月，浸禮派宣教協會決定不再與北方浸禮派合作。同一年，南方循道派通過與北方循道派斷絕關係，而改名爲「監理會」（Methodist Episcopal Church, South）。同樣的事，也發生在長老會之中。

公元 1861 年，南方聖公宗教會都感到對被釋放的奴隸負有責任，因此他們爲被釋的奴隸和孩子創辦學校，爲他們提供宗教教導與訓練；長久以後，這些教育漸生果效，黑人們自己起來組織了教會。

在所有爲有色人種的福利而設立的機構中，黑人所組織的教會，在宗教上、道德上、社會上及文化進步上，所扮演的角色可能最爲重要。

15. **慕迪（Dwight　Moody）**　內戰時期，前往軍中傳福音的人是慕迪（Moody）。他是一位年輕人，先在芝加哥做過不少福音工作。

慕迪生於麻薩諸塞州的北田鎮（Northfield），四歲時父親去世，母親千辛萬苦地將孩子們撫養長大，所以他受過的教育很少。

慕迪十八歲時接受了耶穌基督，第二年就去芝加哥經商。他在普里茅斯教會租一些席位，專門邀請年輕人與他一道去參加崇拜，又在貧民區開始主日學工作，將街上的兒童召集在一起，把聖經眞理教導他們。

以後他放下職業，全時間投入基督教工作，從公元 1865 到 1869 年擔任芝加哥青年會（Y.M.C.A.）的會長，在任期間，籌款建設青年會在美國的第一幢建築。

公元 1871 年以後，他在全美各地主持奮興會，同時數度前往英國及蘇格蘭旅行佈道。他的同工善基（Sankey）是一位傑出的歌唱家，幫助他領會；善基帶會衆唱詩，也介紹新的詩歌。

慕迪在講道中强調靠耶穌基督得救的福音，言語簡單、靈裡火熱、態度誠懇，吸引無數人前來聽道。慕迪和善基成爲全美國家喩戶曉的人物，他們的工作帶領了成千上萬的人歸向基督。

慕迪很有組織才幹，他在痲州創辦基督教住宿學校，又在芝加哥創辦慕迪聖經學校，晚年時，他把大部份時間用在建設這些學校上。公元 1899 年，慕迪死在北田鎭。

研討問題：

1. 長老教會爲什麼分裂？
2. 聖公宗教會爲什麼分裂？高派教會與低派教會顯著的不同在那裡？
3. 移民如何影響德國信義宗教會及天主教會？
4. 殖民地時期，教會對蓄奴制度一般的態度如何？
5. 爲什麼懷特尼發明軋棉機影響到奴隸問題？爲什麼北方反對蓄奴？
6. 爲什麼奮興聚會在美國有這麼重要的意義？請比較葛理翰（Billy Graham）佈道大會與慕迪的工作。

7. 解釋以下名詞：約瑟斯密特、窩特爾、富瑞林浩生、饒特牧師、復臨派、艾迪夫人。
8. 列出各種新教派的信仰，並列出有些教派值得學習的地方。
9. 摩門教對聖經的看法如何？
10. 奴隸問題如何影響各宗派？
11. 列出慕迪的貢獻。
12. 爲什麼低派教會的影響會減少？
13. 教會爲美國的黑人做了那些事？

第四十六章

教會面對新問題

1. 新移民不守清教徒式安息
2. 社區福音工作
3. 財富影響教會
4. 社會問題
5. 宗教教育
6. 戰爭與和平問題
7. 現代主義
8. 宣教活動

1. 新移民不守清教徒式安息　內戰之後，歐洲移民比任何時期更多，從公元 1865 到 1884 年，七百餘萬移民進入美國，幾乎一半來自愛爾蘭和德國，愛爾蘭移民全是天主教徒，德國移民則包括天主教徒、信義宗信徒及唯理派信徒。

在當時，全美國嚴格遵行主日安息的規定。禮拜天所有商店關門，沒有人在禮拜天野餐或旅行，更無所謂「週末」可言。大部份美國人在禮拜天早上到教堂崇拜，晚上再參加晚間崇拜，他們繼承了新英格蘭清教徒或加爾文派奉行主日安息的傳統。

但信義宗及天主教新移民却爲美國帶來了所謂的「大陸式安息」（Continental Sabbath）。芝加哥是新移民的聚居之地。主日在芝加哥乃被描寫爲：「上午是柏林，下午、晚上是巴黎。」意即，在芝加哥的人只有主日上午去教堂，下午、晚上便是休閒玩樂的時間。新移民嘲笑美國人守主日的方式，爲「清教徒式安息」（Puritan Sabbath）。

2. **社區福音工作**　新移民絕大部份非常貧窮，因而大城市中均興建了龐大的貧民社區。這些「外國人」（Foreigners）和教會毫無接觸。

許多教會看到這廣大的需要，將神的話帶到他們中間。公元1867年，浸禮派家庭宣教協會共有四十九位被按立的「外國人」，分別在德國人、荷蘭人、法國人、威爾斯人、挪威人、瑞典人及丹麥人中間工作。同時在浸禮派的三間神學院中，設立外文系，訓練傳道人專門向這批外國人傳福音。到如今，仍有許多宗派在美國大城中推動全國性福音工作。

白人不斷進來，紅人不斷被擠出去，以致造成好幾次印第安人之戰，最後政府實行印第安人保留區制度後，才安定下來。一些教會也將許多精力放在向印第安人傳福音的工作上。

3. **財富影響教會**　公元1880年以後，美國的有錢人越來越多，大大影響教會生活。

靈命復興主義仍然繼續，大約有八十間至九十間教會每年冬天舉行一系列奮興培靈會。露天聚會也在鄉村地區舉行，尤其是在南部一帶。但是却有顯著的改變。

在紐約沙妥夸湖邊（Chautauqua Lake）舉行的露天聚會，

清楚顯出當時人的富足：小屋取代了帳蓬。過去露天聚會是在樹下舉行，現在則以大帳幕取代。到公元 1874 年，演講和娛樂節目開始取代奮興信息。

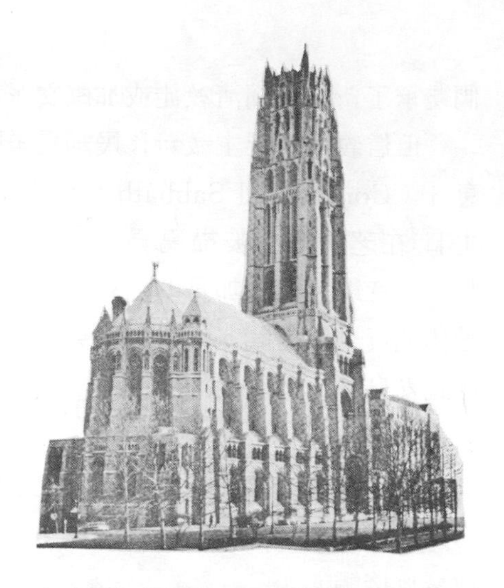

河濱教會的高塔與南翼建築，是洛克菲勒二世捐贈的，他的父親則捐獻了芝加哥大學。

沙妥夸湖邊變成夏季活動的聞名地點。美國其他地區也開始了類似的營地，舉辦教育性及娛樂性活動，都以「沙妥夸」爲名。

靈命復興主義因一本書而遭到強烈批評，那是一位公理派牧師布士內爾（Bushnell）所寫的「基督徒的教養」（Christian Nurture）。這本書使教會看重青年人的造就工作。靈命復興主義又於公元 1902 年再度受挫，這次是因「宗教復興的原始特點（Primitive Traits in Religious Revivals）」一書造成的。

工業時代使教會強調行政效率，於是成功的工商管理人才進入了教會的財務部門。

財富的增加也加強求學的慾望，不但各宗派設立的學院增加，每個學院的註册人數和收入也空前地增加。大學校長變成行政專家，他們最大的目標在爲學校爭取大量捐款。

這時，一些有錢人也在全美各地設立大學，包括芝加哥大學、康乃爾大學、史丹福大學及四間女子學院：華沙學院（Vassar）、史密斯學院（Smith）、衛斯理學院（Wellesley）、及布林馬爾學院（Bryn Mawr）。其中有幾間是由一批認清自己是「神的金錢管家」的信徒所設立的基督教學府。

4. **社會問題**　在工業發達、經濟成長的情況下，許多教會開始關心社區中的社會問題。

八十年代後，許多人往城市裡搬；新移民又爲城市增加更多的人口，貧民窟漸漸形成，許多人受狹窄而不衞生的條件所影響；面對這些社會問題，所謂的「制度化教會」（Institutional Church）便形成了。

「制度化教會」的創始人是威廉米倫伯（William Mühlenberg），他是美國信義宗開荒牧師米綸伯的曾孫。從公元 1846 到 1858 年間，他是紐約市聖教會教區長，在他的激勵下，教會贊助一些社會服務機構。

紐約第一公理教會的畢察（Thomas Beecher）牧師，於公元 1872 年在教會加建體育館、演講廳及圖書館。康威爾（Conwell）牧師於公元 1891 年，在費城浸禮派聖殿教會中增加社會關懷部門，又開縫紉班、閱覽室、體育館及夜校。白天工作的人，可以在夜校接受義務老師所提供的免費教育。這間夜校後來發展成「聖殿大學」（Temple University）。

許多神學院課程中都增加了「基督教社會學」及「社會服務」的課程。公元 1908 年美國基督教聯會也採納了「社會信條」（Social Creed of the Churches）。

這一切關懷社會的活動，漸漸使教會忘却它的主要功用，許多人迫切地遵照主耶穌「愛鄰舍」的命令，但却逐漸忽略「因信得救」的純正福音。

「關懷社會」是基督徒應做之事，然而教會最重要的工作還是福音的廣傳，以及聖禮的施行，這些事永不可忽略，也不可放在次要地位。

密西根州卡拉馬殊市的基督教中學，是「國際基督教學校」的會員之一。

5. **宗教教育**　美國教會歷史的一項特點是，自公元 1880 年後，教會面對宗教教育問題。

在該世紀的開始，已經有很多復原派教會對公立學校缺乏宗教教育，而深表不滿。在殖民地時代，宗教是教育的主要部門，然而，宗教內容逐漸被挪走。許多教會領袖看淸這是全民的危機，而當時家庭與主日學工作尚沒有補上這個缺口。

於是他們嘗試把主日學工作做好。公元 1872 年，有系統的主日學教材開始出現，並有各種「教學輔導」版本。有些教會爲了使主日學工作更趨完善而興建教育館，並推出師資訓練課程；結果挑起了主日學的熱誠，主日學工作有顯著的進展。有些大教會設立宗教教育部主任；有些州也有專人負責宗教教育部門；週間與暑期聖經學校設立起來；有些地區的學校提早放學，讓孩子可以參加聖經班。神學院裡增開宗教教育系，以便訓練更多的老師。然而這許多努力的結果，仍然令人失望。

天主教、信義宗、安息日會與改革宗的信徒，則採另一種作法。他們對公立學校給孩子的教導不滿；覺得每週只有一小時宗教教育課，師資又缺乏經驗，絕對無法與五天在專業教師下的教育抗衡。他們更覺得，不應該以撒一點鹽的方式教導孩子宗教，而應該讓所有的科目都浸透在其中，因此他們自己設立學校，自幼稚園到大學，每週上五天課，所有科目的立場都符合信仰的原則。

從直升機上拍攝鹿特丹市聖勞倫斯教堂重建情形該堂於公元 1940 年被炸毀

天主教、信義宗、安息日會的學校和改革宗學校，在組織上有所不同。前三者爲屬於教會的學校（Parochial School），後者則大半爲社會管理的學校（society-controlled schools）。

改革宗教會跟隨荷蘭該伯爾的腳踪，深信人生必須被基督教信仰所管理，但不是被教會所控制。他們相信教會的功用是傳福音及施行聖禮，而非興辦學校。但是基督徒家長必須建立、維持、並管理自己的基督教學校。因此改革宗家長協會負責三百五十間基督教小學及中學，管理七萬名學生及三千五百位受過專業訓練的老師，這些學校都是「國際基督教學校」（Christian Schools International）的會員。

「宗教教育」是一個國家最重要的問題，沒有宗教教育，這個國家必走向毀滅。美國國勢再强，若在公立學校中沒有宗教教育，必然難逃毀滅的結局。由於撒但在公立學校教育的影響越趨明顯，使其他宗派教會也感到有成立教會學校的必要。浸禮派、神召會及其他教會的家長所成立的基督教學校，組織了全國基督教學校協會，會址設在伊利諾州的惠敦鎮（Wheaton）。聖公會也有許多私立學校。

6. 戰爭與和平問題　戰爭所帶來的苦難和悲劇，以及新戰爭爆發的危險，使人類在整個歷史中不斷尋求和平的保障。有些團體的宗旨雖然在保守和平，但一旦戰爭不可避免時，他們仍應召出征；但另有些團體視戰爭為罪惡，絕對不肯參戰。

聖約翰座堂內景

自殖民地時代，貴格派、莫拉維弟兄會、門諾派及頓克派來到美國後，就有了和平運動。除了這些反戰的宗教團體外，公元 1826 年，全美國各州有五十多個和平協會。參加的會員大半是牧師及虔誠的平信徒。公元 1830 至 1840 年間，教會經常通過一些維護國際和平的決議案。

公元 1898 年，美國與西班牙之戰後，和平運動更加積極。公元 1909 年，舉行第一屆海牙會議，有二十六個代表出席。卡內基（Carnegie）捐出數百萬元，促進世界和平，並在海牙建造和平之宮。有許多主張和平的信息在各地發表，使得不少美國人夢想著一個和平公正的新時代即將出現。但是，突然間，第一次世界大戰爆發，這場美夢隨即幻滅。

在戰爭中，那些提倡和平的人如何持守自己的立場？對極大部份的人而言，這個問題很容易解決，他們認為「戰爭的目的是為終止戰爭」，因此，這些教會的牧師和信徒為了和平，而以全力支持戰爭。

仍然大膽公然反戰的人，則遭不良待遇。有些教會的牧師在傳講和平的信息時，聽衆當面走出教堂。有很多牧師在壓力之下，被逼辭職。一位牧師因爲不肯加入自由借款籌募運動，房子被人漆成黃色。五十五位各宗派牧師被捕，其中一位判刑二十五年。洛杉磯一個反戰基督徒聚會被暴民攻破，三位領導人物被捉，受審，罰款及下監。

第一次世界大戰後，和平運動又變得正面而積極，裁軍成爲具體的目標。但是希特勒的興起，以及他對猶太人的屠殺，對民族自由的摧毀，裁軍又變成必須重新檢討的課題。

兩顆原子彈一下子結束了第二次世界大戰，再次爲和平運動帶來新的衝擊，因著核子戰爭的可能性，以及使用毀滅性武器的倫理問題，造成多次「禁核示威」和監視核子武器裝設的行動。

7. 現代主義　第一次世界大戰後，緊接着的是美國趨向繁華的年代。事業發達、錢財富裕，使許多有錢人將大量捐款奉獻給教會。於是興建了許多富麗堂皇的大教堂。最出名的是浸信會河濱教堂及聖公會聖約翰座堂，兩間都在紐約市。

爲了配合美侖美奐的新建築，崇拜也更趨儀式化。牧師穿上牧師長袍，詩班也穿上詩班袍，教會音樂愈形莊嚴華麗，並加上牧師及詩班的入席和退席聖樂、會衆的應答詩歌以及詩班的聖歌。

教會儀式越來越複雜，參加聚會的人數却越來越少。好些教堂已經聽不到神的話，敬拜的心已從聚會中消失。教會失去了傳福音的基本功用，反而由自由神學（Liberalism）及社會福音（Social Gospel）所取代。

今日的自由神學主義被稱爲現代主義（Modernism）。這

節期時日，在印度的廣大羣衆

種神學思想將成千上萬的信徒帶進一種模糊、無稽和不能滿足的信仰中。因它的教導包括許多卓越的看法，所以能吸引那些缺乏聖經之眞理基礎的人。

現代主義對於永恆的奧祕帶着敬畏的態度，他們對基督非常尊敬，認爲他是一位獨特的宗教奇才。他們讚揚聖經是一本了不起、偉大作品的總滙。但是他們不承認童貞女懷孕生子，及基督的神性。他們不承認世人都犯了罪及基督十字架的代贖之功。現代主義可以說否認全本聖經的基要教義，主要是因他們不信聖經是神所啓示的。他們認爲聖經只是以色列人宗教思想、感情及經歷的紀錄。

現代主義不信信仰中有任何權威，因此，他們不接受任何信條。由於他們主張每個人都可以有自己的看法，所以彼此之間也有很多歧異。

今天，現代主義不像過去對自由那麼有把握，因爲歷史證明了一些他們的錯誤。他們把人放在中心，取代神的地位；根據進化論，他們相信人類是朝向理想、美好、有用及幸福的境界邁進；他們把一切希望建立在人的身上，人可以用自己的能力建設更好的世界，過美好的人生。

然而，公元 1929 年發生經濟崩潰，接下來是第二次世界大戰的恐怖與殘酷，歷史證明人類確是不完全、充滿罪惡，而且無法向更美善的世界邁進。

8. 宣教活動　公元 1898 年的美西戰爭，為復原派教會打開了菲律賓及波多黎各的工場。在這兩處地方作宣教工作的各派教會，以合作的精神一同工作。

自從公元 1886 年「學生立志佈道運動」（Student Volunteer Movement）興起後，宣教工作得到强烈的熱誠和支持。穆特（Mott）成為該運動的偉大領袖。公元 1906 年又組織了平信徒宣教運動（Laymen's Missionary Movement），使國外佈道工作向全世界各民族進軍，同時本地的宣教工作，也在各大宗派推動下，在西部各州及阿拉斯加進行。

然而，正當教會努力發展西部及國外宣教活動之時，現代主義滲透進來，並普遍傳佈，成為福音工作最大的攔阻；因為現代主義所傳的是另外一個福音，他們刪除了純正福音的重點，就是把人類需要救恩及耶穌基督寶血的功效刪除，把整個基督教宣教

本地信徒領袖於接受神學訓練後，出去傳道、教導及散發福音書籍。

的目的破壞無遺。

現代主義傳福音的唯一目的，是將西方文化帶給非洲及東方人。然而，印度、中國和日本早有了他們自己優越的文化，對他們而言，西方文化已經淪落，並有許多嚴重的錯誤。

由於現代主義的影響，教會經濟的來源及宣教的人力，驚人地下降。曾經一度在各大學轟轟烈烈的學生立志佈道運動，消聲匿跡。穆特的口號：「在這一代把福音遍傳全球」也失去了意義。到了公元 1930 年，宣教工作顯然面臨嚴重的危機。

第二次世界大戰以後，宣教活動有了急遽的轉變，因爲有許多國家獨立（尤其是在非洲），民族主義精神在這些新文化中興盛，使宣教士面臨困難的情況。宣教士被看爲西方派來的特務，基督教被看爲當地宗教信仰的敵人。眼看着外國宣教士的工作即將告終，各宣教團體開始强調當地領袖的訓練，培植當地基督徒領袖，使他們自己組織教會。

不但新興的國家嚴禁宣教士的活動，連其他非基督教國家也重新確定他們的宗教。錫蘭的教會學校被敵對的政府沒收；印度不歡迎宣教士；也有許多其他國家表示不歡迎宣教士；中國大陸之門關閉；共產國家的宣教工作也大大減縮。當然，日本以及中、南美洲的開放，又給宣教工作帶來新的機會。

研討問題：

1. 從復興運動和教育的表現上，如何看出教會在經濟上的富裕？
2. 爲什麼到十九世紀後期，教會開始多關懷社會的需要？這種關懷在優先順序上有沒有問題？教會主要的使命是什麼？
3. 各個宗派在宗教教育方面做了什麼努力？

4. 在防止戰爭運動上，教會扮演什麼角色？你自己的教會對戰爭的倫理觀是什麼？
5. 是什麼事影響了「主日守安息」的傳統？
6. 解釋以下名詞：大陸式安息、沙妥夸、教會學校、和平之宮。
7. 爲什麼第二次世界大戰後，宣教活動大爲改觀？
8. 教會對教育、戰爭、政治及種族問題，當採什麼態度？
9. 現代主義的神學觀點是什麼？什麼叫新正統主義（neo-orthodox）？那些人是領導人物？
10. 試作一項研究：是否就讀基督教學校的學生的靈命和信仰，會比就讀非基督教學校的學生强？

第四十七章

加拿大教會

1. 早期歷史
2. 羅馬天主教
3. 長老教會
4. 其他教會
5. 安立甘教會
6. 改革宗教會

1. 早期歷史　加拿大早期歷史和英國史、法國史及羅馬天主教宣教史交織在一起。自從公元 1534 年，卡悌爾（Cartier）發現聖羅倫斯（St. Lawrence）後，有兩世紀之久，開發加拿大地區的基本目的，都只爲皮貨貿易及帶領印第安人信主，而不是爲了殖民。公元 1605 年，阿卡地亞（Acadia）成爲第一個殖民地；阿卡地亞就是今天的諾瓦斯各夏（Nova Scotia）。

爲了爭取北美洲的統治權，英國和法國展開了長期的奮鬥。最後是公元 1763 年的巴黎條約（Treaty of Paris），才把主權歸給英國。

法國耶穌會宣教士向印第安人傳道

加拿大的法國人對美國獨立戰爭不感興趣。許多英國忠貞份子（Loyalists）在壓力下離開殖民地，遷往加拿大的新布朗斯維克（New Brunswick）及上加拿大地區（今日安大略省）。這些人和大部份後來的殖民者均爲不同意國教者（Nonconformists），或安立甘教會信徒。而下加拿大地區（今日魁北克省）則仍屬羅馬天主教的範圍。

由於雙方繼續不斷的衝突，終於公元 1791 年，上、下加拿大分裂，分別在新成立的安大略與魁北克省組織自己的議會。公元 1840 年，英國政府又將分裂的兩省合併起來。公元 1867 年，上、下加拿大，諾瓦斯各夏，及新布朗斯維克聯合起來，成立了加拿大國。然而，直到今日，兩種語言、兩種民族傳統以及兩種宗教，仍爲加拿大的基本問題。

2. **羅馬天主教**　自從公元 1608 年查普蘭（Champlain）定居魁北克（Quebec）後，下加拿大地區一直是羅馬天主教，並使用法語。

公元 1615 年，查普蘭請神甫自法國來到印第安人中工作，由於人手不足，再於公元 1625 年，籲請耶穌會修道士來幫助。

公元 1629 年，魁北克淪入英國人手中，這些神甫、修道士被迫回到法國，直到公元 1632 年。

公元 1642 年，爲了「神的榮耀及在新法蘭斯設立宗教」之故，他們建設了蒙特婁（Montreal）。然而這期間，開荒的神甫們，整整經歷了十年披荊斬棘的辛勞與殉道的生涯。

許多宣教士與探險者一直行到大湖（Great Lakes）區。兩位神甫於公元 1673 年發現密西西比河（Mississippi），另外兩位宣教士於公元 1700 年成立底特律殖民區（Detroit）。宣教工作被推展到依利諾州及俄亥俄地區之間。

要印第安人歸化一直很難，因爲：⑴和貿易者之間的衝突。⑵和其他印第安人之間的衝突。⑶英國得勢後，宣教士們被逼回法國。⑷缺乏永久殖民者。公元 1666 年，新法蘭斯只有三千二百十五人。到公元 1713 年，也只有一萬八千人。然而，美洲這邊的殖民地於公元 1706 年，已有二十六萬人。

公元 1763 年巴黎條約訂立，英國獲勝。英國雖然保證「宗教自由」，却又加上許多「大英帝國」的條例，使天主教學校、社區及活動，有一世紀之久受到許多限制。在接下來的懷柔政策

這幅「耶穌會宣教士殉道圖」是公元 1664 年所出版一本書的首頁插圖。

之後，又是新的衝突。英國政府容許女性宗教團體的存在，却逐漸消滅男性宗教團體。公元 1767 年，耶穌會大批產業被沒收，修士被驅逐，英國人欲藉復原教學校將法國人帶進復原教，但結果却促成法國天主教社區（French-Catholic Community）的成立。

加拿大不像英國，他們沒有國立教會的設立，根據公元 1867 年的北美洲法案（British North America Act），表面上似乎有崇拜的自由，但這項自由却被深埋在英國法律之下。

根據公元 1981 年的「美國與加拿大教會年刊」（Yearbook of American and Canadian Churches）報導：在加拿大八十個宗教團體中，天主教勢力最大，約有一千五百萬信徒。小學分成天主教小學及非天主教小學（包括復原教、猶太教、回教及印度教），這些小學都從省政府獲得經濟支持。

3. **長老教會**　加拿大長老教會的信徒來自不同的地方。十七世紀時，曾計劃設立一個預格諾派殖民地，但沒有成功。當美國革命時，許多預格諾信徒與忠貞份子來到加拿大，分別於公元 1749 及 1755 年定居諾瓦斯各夏。十九世紀前期，又有大批長老派信徒自蘇格蘭及北愛爾蘭來到此地。此外，便是來自英國及美國的長老派信徒。

到十九世紀中葉，就有了合一的趨勢。公元 1875 年，所有長老教會聯合，組成了「加拿大長老會」（Canadian Presbyterian Church）。這個劃時代的行動，不但將長老教會聯合起來，也成爲宣教工作的起點；他們一方面向加拿大的西北部宣教，一方面向國外宣教。公元 1925 年是加拿大教會的關鍵年，差不多三分之二的長老派教會，與公理派及循道派教會組成了「加拿大基督教聯會」（The United Church of Canada）。剩下的三分之一長老教會，在司各脫（Rev. Ephraim Scott）牧師的領導下，組成了「加拿大長老派教會」（The Presbyterian Church in Canada）；到公元 1980 年時，發展成加拿大第七大宗派。

4. **其他教會** 循道派教會也依同樣方式發展：他們於公元 1770 年從英國及美國來到加拿大，在公元 1812 年的戰爭之前，加拿大循道派和美國循道派有密切關係。公元 1883 年，五個主要循道派團體聯合，並於公元 1925 年加入「加拿大基督教聯會」，這個聯會是目前加拿大最大的復原教團體，其次便是安立甘教會。

有些浸禮派信徒於美國革命前便來到加拿大，後來由於忠貞份子的來到，使他們的人數大為增加；但傳統的獨立主義觀念，使他們一直無法組織任何聯會。

此外，在加拿大還有信義宗、猶太教、希臘正教、希臘天主教、門諾派、五旬節派及救世軍。

從魁北克總督院看出去，聖公宗教堂及阿美斯廣場的景色

5. **安立甘教會**　公元 1749 年，加拿大安立甘教會在諾瓦斯各夏殖民地開始，許多美國革命時期逃來此地的忠貞份子，都屬英國安立甘教會。

公元 1787 年，第一位諾瓦斯各夏主教在英國按立，他的教區包括英國在加拿大所有殖民地區。

這個教會一直在英國的控制之下，經過多次磋商的結果，加拿大主教們終於公元 1857 年決定有他們自己的會議（Synods）。直到公元 1862 年，才有第一位在加拿大本地按立的主教。安立甘教會是加拿大復原派的第二大宗派，據公元 1980 年的統計，約有一百萬信徒。但他們「極端英國」（Englishness）的特點，成了「把福音遍傳全球」的攔阻。

6. **改革宗教會**　在加拿大接受改革宗信條的教會至少有五個宗派，其中最大、最久是「基督教改革宗」（Christian Reformed）；此派中有些教會早於公元 1905 年便已成立，但一直到第二次世界大戰時，仍只有十三間教會；公元 1946 年以後，當成千改革宗信徒自荷蘭移民加拿大之時，他們眞正開始發展。到公元 1981 年，基督教改革宗教會共有八萬零三百五十九位信徒、一百九十六個教會、及一百九十二位牧師。由於語言的困難，教會情況仍不穩定，盼望能在加拿大找到它的地位。鑑於公立教育太世俗化，他們設立了一些基督教小學與中學。

另一個因移民而擴大的教會，是美洲改革宗教會（Reformed Church in America），公元 1980 年時，他們有二十三位牧師、十九間教會及五千五百四十一位信徒。

一直和荷蘭母會保持密切關係的有三派，第一個是「加拿大改革宗教會」（Canadian Reformed Churches），成立於公元 1948 年。第二個是「荷蘭改革宗教會」（Netherlands Reformed Churches），成立於公元 1950 年。第三個是「自由基督徒改革宗教會」（Free Christian Reformed Churches），成立於公元 1951 年。這三派中的第一派，加拿大改革宗教會最强調制度上的合一及「有形」的教會；另外二派則强調眞正重生與屬靈經歷，是會友的必要條件。

研討問題：

1. 什麼原因使北美洲印第安人不接受基督教？
2. 公元 1867 年，英國的北美法案到底提供了什麼？
3. 列出加拿大改革宗教會的五大宗派及它們的特點。
4. 那些教會組成加拿大基督教聯會？
5. 加拿大面對的基本問題是什麼？
6. 解釋以下名詞：下加拿大、諾瓦斯各夏、司各脫牧師、忠貞份子。
7. 查考歷史書籍，進一步瞭解加拿大早期歷史。

第四十八章

教會努力保守信仰

1. 基要主義
2. 基要派接受千禧年前説
3. 聖潔派反對世俗化
4. 各宗派對抗自由神學主義
5. 正統派長老教會
6. 基督徒改革宗教會

1. 基要主義（Fundamentalism）　公元1910年出版了一套共十二册的小書，題名爲一「基要信仰：眞理的見證」（The Fundamentals：A Testimony to the Truth），這套書帶動了基要主義運動。這是一個有組織的運動，反對現代主義，堅守聖經教導。

這些書上所列出的基要信仰如下：(1)聖經絕對無誤，(2)基督藉童貞女懷孕降世，(3)基督十架代贖功勞，(4)基督肉身復活，(5)基督肉身再來。

這套書銷售了二百五十萬份，引起教會中基要主義派與現代主義派尖銳的爭論，震撼了循道會、聖公會與門徒教會，在浸禮派教會及長老教會中更是嚴重。這場爭論從公元 1916 年開始，一直延續至今。

2. **基要派接受千禧年前（Premillennialism）說** 第一次世界大戰的恐怖，使許多人相信世界末日即將來臨，因此他們關心聖經上對末後事件的教導。教會中大部份人都接受猶太人回到巴勒斯坦、基督再臨地上、在耶路撒冷為王一千年的教義。這種看法稱為千禧年前說，因為此說教導基督第二次再來是在千禧年國之前。接受這種教義的人被稱為千禧年前派。

基要派信徒絕大部份接受千禧年前說，因此，近代往往把基要派與千禧年前派連在一起。而一些小教派或無宗派的教會也接受千禧年前教義。

3. **聖潔派（Holiness Groups）反對世俗化（Worldliness）** 在美國的大教會中，一些比較不富裕的人開始對教會中有錢發達的人感到不舒服。再加上現代主義的影響，使教會崇拜越來越趨向儀式化，他們覺得宗教的靈已經不在其中。大約公元 1880 年出現了有關「聖潔」的問題，尤其是在循道派教會之中。約翰衛斯理在世時，曾教導信徒竭力進入完全的地步；但如今，循道派教會中不再有人全心追求完全，反而大量世俗化侵入教會。

漸漸在許多教會中出現了聖潔派，這些團體的會員立誓忠於循道派創立人衛斯理的教導，將循道派教會帶回到他的理想之中。但是循道派的領袖們並不贊同這個聖潔運動，大部份循道派牧師及其他教會牧師都傾向於現代主義，這樣一來，教會中持正

梅欽

統信仰的會友大大驚慌，他們在這樣一個冷淡不願追求「聖潔」的教會中也越來越不自在，最後他們開始退出教會，另外組織宗教團體。

公元 1880 至 1926 年間，超過二十五個聖潔派與五旬節派團體成立。大部份成立在中西部的郊區，因爲那個地區循道派勢力最大，從其中出來了許多人加入聖潔派。此外，其他教會及全國其他地區也有許多人出來，加入聖潔派團體。

公元 1894 年，八個小聖潔派團體聯合而成拿撒勒人會（Church of The Nazarene），其他聖潔派團體包括：神召會（Assemblies of God），神的教會（Church of God），和五旬節派耶穌基督教會（Pentecostal Assemblies of Jesus Christ）這些團體都是爲了反對美國大教會中現代主義越來越强而產生的。

4. 各宗派對抗自由神學主義　其他教會，不論新舊，都竭力持守純正、傳統的基督教信仰。改革宗與長老宗在現代主義的潮流中力挽狂瀾，保守他們的信條。美南浸禮派教會也堅定地站住正統立場，而且以每年十萬人的速度增長；公元 1980 年時，會員已經超過一千三百萬。信義宗也忠於他們的信條，尤以密蘇里議會爲着，較小的威斯康辛信義宗議會更加保守，公元 1980 年會員四十萬二千九百七十二人，密蘇里議會有會員二百五十萬人。

南部長老教會和聯合長老教會，由於許多牧師和信徒接受自由神學信仰而分裂，但他們中間仍有大部份人持守改革宗信仰。

北部長老教會則被自由神學主義完全侵佔。雖然他們繼續以威斯敏斯特信條（Westminster Confession）爲正式信條，但意義已經改變；因爲現代派的人，可以很輕易地把自由神學觀念讀進信條之中。

這間在密西根荷蘭鎮的「柱石教堂」，是公元1853 年饒特所設立的基督徒改革宗教會。

其他小宗派也在現代主義狂流中緊抓傳統福音。老派長老教會、荷蘭改革宗教會及改革派聖公會都堅守他們的信仰。

雖然，現代主義在過去數十年中像洶湧海潮，但是神的恩典仍然保守許多宗派，在狂流中堅定不移。

5. 正統派長老教會　在傳統基督教信仰和現代主義之爭中新興的一個教會，是正統派長老教會。當公理派教會受新英格蘭神學影響而降下加爾文旗幟時，北部長老教會仍高舉加爾文信仰，達幾十年之久。但現代主義狡黠地侵入普林斯頓神學院（Princeton Seminary），然後進入長老教會。

公元 1929 年，在梅欽（Gresham Machen）英勇的領導下，於費城成立了威斯敏斯特神學院（Westminster Seminary）以與普林斯頓神學院的現代主義對抗。經過激烈奮鬥以後，於公元 1935 年的大會中，加爾文派被現代主義所擊敗。這次現代主義派的得勝，是因爲大多數長老會信徒把「和平」放在「眞理」之上，而被現代派利用的結果。一批忠於先人信仰的人，乃於公元 1934 年起來組織了正統派長老會，這間雖小猶勇的教會，至今仍然奮勇地與現代主義爭戰。

6. **基督徒改革宗教會**（The Christian Reformed Church）　美國教會除了少數幾間，都是移民教會。基督徒改革宗教會也不例外，它是歐洲移民中在北美大陸所設立的最後幾個宗派之一。

教義上，這個宗派屬於改革宗，也就是加爾文派。採用的信條與荷蘭改革宗教會一樣，即比利時信條、海得堡信仰問答和多特法規。教會行政制度是長老制，他們把教會組成許多監督會，與長老部聯繫；在每一個監督會中的各教會，派牧師及一位長老參加監督聚會；這種聚會一年舉辦二至三次。每一個監督會的牧師與長老代表，則參加一年一度的年會。基督徒改革宗教會和其他改革宗教會一樣，要求傳道人接受高深的教育。

近年來教會顯著的增長，是由於內部的强大，以及第二次世界大戰後，移民潮從荷蘭湧入之故。公元 1943 年，他們有三百零六間教會、十二萬六千信徒，公元 1981 年則有六百二十六間教會、二十一萬三千九百九十五位信徒。

多年來，宗派領袖們與荷蘭的神學發展保持密切接觸，該伯爾（Kuyper），貝文克（Bavinck），和其他神學家的著作，引起了對加爾文派及改革宗神學的熱愛。

另外一些因素也使這個宗派保持正統信仰：要求牧師在主日證道中，每兩次要有一次根據海得堡信仰問答證道，信徒家庭每年有牧師和長老探訪，並强調教會中青年人的慕道班課程。基督徒學校得到支持，社會中各年齡階段都有查經班，當其他宗派越趨鬆弛之時，他們的信徒仍實行嚴格懲戒，甚至將沒有活出基督徒生活見證的人革除教籍。

研討問題：

1. 基要派信仰如何符合初期教會的使徒信經？
2. 爲什麼千禧年前派與基要派連在一起？
3. 聖潔派團體的宗旨是什麼？
4. 爲什麼現代主義對正統信仰一直是一種危險的影響？
5. 正統派長老教會爲什麼脫離美國長老教會？
6. 列出基督徒改革宗教會七方面的活動。你能找出它有荷蘭的背景嗎？
7. 解釋以下名詞：梅欽、世俗化、密蘇里議會、威斯敏斯特信條、該伯爾。

第四十九章

教會聯盟與聯合

1. 兩股力量：分離與合作
2. 教會聯盟的組成
3. 教會聯合迅速發展
4. 普世基督教協會
5. 其他普世合一活動

1. 兩股力量：分離與合作 從改教運動一開始，復原教主義便顯出分裂的趨勢；路德、慈運理、加爾文對許多事情之看法不一致；但也從改敎一開始，就已經在努力克服這個趨勢，例如路德和慈運理在馬爾堡的會談，雖然沒有成功，却也是一次努力的明證。加爾文在他的信件、教導及會議中，成功地爲復原運動帶來相當程度的合一。

近代在復原派敎會中謀求合作的第一次努力，是於 1846 年在倫敦成立的「福音派聯盟」（Evangelical Alliance）。從美國、英國有五十多個福音派團體加入這個聯盟，同時也在九個歐洲國家設立支會，這個聯盟推動許多合作活動，可惜到該世紀結束時，熱誠已經消失了。

復原派教會之間的分裂隨着時日而增長，特別是在美國，由於政教分開，以及宗教的完全自由，單單在美國復原教就分成三百多個宗派。

十九世紀末期，整個復原教世界普遍渴望合一，盼望在不同的問題上，各教會能有合一的見證與行動。這種感覺就帶出了「教會聯盟」與「教會聯合」的組成。所謂「教會聯盟」（Church Federation）是指在同一個宗派中，各教會爲面對同樣的問題而組成的聯盟。所謂「教會聯合」（Church Union）則指兩個以上不同宗派聯合在一起。

美國各教會對教會合作特別熱衷，但歐洲的老教會及亞洲、非洲的新教會也很難投入；雖然這種教會合一運動主要是在復原教團體中，但東方正教也加入此運動，甚至連天主教也表示感興趣。

這個合一運動成爲二十世紀教會最顯著的特色。

2. **教會聯盟的組成**　「福音派聯盟」事實上是一個由個別基督徒組成的協會，而非各教會的聯盟；當這個國際性的聯盟解體之際，一個新的教會聯盟於公元 1908 年在美國成立，取名爲「美洲基督教聯會」（Federal Council of Churches of Christ in America）。這個聯會非常活躍，常針對社會、經濟和政治各方面的問題發表文章。復原教會大宗派都加入該聯會，現代神學對這個組織有很大的影響。

公元 1950 年「美國基督教聯會」（National Council of The Churches of Christ in The U.S.A.）取代了「美洲基督教聯會」，這個新組織除了包括舊組織所有復原教會之外，又加入

大主教比提靈及區主教們在「全蘇聯教會與宗教協會」的和平促進會議中。

了希臘東正教會。這個新組織深具影響力，聲稱代表美國復原教大多數人的意見。

但有一些宗派拒絕加入聯會，因爲認爲他們是現代主義派，而已加入的各宗派中也有許多宗派對該聯會深表不滿：因爲他們沒有信仰告白，也不致力於達成宗旨。

這些採取反對立場的基督徒，深覺「正統復原教主義」需要一個强大而合一的聲音。因此於公元 1940 至 1944 年間，出現了兩個組織，它們是「全美福音派協會」（National Association of Evangelicals）及「美國基督教會議」（American Council of Christian Churches）。這兩個組織都同意忠於正統基督教信仰，但在組織上及對美國基督教聯會的態度上不同。全美福音派協會於公元 1943 年舉行了第一次大會，參加者不但來自各宗派，也包括基督教機構與個人；而公元 1944 年成立的美國基督教會議，限定會員必須是與美國基督教聯會無關的份子。可見全美福音協會在對美國基督教聯會的態度上，比美國基督教會議寬大得多。這兩個新組織在文字出版等方面都很活躍，對會員們提供極有價值的服務。

3. **教會聯合迅速發展**　人們對許多事都有不同的意見，對於信仰更是如此，因爲宗教問題不僅是普通意見，更是一種信念。教會界對於基要派教義、崇拜方式及教會行政組織等問題，總會因看法不同而分開。

對於基督教界的分門別類，有人以爲完全是錯誤，有人認爲並非大錯；有人衞護宗派，有人則看宗派爲罪惡。

在過去四十年中，一些大宗派的領袖們爲教會聯合而努力。有些人竭盡己力，漸有成就。然而謀求各宗派聯合是一條漫長而緩慢的路。在過去二十五年中，聯合的步伐突然加快起來。公元1939年，三個宗派聯合起來，組成了「美國循道會」（Methodist Church in The United States），此外「基督教聯會」（The United Church of Christ）是由四個宗派合併而成。長老派中有兩個大團體最近聯合，信義宗也有同樣的事，這些宗派聯合，無論大小，是聯合運動的一些例子。

美國地區以外，也有聯合運動。公元1925年，加拿大的循道派、公理派與長老派教會，聯合而成「加拿大基督教聯會」（United Church of Canada）。公元1947年成立的「南印度教會」（Church of South India）」也是包括許多背景不同的教會團體。

除了以上所提的團體外，許多團體也在討論與其他團體聯合的可能性，以致每年聯合的名單不斷增加。

當聯合順利進行時，有一點不能不謹慎的就是：教會「聯合」（Union）必須建立在教會「合一」（Unity）的基礎上。有關教義的問題、崇拜問題及教會行政問題必須先解決，不能爲了「聯合」而避諱不談，否則這種表面的聯合不是眞正的合一，也不能爲基督的教會帶來眞正的幫助。

4. **普世基督教協會**　復原教在合一的努力上最大的工作就是

「普世基督教協會」(World Council of Churches)的成立。這個協會的成立，要溯源於公元 1910 年在愛丁堡(Edinburgh)舉行的國際宣教會議；雖然這次會議，只是一個宣教會議而非基督教協會，但在聚會中，許多教會看到教會間合作的可行性。

這次宣教會議所產生的衝激，又帶出了三個重要的運動：幾年後，成立了「國際宣教會議」(The International Missionary Council)，繼續討論宣教問題，並服事各宣教機構，爲它們提供寶貴的意見。公元 1925 年在斯德哥爾摩(Stockholm)，公元 1937 年在牛津(Oxford)，分別舉行了「生命與事奉世界會議」(The World Conference on Life And Work)，會中討論教會對社會應有的關懷及行動。公元 1927 及 1937 年，又分別在洛桑(Lausanne)和愛丁堡(Edinburgh)舉行了「信仰與教制世界會議」(The World Conference On Faith And Order)，討論不同宗派的教義及教會行政問題。

每次會議都發現各宗派之間的差異，但一般的感覺都認爲，聚在一起開會有雙重目的：一方面討論彼此之間的差異，另一方面謀求合作的可能。而且大家也看出基督教間合一之路相當樂觀。

因此，當公元 1937 年在舉行「生命與事奉」及「信仰與教制」世界會議時，便提出爲合一成立一個新的組織。結果是公元 1948 年所成立的「普世基督教協會」。這個協會的宗旨是將「生命與事奉」及「信仰與教制」兩次世界會議所決定的事，付諸實行，且在有關全世界的事工上促進普世教會的合一。

普世基督教協會第一次於公元 1948年在阿姆斯特丹開會，共有三百五十一位代表，來自一百四十七個教會及四十四個國家。第二次大會於公元 1954 年在伊利諾州愛文斯頓(Evanston）舉行。第三次於公元 1961 年在新德里（New Delhi）舉行。第四次於公元 1968 年在瑞典烏撒拉（Upsaja）舉行；除了二百三十五個教會代表外，並有十一個人數少於一萬人的教會派代表參加。第五次大會於公元 1975 年在乃洛比（Nairobi）舉行。

這個協會的確爲普世基督教會的合一而努力，但仍有不少教會脫離該組織。有些正統派教會不再申請加入該協會爲會員，因爲擔心它會越來越趨向自由派，或變成一個不强調聖經眞理的超教會組織；然而也有一些教會認爲，加入該協會爲會員，是正統派教會的責任；因爲這樣做至少可以在普世協會開會時，代表保守派發言，使他們聽見福音派的聲音。在這協會中，一些在宣教工場新成立的教會，地位越來越重要。開會時，每次都有不同意見，但大家仍決定聯合在一起；隨着時代的演進，繼續謀求更進一步的合一。

5. **其他普世合一活動**　除了上述的聯合運動外，在過去一百年中還有一些合一活動，其中之一便是普世信條聯盟（World Confessional Alliances）的成立。全世界信仰和組織相似的教會，定期聚在一起討論和交通，最早出現的是公元 1875 年開始的「改革宗教會世界聯盟」（World Alliance of Reformed Churches），其他類似的組織還有「國際公理宗教會協會」（International Congregational Council）、「世界衞理宗教會協會」（World Methodist Council）、「浸信會世界聯會」（Baptist World Alliance）、「世界信義宗協會」（The Lutheran World Federation）以及「萬國基督教聯合會」（International Council of Christian Churches），此外公元 1946 年的「改革宗普世會議」（The Reformed Ecumenical Synod），也是類似的組織。

羅馬天主教一向對復原教不予理會。但近年來，對和復原教之間的交通越來越有興趣。公元 1962 至 1965 年間舉行的第二次梵諦崗會議，邀請了復原教觀察員列席參加。

這許多普世合一活動的潮流，說明了基督教會已經嚴肅地考慮到合一的見證。另一方面，也警覺到教會之間長久差異的存在，總之，在我們這個時代的教會發展中，普世合一運動可以說是最大的挑戰。

研討問題：

1.「教會聯盟」與「教會聯合」的不同是什麼？這兩種的長短處各爲何？
2. 教會聯合的最大困難是什麼？
3. 羅馬天主教在教皇約翰二十三世及保羅六世時代，爲普世教會合一做了些什麼？
4. 舉辦一次座談會，討論我們教會應不應當加入普世基督教協會或其他基督教聯盟組織。

第五十章

回顧與前瞻

1. 回顧
2. 前瞻

1. 回顧　腓立比書三章12−14節，保羅說：「這不是說我已經得着了，已經完全了……我只有一件事，就是忘記背後努力面前的，向着標竿直跑，要得神在基督耶穌裡從上面召我來得的獎賞」。

教會可以拿保羅的話，作爲自己的勉勵。教會過去的事奉並不完全，教會仍有罪人，也在罪惡的世界之中。雖然教會不「屬」這世界，却「在」世界中；它是世上的光、世上的鹽，它發揮對世界的影響；但是過去世界也曾深深地影響了教會，教會也曾失去鹹味，它的光也曾黯淡。

從教會一開始，猶太人是教會的第一個反對者；接下來，回教徒奪走許多十字架旗幟曾經飄揚過的地區。到目前，教會尚未把全部失地奪回。

教會從未被征服：羅馬帝國雖然覆亡，教會仍然屹立，而且

從拱門「回顧」義大利米蘭的古典教堂和「前瞻」(次頁)美國空軍軍校的新式大教堂正好互成對比。

把征服羅馬的日耳曼民族，帶進神的羊圈。教會雖曾慘痛地跌進錯誤、迷信、敗壞和冷漠之中，但教會屬靈的生命永被保存，而且得以復興。歷世歷代，無數帝國君王興起了又衰亡；政治制度、社會體系，出現了又消滅。時代的巨輪，繼續推進；人類的生活，不斷改變；但教會在神大能的手中，永遠長存。

2. **前瞻**　我們已經行過了教會歷史二千哩漫長之路，這條路仍然繼續。今天我們所看到的，是一幕奇特的景象，令我們又憂愁又歡樂。憂的是，看到教會中許多人爲信仰而紛爭；樂的是，看到全世界各角落都有人接受福音。從聖經中我們知道，教會與世界有一天都將面對神的審判；烏雲雖然已經在天際升起，但教會仍需繼續完成使命，直到主的再來，因爲教會是基督的軍隊，基督是教會的永活之君和元帥。

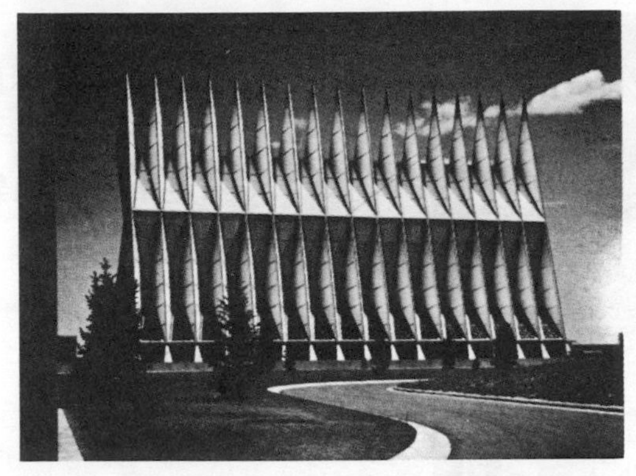

左圖有十七個尖塔，是一座爲各種信仰而建之教堂，可以同時舉行三種崇拜，基督教堂可容九百人，天主教堂可容五百人，猶太會堂可容一百人。

讀完了過去的教會歷史，我們的責任並未結束。雖然我們在歷史中，只是渺小的一份子，但願在前面的爭戰中，我們能證明自己是主基督忠心的精兵，讓我們以生命寫下歷史的新頁。願往後的歷史比過去的歷史更榮耀！

中英對照人名索引

A

B

C

D

E

F

G

H

I

J

K

L

M

N

O

U V

W

X

Y

Z

中英對照地名索引

D

E

F

G

H

I

J

K

L

M

N

O

P

Q

R

S

中英對照一般名詞索引

A

B

C

D

E

F

M

N

O

P

Q

R

S

T

U

V

W

Y